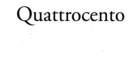

Quattrocento

Stephen Greenblatt

Quattrocento

Traduit de l'anglais (États-Unis)
par
Cécile ARNAUD

Flammarion

Titre original : *The Swerve*
© Stephen Greenblatt, 2011
Flammarion, 2013, pour la traduction française
ISBN : 978-2-0812-8457-9

À Abigail et Alexa

PRÉFACE

QUAND J'ÉTAIS ÉTUDIANT, je passais souvent à la coopérative de Yale, à la fin de l'année universitaire, pour trouver de quoi lire pendant l'été. J'avais très peu d'argent, mais la librairie bradait régulièrement ses invendus qui s'entassaient pêle-mêle dans des caisses que je fouillais, sans idée préconçue, attendant qu'un titre attire mon attention. Lors de l'une de ces explorations j'ai été frappé par la couverture extrêmement étrange d'un livre de poche, illustré par le détail d'un tableau du peintre surréaliste Max Ernst. Sous un croissant de Lune, très haut au-dessus de la Terre, deux paires de jambes – les corps manquaient – étaient engagées dans ce qui ressemblait à un coït céleste. L'ouvrage – une traduction en prose du poème de Lucrèce, *De la nature (De rerum natura)*, vieux de deux mille ans – coûtait dix cents. Je l'ai acheté, je l'avoue, autant pour la couverture que pour l'exposé classique qu'il contenait sur le matérialisme de l'Univers.

La physique antique n'est pas un sujet particulièrement drôle pour une lecture de vacances, mais un jour, au cours de l'été, j'ai ouvert le livre et commencé à lire. J'ai très vite trouvé matière à justifier la couverture érotique. Lucrèce débute par un vibrant hymne à Vénus, la déesse de

9

l'Amour, dont l'arrivée au printemps disperse les nuages, inonde le ciel de lumière et emplit le monde entier d'un désir sexuel frénétique :

> Car sitôt dévoilé le visage printanier du jour,
> dès que reprend vigueur le fécondant zéphyr,
> dans les airs les oiseaux te signifient, Déesse,
> et ton avènement, frappés au cœur par ta puissance ;
> les fauves, les troupeaux bondissent dans l'herbe épaisse,
> fendent les courants rapides, tant, captif de ta grâce,
> chacun brûle de te suivre où tu le mènes sans trêve.
> Par les mers, les montagnes, les fleuves impétueux,
> les demeures feuillues des oiseaux, les plaines reverdies,
> plantant le tendre amour au cœur de tous les êtres,
> tu transmets le désir de propager l'espèce [1].

Saisi par l'intensité de cette ouverture, j'ai poursuivi ma lecture. Une image de Mars, assoupi dans le giron de Vénus – « Mars vient souvent se réfugier sur ton sein, / vaincu par la blessure éternelle de l'amour. / Il y pose sa belle nuque, puis levant les yeux, / avide, s'enivre d'amour à ta vue, Déesse [2] » –, précédait une prière pour la paix, un éloge de la sagesse du philosophe Épicure et une ferme condamnation des peurs superstitieuses. Parvenu au début d'un très long exposé des premiers principes philosophiques, je m'attendais à décrocher : personne ne m'obligeait à lire ce livre, je n'étais motivé que par le plaisir, et j'en avais déjà eu largement pour mes dix cents. À ma grande surprise, l'ouvrage a continué à me passionner.

Ce n'est pas à la langue exquise de Lucrèce que j'étais sensible. Lorsque, plus tard, j'ai étudié le *De rerum natura* dans sa version originale latine en hexamètres, j'ai perçu la richesse de son écriture, ses rythmes subtils, la finesse et l'intensité de ses images. Mais ma première rencontre avec le texte s'est faite dans l'honnête traduction anglaise en prose de Martin Ferguson Smith – une version simple et claire, mais guère remarquable. Non, ce qui me touchait, c'étaient la vie et le mouvement qui animaient les phrases au fil de deux cents pages denses. Professeur, j'incite les étudiants à être attentifs au style des textes qu'ils lisent. Une grande partie du plaisir et de l'intérêt de la poésie dépend de cette attention. Il est néanmoins possible d'être touché par une œuvre, même dans une traduction modeste. Après tout, c'est ainsi que la plupart des gens, dans la civilisation de l'écrit, ont découvert la Genèse, l'*Iliade* ou *Hamlet*, et même s'il est préférable de lire ces œuvres en langue originale, il est faux de dire qu'elles demeurent inaccessibles autrement.

J'en témoigne, même dans une traduction en prose, *De la nature* a trouvé un écho très profond en moi. Dans une certaine mesure, c'était une résonance toute personnelle – l'art pénètre toujours les failles propres à la vie psychique de chacun. Au cœur du poème de Lucrèce se trouve une méditation profonde et thérapeutique sur la peur de la mort, une peur qui a dominé toute mon enfance. Ce n'était pas tant la peur de ma propre mort qui m'inquiétait – comme tout enfant bien portant, je me croyais immortel –, que la certitude absolue qu'avait ma mère d'être vouée à une fin précoce.

Ma mère n'avait pas peur de l'au-delà : comme la plupart des juifs, elle n'avait qu'une idée vague et nébuleuse de ce qu'il pouvait y avoir après, et elle y pensait peu. C'était la mort elle-même, le fait de cesser d'exister, qui la terrifiait. D'aussi loin que je m'en souvienne, elle ressassait de manière obsessionnelle sa fin imminente et l'évoquait en permanence, surtout au moment des séparations. Ma vie était rythmée de longues et théâtrales scènes d'adieu. Quand elle quittait Boston avec mon père pour aller passer le week-end à New York, lorsque je partais en camp de vacances, et même – dans ses pires périodes – quand j'allais à l'école, elle s'accrochait à moi, me rappelait sa fragilité et évoquait la possibilité que je la voie là pour la dernière fois. Lorsque nous allions nous promener, il lui arrivait souvent de s'immobiliser, comme sur le point de s'effondrer. Parfois, elle me montrait une veine qui palpitait dans son cou et posait mon doigt dessus pour que je sente que son cœur battait trop vite.

Elle ne devait pas avoir quarante ans, si j'en crois mes premiers souvenirs de ses peurs. Or celles-ci remontaient beaucoup plus loin dans le temps. Elles avaient sans doute commencé dix ans avant ma naissance, quand sa jeune sœur était morte d'une angine à streptocoques à seize ans. Ce drame – très courant avant la découverte de la pénicilline – demeurait une plaie ouverte : ma mère en parlait tout le temps, pleurait en silence et me faisait lire et relire les lettres poignantes que, adolescente, sa sœur avait écrites au cours de sa maladie.

J'ai vite compris que le « cœur » de ma mère – les palpitations qui la paralysaient, comme tout le monde autour d'elle – était une stratégie de vie. Une manière symbolique de s'identifier à sa sœur défunte et de la pleurer. Une façon d'exprimer à la fois la colère – « tu vois dans quel état tu m'as mise » – et l'amour – « tu vois que je continue à tout faire pour toi alors que mon cœur est sur le point de lâcher ». C'était une mise en scène, une répétition de la disparition qu'elle redoutait. Et, surtout, un moyen d'attirer l'attention et d'exiger de l'amour. J'avais beau le comprendre, j'étais affecté : j'aimais ma mère et j'avais très peur de la perdre. Je n'avais pas la capacité de démêler ce qui relevait de la manipulation de ce qui relevait du symptôme dangereux. (Elle non plus, je crois.) Enfant, je ne mesurais pas ce qu'il y avait d'étrange dans cette évocation permanente d'une mort imminente, cette façon de faire de chaque au revoir un adieu. Aujourd'hui, après avoir moi-même fondé une famille, je m'aperçois à quel point la pression devait être terrible pour qu'un parent aimant – et ma mère l'était – fît peser un fardeau si lourd sur ses enfants. Chaque jour ranimait la sombre certitude que sa fin était toute proche.

Pour finir, ma mère s'est éteinte un mois avant son quatre-vingt-dixième anniversaire. Elle n'avait qu'une cinquantaine d'années quand j'ai découvert *De la nature*. À ma crainte de la voir mourir se mêlait alors la douloureuse intuition que l'angoisse avait gâché une bonne partie de sa vie – et assombri la mienne. De sorte que les mots de Lucrèce retentissaient avec une puissance terrible : « La mort n'est rien pour nous. » C'est folie, écrivait-il, de passer son existence dans les affres de l'angoisse de la mort. C'est le meilleur moyen de voir la vie nous échapper, sans en avoir profité ni l'avoir consommée. Lucrèce exprimait aussi une idée que je ne m'étais pas encore autorisé à formuler, même intérieurement : infliger cette anxiété aux autres relève d'une manipulation assez cruelle.

Telle a été, dans mon cas, la faille par laquelle a pénétré le poème, la cause première de son empreinte en moi. Celle-ci n'était pas seulement une conséquence de l'histoire singulière de ma vie. *De la nature* est aussi un exposé étonnamment convaincant de la réalité. Certes, j'avais conscience que de nombreux éléments de l'analyse de Lucrèce sont aujourd'hui absurdes. Quoi d'étonnant à cela ? Quelle pertinence aura notre vision actuelle de l'univers dans deux mille ans ? Lucrèce croyait que le Soleil tournait autour de la Terre et que sa chaleur et sa taille ne pouvaient guère être supérieures à ce que percevaient nos sens. Il pensait que les lombrics étaient produits par le sol humide, que les éclairs étaient des germes de feu crachés par des nuages creux, et la Terre une mère ménopausée, épuisée par tant de procréation. Plus fondamentalement cependant, le poème énonçait les principes clés d'une compréhension moderne du monde.

L'Univers, selon Lucrèce, se compose d'innombrables atomes qui se déplacent au hasard dans l'espace, pareils à des pellicules de poussière dans un rayon de soleil ; ces atomes s'entrechoquent, s'accrochent les uns aux autres pour former des structures complexes, puis se séparent en un processus sans fin de création et de destruction. Il n'y a pas moyen d'y échapper. Lorsque nous contemplons le ciel nocturne et que, profondément émus, nous nous émerveillons devant l'infinité des étoiles, nous ne voyons pas l'ouvrage des dieux ni une sphère cristalline indépendante de notre monde transitoire. Nous voyons ce même monde matériel dont nous faisons partie et dont les éléments nous constituent. Il n'existe pas de plan ni d'architecte divins, pas de dessein intelligent. Toute chose, dont l'espèce à laquelle nous appartenons, évolue au fil du temps. Cette évolution est aléatoire, même si, dans le cas des organismes vivants, un principe de sélection est à l'œuvre. C'est-à-dire que des espèces aptes à survivre et à se reproduire avec succès se perpétuent, du moins pour une certaine période ; celles qui ne sont pas aussi bien adaptées ne tardent pas à disparaître. Rien – ni notre propre espèce, ni la planète sur laquelle nous vivons, ni le Soleil qui nous éclaire – ne dure éternellement. Seuls les atomes sont immortels.

Dans un univers ainsi constitué, affirmait Lucrèce, il n'y a pas de raison de croire que la Terre ou ses habitants occupent une place centrale, pas de raison de séparer les humains des autres animaux, pas d'espoir de suborner ni d'apaiser les dieux, pas de place pour le fanatisme religieux, pas de besoin d'abnégation, rien qui justifie des rêves de pouvoir absolu ou de sécurité parfaite, ou qui légitime les guerres de conquête ou la glorification de soi, aucune possibilité de triompher de la nature, aucun moyen d'échapper au mécanisme constant de construction, de destruction et de reconstruction des formes. Non seulement Lucrèce s'élevait contre les imposteurs qui promettaient une sécurité illusoire ou exploitaient d'irrationnelles peurs de la mort, mais il offrait un sentiment de libération et la possibilité de regarder en face ce qui, auparavant, semblait si menaçant. Les êtres humains, écrivait-il, peuvent et doivent vaincre leurs peurs, accepter le fait qu'eux-mêmes et tout ce qui les entoure sont transitoires, profiter de la beauté et des plaisirs du monde.

Je trouvais – et trouve encore – fascinant que ces idées aient été formulées dans une œuvre écrite il y a plus de deux mille ans. L'histoire qui mène de cet ouvrage à la modernité n'est pas continue : rien n'est jamais aussi simple. Plusieurs fois oublié, le livre a disparu, il a été redécouvert, rejeté, déformé, contesté, transformé, puis de nouveau oublié. Pourtant, la filiation existe. En toile de fond de la vision du monde qui est la mienne il y a un poème antique, un poème qu'on a cru perdu à jamais et qui a été retrouvé.

Il n'est pas étonnant que la tradition philosophique dans laquelle s'inscrit le poème de Lucrèce, si incompatible avec le culte des dieux ou celui de l'État, ait été jugée scandaleuse par certains, même au sein de la culture tolérante de la Méditerranée classique. Les tenants de cette tradition ont été traités de fous, d'impies ou simplement d'idiots. Avec l'avènement du christianisme, leurs textes ont été attaqués, tournés en dérision, brûlés ou – pis encore –

ignorés, avant de tomber dans l'oubli. Il est donc surprenant qu'un magnifique exposé de l'intégralité de cette philosophie – le poème dont la redécouverte est le sujet de ce livre – ait subsisté. À part quelques bribes et mentions indirectes, tout ce qui restait de cette riche tradition tenait dans cette unique œuvre. Il aurait suffi d'un incendie, d'un acte de vandalisme ou d'une volonté de faire disparaître la dernière trace d'opinions jugées hérétiques pour changer le cours de la modernité.

Le poème de Lucrèce était sans doute voué à disparaître définitivement avec les œuvres qui l'avaient inspiré. Le fait qu'il n'ait pas disparu, qu'il ait refait surface au bout de nombreux siècles, diffusant à nouveau ses thèses éminemment subversives, relève presque du miracle. Mais l'auteur du poème en question ne croyait pas aux miracles. À ses yeux, rien ne pouvait enfreindre les lois de la nature. Lucrèce postulait l'existence de ce qu'il appelait une « déviation » – il emploie le mot latin *clinamen* – un mouvement inattendu et imprévisible de la matière. La réapparition de ce poème fut elle-même une déviation, un écart imprévu dans la trajectoire directe que semblaient suivre ce poème et sa philosophie – qui aurait dû les mener vers l'oubli.

À l'époque où l'œuvre a de nouveau circulé après un millénaire, la description qu'elle offrait d'un univers formé par la collision d'atomes dans un vide infini semblait largement fantaisiste. Or ces idées, considérées comme folles et sacrilèges, sont devenues la base de la compréhension rationnelle contemporaine du monde. Il ne s'agit pas seulement de reconnaître que des éléments clés de la modernité existaient dans l'Antiquité, même s'il importe de se souvenir que les classiques grecs et romains, quoique largement éliminés des programmes scolaires, ont forgé la conscience moderne. Il s'agit de souligner un fait plus surprenant, l'impression, évidente à chaque page de *De la nature*, que la vision scientifique du monde – celle d'atomes se déplaçant au hasard dans un univers sans bornes – a, à l'origine, été inspirée par l'émerveillement d'un poète. Cet émerveillement ne doit rien à des dieux ou des démons, ni au rêve d'une vie après la mort ; chez Lucrèce, il vient de la prise de conscience que nous sommes faits de la même matière que les étoiles, les océans et de tout ce qui est. Ce qui, d'après lui, doit déterminer la façon dont nous menons notre vie.

De mon point de vue – largement partagé –, la Renaissance est la première culture, après l'Antiquité, à avoir incarné la reconnaissance lucrétienne de la beauté et du plaisir, en la transformant en une quête humaine légitime et noble. Cette quête ne se limitait pas aux arts. Elle a façonné l'habit des courtisans et le cérémonial de cour, la langue de la liturgie, la conception et la décoration des objets de tous les jours. Elle a influencé les investigations scientifiques et technologiques de Léonard de Vinci, les dialogues enlevés de Galilée sur l'astronomie, les projets de recherche ambitieux de Francis Bacon et la théologie de Richard Hooker. La recherche de la beauté était alors un réflexe, et des œuvres qui semblent dépourvues d'ambition esthétique – les réflexions de Machiavel sur la stratégie politique, la description de la Guyane par Walter Raleigh ou l'analyse encyclopédique de la mélancolie par Robert Burton – ont été rédigées de manière à procurer le plaisir le plus intense. Cependant, c'est dans les arts de la Renaissance – peinture, sculpture, musique, architecture et littérature – que la recherche de la beauté a été portée à son degré suprême.

J'avais (et j'ai encore) une prédilection pour Shakespeare, même si l'œuvre du dramaturge n'est qu'une facette extraordinaire d'un mouvement culturel plus large, qui inclut Alberti, Michel-Ange et Raphaël, l'Arioste, Montaigne, Cervantès et des dizaines d'artistes et écrivains. Ce mouvement présente des ramifications croisées et souvent contraires, mais toutes sont traversées par une prodigieuse vitalité. Vitalité affirmée qui s'étend aux nombreuses œuvres d'art de la Renaissance dans lesquelles la mort paraît triompher. C'est ainsi que la tombe à la fin de *Roméo et Juliette* semble moins avaler les amants que les projeter dans l'avenir comme deux symboles de l'amour. Grâce au public fasciné qui se précipite aux représentations de la pièce depuis plus de quatre cents ans, Juliette voit exaucé son vœu qu'après le trépas la nuit prenne Roméo et le pulvérise en étoiles :

> Et il rendra le visage du ciel si beau
> Que le monde entier sera amoureux de la nuit [3].

Cette mise en valeur de la beauté et du plaisir – qui s'étend à la mort aussi bien qu'à la vie, à la dissolution autant qu'à la création – est visible dans les inlassables réflexions de Montaigne sur la matière en mouvement, dans la chronique du chevalier fou de Cervantès, dans la représentation par Michel-Ange de la chair écorchée, les croquis de tourbillons de Léonard de Vinci, la tendre attention du Caravage pour les plantes de pieds sales du Christ.

Quelque chose s'est passé au cours de la Renaissance qui a libéré les entraves séculaires à la curiosité, au désir, à l'individualisme, et qui a permis de s'intéresser au monde matériel et aux exigences du corps. Ce changement culturel est difficile à définir, et sa signification a fait l'objet d'interprétations contraires. Néanmoins, il est facile à percevoir intuitivement quand on compare *La Maestà* de Duccio, à Vienne, montrant la Vierge sur son trône, au *Printemps* de Botticelli, à Florence, un tableau qui – et ce n'est pas un hasard – a été influencé par *De la nature*. Sur le panneau central du magnifique retable de Duccio (vers 1310), les anges, les saints et les martyrs se tournent vers le centre paisible du tableau pour adorer la mère de Dieu, parée d'une robe très enveloppante, son enfant absorbé dans une contemplation grave. Dans *Le Printemps* (vers 1482), les divinités antiques du printemps sont représentées au milieu d'un bois verdoyant, participant à la chorégraphie élaborée et rythmée du retour de la fécondité naturelle, tel que Lucrèce l'évoque : « Voici le printemps et Vénus, et marchant devant eux / le messager ailé de Vénus ; sur les pas de Zéphyr, / Flore sa mère ouvre la voie qu'elle parsème / de couleurs précieuses, de parfums à foison [4]. » Le changement ne tient pas seulement au renouveau de l'intérêt pour les divinités païennes et les multiples sens qui leur étaient attribués. Il est lié à la vision d'un monde en mouvement non pas insignifiant, mais embelli par son caractère transitoire, son énergie érotique et son évolution permanente.

Cette mutation de la perception du monde apparaît évidemment dans les œuvres d'art, mais elle permet également de comprendre l'audace intellectuelle de Copernic et d'André Vésale, de Giordano Bruno et de William Harvey, de Hobbes et de Spinoza. Elle n'a été ni soudaine ni définitive. Pour autant, petit à petit, il est devenu possible de ne plus se préoccuper des anges, des démons et des causes immatérielles pour se concentrer sur les choses de ce monde, de comprendre que les hommes sont faits de la même matière que le reste et qu'ils appartiennent à l'ordre naturel, de mener des expériences sans craindre de violer les secrets jalousement gardés de Dieu, de contester l'autorité et de remettre en question les doctrines établies, de légitimer la quête du plaisir et le souci d'éviter la douleur, d'imaginer qu'il puisse exister d'autres mondes que celui que nous habitons, d'accepter l'idée que le Soleil n'est qu'une étoile dans un univers infini, de vivre une vie vertueuse sans espérer de récompenses ou craindre des châtiments *post mortem*, de considérer sans trembler la mort de l'âme. En bref, il est devenu possible – jamais facile, mais possible – de se satisfaire du monde mortel, selon l'expression du poète W. H. Auden.

On ne saurait isoler une cause pour expliquer l'avènement de la Renaissance et la libération des forces qui ont façonné notre monde. Néanmoins, dans les pages qui suivent, j'ai essayé de raconter une histoire peu connue, quoique exemplaire, de cette époque, celle de la redécouverte de *De la nature* par Poggio Bracciolini, dit le Pogge. Cette redécouverte a l'avantage d'entrer en résonance avec le terme qui désigne le bouleversement culturel aux origines de la vie et de la pensée modernes : une re-naissance de l'Antiquité. Un seul poème n'est pas responsable d'une telle mutation intellectuelle, morale et sociale – aucune œuvre n'a ce pouvoir, surtout pas une œuvre qui, pendant des siècles, n'a pu être évoquée librement sans danger. Pourtant, ce vieux livre-là, soudain à nouveau accessible, a joué un rôle essentiel.

Le présent ouvrage est donc le récit de la façon dont le monde a dévié de sa course pour prendre une nouvelle direction. La cause de ce changement n'est pas une révolution, ni une armée implacable, ni la découverte d'un continent inconnu. Les historiens et les artistes ont fourni des images mémorables des événements de cette ampleur : la prise de la Bastille, le sac de Rome, le drapeau planté dans la terre du Nouveau Monde par des marins espagnols éreintés. Ces symboles de bouleversement mondial peuvent être trompeurs – la Bastille abritait très peu de prisonniers ; l'armée d'Alaric s'est vite retirée de la capitale impériale ; aux Amériques, le geste décisif n'a pas été le déploiement d'une bannière, mais la première toux et le premier éternuement d'un marin malade et contagieux au milieu d'indigènes étonnés. Du moins peut-on, dans ces cas-là, se raccrocher à un symbole fort. La mutation qui nous intéresse ici, qui a affecté nos vies à tous, est difficile à associer à une image aussi dramatique.

Le moment décisif, lorsqu'il a eu lieu, il y a presque six cents ans, a été dissimulé à l'abri des murs d'un monastère isolé. Il ne s'est accompagné d'aucun geste héroïque ; nul observateur n'a pris soin de consigner l'événement pour la postérité, nul signe dans le ciel ou sur la terre n'est venu indiquer que tout avait basculé à jamais. Un jour, un petit homme affable, vif et malin, frôlant la quarantaine, a vu un très vieux manuscrit sur l'étagère d'une bibliothèque, a compris la portée de sa découverte et ordonné que ce manuscrit soit recopié. C'est tout, mais c'est suffisant.

Il ne pouvait pas saisir toutes les implications de sa trouvaille, ni anticiper une influence qui allait croître au cours des siècles. S'il avait pris la mesure des forces qu'il libérait, peut-être aurait-il réfléchi à deux fois avant de tirer un ouvrage aussi explosif de l'obscurité où il dormait. C'était une œuvre qui avait été laborieusement recopiée à la main durant des siècles, mais qui n'était plus en circulation depuis longtemps. Qui sait si elle avait été comprise par les êtres solitaires qui l'avaient copiée ? Pendant de nombreuses générations, personne n'en avait parlé. Entre le IVe et le IXe siècle, elle était citée çà et là comme exemple grammatical ou lexicographique, autrement dit utilisée comme un modèle de bon usage du latin. Au VIIe siècle,

Isidore de Séville, compilant une vaste encyclopédie, la considérait comme une référence en matière de météorologie. Elle avait brièvement refait surface à l'époque de Charlemagne, parce que les livres antiques suscitaient un regain d'intérêt, et un moine irlandais savant, nommé Dungal, en avait corrigé une copie avec soin. Mais faute d'avoir été discutée et disséminée, après chaque apparition, elle était de nouveau engloutie par les vagues. Enfin, après avoir sommeillé, oubliée pendant plus de mille ans, elle s'est remise à circuler.

Poggio Bracciolini, responsable de cette redécouverte capitale, était un fervent épistolier. Il a raconté l'événement dans une lettre envoyée à un ami dans son Italie natale, mais la lettre s'est perdue[5]. Heureusement, d'autres courriers signés par lui et son cercle permettent de reconstruire cet événement. Car, de notre point de vue, le manuscrit de *De la nature* est sa plus grande trouvaille, même si elle n'est pas la seule et n'a pas été le fruit du hasard. Le Pogge était un chasseur de livres rares, sans doute le plus important, à une époque mue par le désir de chercher et de retrouver l'héritage du monde antique.

La réapparition d'un livre perdu est rarement un événement palpitant, mais celle-ci a pour toile de fond l'arrestation et l'emprisonnement d'un pape, la condamnation d'hérétiques au bûcher et une vague d'intérêt exceptionnelle pour l'Antiquité païenne. En soi, cette découverte assouvissait la folle passion d'un brillant bibliophile. Sans jamais le vouloir ni le savoir, ce bibliophile est devenu le maïeuticien de la modernité.

Chapitre premier

UN CHASSEUR DE MANUSCRITS

ÉTAIT AU COURS DE L'HIVER 1417. Le Pogge chevauchait à travers les collines et les vallées boisées du sud de l'Allemagne, en route vers sa lointaine destination, un monastère réputé pour posséder une réserve de vieux manuscrits. Les villageois qui le regardaient de la porte de leur masure devaient savoir qu'il s'agissait d'un étranger. Frêle, le visage glabre, il était sans doute vêtu d'une tunique et d'une cape simples mais de qualité [1]. Ce n'était pas un homme de la campagne, mais il ne devait ressembler ni aux citadins ni aux gens de cour que les autochtones voyaient passer de temps en temps. Ce n'était pas non plus un chevalier teutonique, puisqu'il n'avait ni arme ni armure – un bon coup de gourdin d'un manant efflanqué aurait suffi à le désarçonner. Il n'était pas pauvre mais n'arborait pas non plus les signes traditionnels de la richesse et du rang : ce n'était pas un courtisan, aux magnifiques vêtements et aux boucles de cheveux parfumées, ni un noble parti chasser au faucon. Comme

---

Ci-dessus, portrait de Poggio Bracciolini, jeune, tel qu'il apparaît dans la préface de sa traduction de la *Cyropédie* de Xénophon.

l'indiquaient ses vêtements et sa coupe de cheveux, ce n'était pas non plus un prêtre ou un moine.

À cette époque, le sud de l'Allemagne était prospère. L'effroyable guerre de Trente Ans, qui allait ravager la campagne et ruiner des cités entières dans la région, appartenait à un futur lointain – tout comme les atrocités du XXe siècle, au cours duquel nombre des vestiges de cette période furent détruits. Outre les chevaliers, les courtisans et les nobles, de nombreux hommes d'importance parcouraient ces routes de terre défoncées. Le commerce de la toile de lin prospérait à Ravensbourg, près de Constance, où l'on commençait aussi à produire du papier. Ulm, sur la rive gauche du Danube, était un centre manufacturier et commercial florissant, tout comme Heidenheim, Aalen, la belle Rothenburg ob der Tauber et Wurtzbourg, plus belle encore. Les bourgeois, négociants en laine, marchands de cuir, de toile ou de vin, les brasseurs, les artisans et leurs apprentis, ainsi que les diplomates, banquiers et collecteurs d'impôt faisaient partie du paysage. Mais le Pogge n'était pas de ceux-là.

Des personnages moins prospères cheminaient aussi sur les routes : compagnons, rétameurs, rémouleurs et autres itinérants ; pèlerins en partance pour des sanctuaires où ils pouvaient prier en présence d'un fragment d'os de saint ou d'une goutte de sang sacré ; jongleurs, diseurs de bonne aventure, colporteurs, acrobates et mimes allant de village en village ; fugitifs, vagabonds et petits voleurs ; sans compter les juifs, avec leur chapeau conique et leur rouelle jaune que les autorités chrétiennes les forçaient à porter pour les identifier plus facilement. Le Pogge n'appartenait à aucune de ces catégories non plus.

Pour ceux qui le regardaient passer, le voyageur devait déconcerter. C'était une époque où l'on affichait son identité et son rang dans la hiérarchie du système social par des signes visibles et compréhensibles par tous, telles les taches indélébiles sur les mains du teinturier. Le Pogge, lui, était indéchiffrable. Que faire d'un individu isolé, échappant aux structures familiales ou professionnelles ? Ce qui importait, c'était à quoi, ou à qui vous apparteniez. Le petit distique moqueur écrit par Alexander Pope au XVIIIe siècle, destiné à être gravé sur le collier d'un des carlins de la reine, aurait très bien pu s'appliquer à ce monde :

> Je suis le chien de Sa Majesté
> Dites-moi, monsieur, à qui vous appartenez.

La maison, la parentèle, la guilde, la corporation : tels étaient les tuteurs sur lesquels s'appuyait l'idée de personne. L'indépendance et l'autosuffisance n'avaient pas de valeur : à peine concevables, elles ne pouvaient être prisées. L'identité s'accompagnait d'une position précise et bien comprise dans une chaîne de commandement et d'obéissance.

C'était folie que d'essayer de rompre cette chaîne. La moindre impertinence – le refus de saluer, de s'agenouiller ou de se découvrir devant qui de droit –, et l'on pouvait avoir le nez tranché ou la nuque brisée. Et après tout, à quoi bon ? Il n'y avait pas d'échappatoire cohérente, *a fortiori* énoncée par l'Église, la cour ou les autorités municipales. Mieux valait accepter humblement l'identité que le destin vous avait assignée : le laboureur devait se contenter de labourer, le tisserand de tisser, le moine de prier. Bien sûr, il était possible d'être plus ou moins doué dans son domaine ; la société à laquelle appartenait le Pogge reconnaissait et, dans une large mesure, récompensait les talents exceptionnels. Mais personne n'était estimé en vertu de quelque indéfinissable individualisme, pour avoir plusieurs cordes à son arc ou une curiosité particulièrement vive.

L'Église affirmait que la curiosité était un péché mortel. Y céder, c'était risquer de passer l'éternité en enfer[2].

Qui donc, alors, était le Pogge ? Pourquoi n'affichait-il pas son identité, comme les honnêtes gens ? Il n'arborait aucun signe distinctif et ne transportait pas de ballots de marchandises. S'il avait l'aplomb d'un homme habitué à la société des puissants, lui-même ne ressemblait à nul personnage haut placé. Un homme important était entouré de serviteurs, de gardes en armes et de domestiques en livrée. Or l'étranger, vêtu simplement, chevauchait avec un seul compagnon. Lequel, sans doute son assistant ou son valet, lorsqu'ils s'arrêtaient dans une auberge, passait commande. Et sitôt que le maître parlait, on s'apercevait qu'il maîtrisait mal l'allemand et que sa langue maternelle était l'italien.

Fût-il tenté d'expliquer son activité, son identité aurait été encore plus mystérieuse. Dans une culture très peu alphabétisée, s'intéresser aux livres était en soi une bizarrerie. Alors, comment le Pogge pouvait-il justifier ses centres d'intérêt si particuliers ? Il n'était pas à la recherche de livres d'heures, ni de livres de cantiques, ni de missels dont les enluminures exquises et les splendides reliures étaient signes de leur valeur aux yeux des illettrés. Incrustés de pierres précieuses et bordés d'or, beaucoup de ces livres étaient enfermés dans des coffrets ou enchaînés à des pupitres ou des étagères, afin que des lecteurs indélicats ne puissent les emporter. Mais ces ouvrages-là n'intéressaient pas le Pogge. Pas plus que les volumes théologiques, médicaux ou juridiques, outils prestigieux de l'élite professionnelle. Ces livres-là avaient le pouvoir d'impressionner et d'intimider, y compris ceux qui ne savaient pas lire, car ils possédaient une aura souvent associée à des événements déplaisants : un procès, une tumeur douloureuse à l'aine, une accusation de sorcellerie ou d'hérésie. Tout le monde connaissait le pouvoir intrinsèque de ces volumes ; on aurait donc compris qu'ils suscitent la convoitise d'une personne intelligente. Une fois encore, l'indifférence du Pogge ne devait pas laisser d'étonner.

L'étranger se rendait dans un monastère. Ce n'était pourtant ni un prêtre, ni un théologien, ni un inquisiteur, et il n'était pas en quête de livres de prière. Il était à la recherche de vieux manuscrits, dont beaucoup étaient moisis, vermoulus et presque indéchiffrables, même pour les lecteurs les mieux entraînés. En revanche, si les feuilles de parchemin de ces livres étaient toujours intactes, elles possédaient une valeur marchande, car on pouvait les gratter délicatement à l'aide d'un couteau, les lisser avec du talc et réécrire dessus. Mais le Pogge ne faisait pas commerce de parchemins, et il avait horreur que l'on efface les anciens caractères. Il tenait à voir le texte original, même s'il s'agissait de pattes de mouche difficiles à comprendre, convoitant en particulier les manuscrits vieux de quatre ou cinq cents ans, du Xe siècle ou avant.

Cette quête, presque tout le monde en Allemagne l'aurait trouvée étrange, si le Pogge avait tenté de l'expliquer, plus encore s'il avait ajouté qu'en réalité il ne s'intéressait pas à ce qui avait été écrit quatre ou cinq siècles plus tôt. Car il méprisait cette période qu'il considérait comme un foyer d'ignorance et de superstition. Ce qu'il espérait trouver, c'était un texte qui ne daterait pas de l'époque où il avait été couché sur du vieux parchemin et n'aurait pas été pollué par l'univers mental du modeste scribe qui l'avait reproduit. L'idéal était que ce scribe se fût contenté de recopier consciencieusement un parchemin plus vieux encore, lui-même copié par un scribe dont l'humble vie ne comptait pas non plus aux yeux du bibliophile, exception faite de cette trace qu'il avait laissée. En admettant que la chance continuât de lui sourire, ce dernier manuscrit, tombé en poussière depuis longtemps, serait lui-même la copie fidèle d'un manuscrit plus ancien, et celui-ci la copie d'un autre. La quête du Pogge devenait alors excitante. Car cette piste le renvoyait à Rome, non pas à la Rome contemporaine, celle de la cour papale corrompue, des intrigues, de la faiblesse politique et des épidémies de peste bubonique, mais à la Rome du Forum, du Sénat et de la langue latine dont la beauté cristalline l'émerveillait et le remplissait de nostalgie.

Quel sens tout cela pouvait-il avoir pour qui avait les pieds bien plantés dans le sol, dans l'Allemagne méridionale de 1417 ? Un homme superstitieux aurait pu soupçonner un type de sorcellerie particulière, la bibliomancie ; un homme plus cultivé aurait pu diagnostiquer une obsession psychologique, la bibliomanie ; un homme pieux aurait pu se demander pourquoi une personne saine d'esprit entretenait une telle passion pour une époque antérieure à celle où le Sauveur était venu racheter les païens plongés dans l'ignorance. Et tous auraient posé la question évidente : qui cet homme servait-il ?

Le Pogge aurait eu du mal à répondre. Jusqu'à une date récente, il avait servi le pape, et une série de souverains pontifes avant lui. Il était *scriptor*, c'est-à-dire clerc chargé de rédiger les documents officiels de la curie, car sa compétence et son habileté lui avaient permis d'obtenir la position convoitée de secrétaire apostolique. Son travail consistait à consigner par écrit les paroles du pape, enregistrer ses décisions souveraines et formuler dans un latin élégant son abondante correspondance internationale. Dans le cadre officiel de la cour, où la proximité physique avec le souverain était un atout clé, le Pogge était un homme influent. Le pontife lui glissait un mot à l'oreille et le Pogge lui répondait de la même façon ; il savait interpréter les sourires et les froncements de sourcils de son maître. Comme le suggère le mot « secrétaire », il avait accès aux secrets du pape. Et de secrets, le pape n'en manquait pas.

En cet hiver 1417, au moment où il s'était lancé dans sa quête d'anciens manuscrits, le Pogge n'était plus secrétaire apostolique. Non pas qu'il ait déçu son maître, mais la situation s'était modifiée. Le pape que servait le Pogge et devant lequel les fidèles (et les autres) tremblaient était incarcéré dans une prison impériale à Heidelberg. Privé de son titre, de son nom, de son pouvoir et de sa dignité, il avait été publiquement disgracié et condamné par les princes de sa propre Église. Le concile général de Constance, « saint et infaillible », avait déclaré que, par sa vie « odieuse et impudique [3] », ce pape avait jeté l'opprobre sur l'Église et sur la chrétienté, et qu'il était indigne de ses hautes fonctions. En conséquence de quoi, le concile avait délié tous les croyants de leur devoir de fidélité et d'obéissance à son égard : il était désormais interdit de l'appeler pape et de le servir. Dans la longue histoire de l'Église, émaillée de nombreux scandales, un tel événement était inédit – et jamais ne se reproduirait.

Nous n'en sommes pas sûrs, mais il n'est pas impossible que Poggio Bracciolini, secrétaire apostolique, ait été présent quand l'archevêque de Riga remit le sceau papal à un orfèvre qui le brisa solennellement, ainsi que les armes pontificales. Le pape déposé, lui, n'assista pas à la scène. Tous ses serviteurs avaient été renvoyés et il avait été mis fin officiellement à sa correspondance, que le Pogge avait contribué à rédiger. Le pape Jean XXIII n'existait donc plus ; l'homme qui portait ce titre avait repris son nom de baptême, Baldassare Cossa. Et le Pogge n'avait plus de maître.

Au début du XVe siècle, c'était là un sort peu enviable, voire dangereux. Villes et villages se méfiaient des voyageurs itinérants ; les vagabonds étaient fouettés et marqués au fer rouge. Sur les chemins déserts, dans un monde dépourvu de police, se déplacer sans protection était risqué. Certes, le Pogge n'était pas un vagabond. Cultivé, expert, il avait longtemps fréquenté les hautes sphères. Quand il vivait à Rome, les gardes en armes du Vatican et du château Saint-Ange le laissaient entrer sans lui poser de question, et d'importants solliciteurs à la cour papale tentaient d'attirer son regard. Il avait un accès direct à un souverain au pouvoir absolu, un homme riche et habile, à la tête d'immenses territoires, qui se revendiquait comme le maître spirituel de toute la chrétienté occidentale. Familier des cabinets privés des palais autant que de la cour papale, le secrétaire apostolique échangeait des plaisanteries avec les cardinaux parés de bijoux, discutait avec les ambassadeurs et buvait des vins fins dans des timbales d'or ou de cristal. À Florence, il entretenait des liens d'amitié avec les membres les plus puissants de la Seigneurie (la « Signoria »), l'instance dirigeante de la ville, et il comptait un cercle d'amis distingués.

En 1417, cependant, le Pogge n'était plus ni à Rome ni à Florence, mais en Allemagne, et le pape qu'il avait suivi à Constance croupissait dans une geôle. Les ennemis de Jean XXIII avaient triomphé et pris le pouvoir. Les portes autrefois ouvertes au Pogge lui étaient désormais fermées. Et les solliciteurs en quête de faveurs – une dispense, une décision juridique, une position lucrative pour eux-mêmes ou un proche –, qui, en courtisant le secrétaire, courtisaient son maître, regardaient ailleurs.

Les revenus du Pogge, autrefois importants, s'étaient brutalement taris. Les secrétaires n'avaient pas de traitement fixe, mais ils avaient le droit de percevoir des honoraires pour la rédaction de documents et l'obtention de « concessions de grâce », des faveurs juridiques dans des affaires nécessitant des rectifications techniques ou des dispenses accordées oralement ou par écrit par le pape. En outre, ceux qui avaient l'oreille du souverain pontife bénéficiaient de rétributions moins officielles. Au milieu du XVe siècle, le revenu d'un secrétaire s'élevait à deux cent cinquante ou trois cents florins par an, mais un esprit entreprenant pouvait gagner beaucoup plus. Après avoir été secrétaire apostolique pendant douze ans, le collègue du Pogge, Georges de Trébizonde, avait ainsi mis de côté plus de quatre mille florins dans des banques romaines, et réalisé de beaux investissements immobiliers [4].

Dans les lettres que nous avons conservées de lui, le Pogge a toujours affirmé qu'il n'était ni ambitieux ni cupide. Un de ses essais célèbres dénonce l'avarice comme l'un des vices les plus détestables, condamnant la cupidité des moines hypocrites, des princes sans scrupules et des marchands rapaces. On aurait tort, bien sûr, de prendre ces déclarations pour argent comptant : il existe des preuves solides montrant que, plus tard dans sa carrière, après avoir réussi à regagner la cour papale, le Pogge utilisera sa position pour faire fortune. Dans les années 1450, outre un *palazzo* familial et une résidence à la campagne, il acquerra plusieurs fermes, dix-neuf parcelles de terre et deux maisons à Florence, et fera d'importants dépôts dans des banques et autres établissements [5].

Mais cette prospérité viendrait des décennies plus tard. Un inventaire officiel *(catasto)*, dressé en 1427 à des fins fiscales, indique que le Pogge disposait de moyens limités.

Nul doute que dix ans plus tôt, à l'époque de la déposition du pape Jean XXIII, ils étaient plus modestes encore. Qui sait si son futur désir de possession n'était pas une réaction au souvenir de ces longs mois, ces longues années maigres, où il se retrouva en terre étrangère, sans poste et sans revenu, avec des ressources très faibles. En 1417, alors qu'il traversait la campagne du sud de l'Allemagne au cœur de l'hiver, le Pogge ignorait d'où lui viendraient ses prochains florins. Il est d'autant plus saisissant qu'en cette période difficile il n'ait pas cherché à obtenir une autre position ou à rentrer en Italie [6].

Au contraire, il partit à la chasse aux livres.

Chapitre II

LE MOMENT DE LA DÉCOUVERTE

E N 1417, IL Y AVAIT PRÈS D'UN SIÈCLE que les Italiens étaient férus de vieux manuscrits. La vogue avait été lancée dans les années 1330 par Pétrarque, poète et érudit qui s'était couvert de gloire en reconstituant la monumentale *Histoire de Rome* de Tite-Live et en retrouvant des chefs-d'œuvre oubliés, notamment de Cicéron et de Properce [1]. L'exploit de Pétrarque en avait incité d'autres à rechercher des classiques qui n'étaient plus lus depuis des siècles. Les textes retrouvés étaient copiés, édités, commentés et passaient de main en main, conférant du prestige à ceux qui les avaient découverts et fondant ce qui devint « l'étude des humanités ».

Pour avoir compulsé les textes de la Rome classique ayant survécu, les « humanistes » – ainsi appelait-on ceux qui se consacraient à cette étude – savaient que de nombreux livres ou parties de livres autrefois célèbres s'étaient égarés. Les auteurs antiques qu'ils lisaient assidûment citaient régulièrement ces ouvrages pour les encenser ou les critiquer avec virulence. En marge de discussions sur Virgile et Ovide, par exemple, le rhéteur romain Quintilien notait : « Il est bon cependant de lire Macer et Lucrèce [2]. » Puis il parlait de Varron d'Atax, de Cornelius

Severus, de Saleius Bassus, de Gaius Rabirius, d'Albinova-
nus Pedo, de Marcus Furius Bibaculus, de Lucius Accius,
de Marcus Pacuvius et d'autres dont il admirait les œuvres.
Les humanistes se doutaient que certains de ces ouvrages
disparus étaient probablement perdus à jamais (à l'exception de l'œuvre de Lucrèce, aucune œuvre des auteurs
mentionnés ci-dessus n'a refait surface), mais d'autres – qui
sait combien ? – étaient peut-être cachés dans des endroits
obscurs non seulement en Italie, mais de l'autre côté des
Alpes. Pétrarque avait ainsi retrouvé le manuscrit du *Pro
Archia* de Cicéron à Liège, en Belgique, et le manuscrit de
Properce à Paris.

Les bibliothèques des vieux monastères constituaient le
terrain de chasse privilégié du Pogge et de ses amis : pendant des siècles, les monastères avaient été les seules institutions, ou presque, à s'intéresser au sort des livres. Même à
l'époque stable et prospère de l'Empire romain, le taux
d'alphabétisation était faible, selon nos critères actuels [3].
Plus tard, alors que l'empire se désagrégeait, que les villes
se délabraient, que le commerce déclinait et que la population scrutait l'horizon avec une angoisse croissante, de peur
de voir surgir les armées de barbares, tout le système éduca-
tif élémentaire et supérieur romain se délita. De l'appauvrissement on passa à l'abandon pur et simple. Les écoles
fermèrent, les bibliothèques et académies mirent la clé sous
la porte, les grammairiens et professeurs de rhétorique se
retrouvèrent sans emploi. Il y avait des sujets d'inquiétude
plus graves que le sort des livres.

Les moines étaient tous censés savoir lire. Dans un
monde de plus en plus dominé par des seigneurs de guerre
illettrés, cette obligation, formulée très tôt dans l'histoire
du monachisme, fut d'une importance incalculable. Ainsi
la règle des monastères établis en Égypte et dans tout le

Moyen-Orient vers la fin du IVe siècle par le copte saint Pacôme mentionne : si un candidat à l'admission se présente au monastère devant les anciens, « ils lui donneront vingt psaumes ou deux épîtres des Apôtres, ou une autre partie des Écritures. Et s'il est illettré, il devra d'abord aller, à la première, troisième et sixième heures, voir quelqu'un qui aura été désigné pour lui apprendre à lire. Face à ce dernier, il devra étudier avec sérieux et force gratitude. On écrira pour lui les syllabes, les verbes et les noms et, même s'il ne le veut pas, il sera contraint de lire[4] » (règle 139).

« Il sera contraint de lire. » Tel est le devoir qui aura permis de sauver une partie de la pensée antique au-delà de siècles chaotiques.

La règle monastique la plus influente, fixée par saint Benoît au VIe siècle, n'énonçait pas explicitement la nécessité de savoir lire, mais elle en fournissait l'équivalent en prévoyant chaque jour un temps dédié à la lecture – la « lecture des choses de Dieu » –, en plus du travail manuel. « L'oisiveté est l'ennemie de l'âme », écrivait le saint qui avait fait en sorte que l'emploi du temps des moines fût bien rempli. Ces derniers avaient également la permission de lire en dehors des moments prévus à cet effet, mais cette lecture volontaire devait être accomplie dans un silence total. (Au temps de Benoît, comme au cours de toute l'Antiquité, la lecture se faisait d'ordinaire à voix haute.)

Les moines devaient donc lire, que cela leur plaise ou non, et la règle prévoyait un contrôle strict :

> Qu'on ait soin avant tout de députer un ou deux anciens, qui seront chargés d'aller par le monastère aux heures où les frères vaquent à la lecture, et de voir s'il ne se rencontre point par hasard quelque frère [mélancolique] qui, au lieu de s'appliquer à la lecture, se livrerait à l'oisiveté ou à des entretiens

frivoles, et qui, non seulement se nuit à lui-même, mais encore dissipe les autres [5]. (48 : 17-18)

Le terme « mélancolique » (*acediosus* en latin) fait référence à une maladie propre aux communautés monastiques, brillamment diagnostiquée à la fin du IVe siècle par le Père du désert Jean Cassien. Un moine atteint d'*acedia* était un moine qui avait du mal à se concentrer pour lire. Se détournant de ses textes, il était tenté de se distraire par la conversation, mais son environnement et ses compagnons ne lui inspiraient que du dégoût. Le moine victime d'acédie avait le sentiment que les choses étaient mieux ailleurs, qu'il gâchait sa vie, que tout était rance et inutile, qu'il suffoquait.

> Il regarde de tous côtés avec inquiétude, s'il ne lui arrive point d'hôte, et il gémit de ce que personne ne vient le voir. Il sort souvent de sa cellule et y rentre aussitôt. Il lève à tout moment la tête pour regarder le soleil, et il s'étonne qu'il soit si lent à se coucher, ainsi ayant l'esprit agité, et tout rempli de ténèbres [6].

C'était un moine – et le cas n'était pas rare – qui avait succombé à ce que Cassien décrivait comme un état clinique de dépression, mal qu'il nommait le « démon de midi ». C'est pourquoi la règle bénédictine prévoyait une surveillance attentive, en particulier aux heures de lecture, afin de détecter quiconque présentait ces symptômes.

> Que si, à Dieu ne plaise ! un frère est surpris en pareille faute, on le reprendra une et deux fois. S'il ne s'amende pas, qu'on le soumette à la correction régulière, de manière à intimider les autres [7].

Le refus de lire au moment prescrit – que ce soit pour cause de distraction, d'ennui ou de désespoir – était sanctionné par une réprimande publique et par un châtiment corporel pour peu que le moine persistât dans son refus. Les symptômes de la maladie psychique étaient donc chassés par la douleur physique. Corrigé comme il se devait, le moine affligé retournait alors, du moins en principe, à ses « lectures des choses de Dieu ».

La règle de saint Benoît imposait également la lecture au cours des repas. Celle-ci était faite à voix haute par un frère désigné pour la semaine. Conscient qu'un certain nombre de moines risquaient de tirer fierté de cette mission, Benoît avait tenté de pallier le risque en ajoutant : « Il se recommandera aux prières de tous, afin que Dieu détourne de lui l'esprit d'enlèvement » (38 : 2). Pour d'autres, les lectures pouvaient être un prétexte à se moquer ou à converser, ce que la règle tentait aussi d'empêcher : « Qu'on observe un complet silence à table, et qu'on n'y entende ni chuchotement ni parole, mais seulement la voix du lecteur » (38 : 5). Surtout, saint Benoît voulait éviter que ces lectures donnent lieu à des discussions ou des débats : « Que personne n'ait la hardiesse de faire à ce moment des questions sur la lecture, ou sur toute autre matière, afin de ne pas donner occasion [8] » (38 : 8).

« Afin de ne pas donner occasion » : l'expression, dans un texte par ailleurs très clair, apparaît étonnamment vague. L'occasion à qui et de quoi ? Les éditeurs modernes ajoutent parfois « au malin », et c'est peut-être ce qui est sous-entendu. Mais pourquoi une question à propos d'une lecture aurait-elle déchaîné le prince des ténèbres ? Sans doute parce que l'on craignait qu'une question, aussi inoffensive fût-elle, n'entraînât une discussion, ce qui impliquerait que les doctrines religieuses étaient ouvertes au questionnement et à l'argumentation. Saint Benoît n'interdisait pas le commentaire des textes sacrés lus à voix haute, mais il voulait en limiter la source. « Toutefois, le supérieur

pourra dire quelque chose en peu de mots pour l'édifica-
tion[9] », précise la règle (38 : 9).

La parole lue ne pouvait être ni mise en question ni
contredite, et toute contestation devait, par principe, être
réprimée. Comme l'indique la liste des châtiments de
l'influente règle du moine irlandais Colomban (né l'année
de la mort de Benoît), le débat, qu'il fût intellectuel ou
autre, était proscrit. Un moine qui osait contredire un frère
encourait une sévère punition : « une obligation de silence
ou quinze coups ». Les hauts murs qui circonscrivaient la
vie mentale des moines – le silence imposé, l'interdiction
des questions, les gifles ou les coups de fouet pour punir
les discussions – avaient pour objectif de rappeler que ces
communautés étaient l'opposé des académies philosophiques de Grèce et de Rome, qui se nourrissaient de
l'esprit de contradiction et encourageaient la curiosité.

Quoi qu'il en soit, les règles cénobitiques imposaient la
lecture, ce qui suffit à déclencher une série de conséquences
d'une portée extraordinaire. Lire n'était pas facultatif, sou-
haitable ni recommandé ; c'était obligatoire. Ces communautés prenaient leurs obligations extrêmement au sérieux.
Or, pour lire, il fallait des livres, et les livres qui ne cessent
d'être ouverts finissent par se détériorer, en dépit du soin
que l'on prend à les manipuler. Si bien qu'en vertu des
règles monastiques, les moines étaient obligés d'acheter ou
de se procurer des livres.

Au milieu du VIe siècle, au cours de la guerre des Goths et
dans la période plus sombre qui suivit, les derniers ateliers de
fabrication de livres fermèrent et ce qui restait du marché du
livre périclita. Tout commerce avec les fabricants de papyrus
d'Égypte avait cessé depuis longtemps, et en l'absence d'un
marché commercial de livres, les ateliers de parcheminerie,
où les peaux d'animaux étaient transformées en supports

d'écriture, étaient tombés en désuétude. Les moines durent alors apprendre l'art difficile de restaurer le parchemin existant et d'en fabriquer de nouveaux. Leur objectif n'était pas d'imiter les élites païennes en plaçant les livres ou l'écriture au centre de la société, ni d'affirmer l'importance de la rhétorique ou de la grammaire, ni de valoriser l'érudition ou le débat, mais de fait ils devinrent les principaux lecteurs, bibliothécaires, producteurs et conservateurs des livres dans le monde occidental.

LE POGGE ET LES HUMANISTES à la recherche des classiques perdus n'ignoraient rien de cette histoire. Ils avaient exploré de nombreuses bibliothèques monastiques en Italie et suivi la piste de Pétrarque en France, mais ils savaient que de grands territoires inexplorés se trouvaient en Suisse et en Allemagne. La plupart des monastères de ces pays étaient difficiles d'accès – leurs fondateurs les avaient bâtis dans des endroits reculés afin de détourner les moines des tentations, des distractions et des dangers du monde. Une fois l'humaniste passionné parvenu dans ces monastères lointains, après avoir enduré l'inconfort et les périls du voyage, que se passait-il ? Bien peu d'érudits savaient exactement ce qu'ils cherchaient et bien peu auraient été capables de reconnaître l'objet de leur quête, si par hasard ils étaient tombés dessus. Se posait en outre la question de l'admission : pour se voir ouvrir la porte, il fallait persuader un abbé sceptique et un moine bibliothécaire qui ne l'était pas moins qu'on avait une raison légitime d'être là. L'accès à la bibliothèque était refusé aux visiteurs. Pétrarque était un ecclésiastique : sa requête émanait de la vaste communauté institutionnelle de l'Église. En tant que laïcs, de nombreux humanistes éveillaient immédiatement les soupçons.

Les problèmes ne s'arrêtaient pas là. Car si un chasseur de manuscrits pouvait atteindre un monastère, passer la porte aux lourds barreaux, pénétrer dans la bibliothèque et découvrir un manuscrit intéressant, encore lui fallait-il pouvoir en faire usage.

Les livres étaient rares et de grande valeur. Ils conféraient du prestige au monastère qui les possédait, et les moines étaient peu enclins à les laisser sans surveillance, surtout s'ils avaient déjà eu affaire à des humanistes italiens peu scrupuleux. Certains monastères allaient d'ailleurs jusqu'à protéger leurs précieux manuscrits en les entourant de sorts. Ainsi l'avertissement adressé à « celui qui vole ce livre ou qui l'emprunte à son propriétaire et oublie de le rendre » :

> Que le livre se transforme en serpent dans sa main et le morde. Qu'il soit atteint de paralysie et que tous ses membres soient brisés. Qu'il dépérisse de douleur et implore miséricorde à pleine voix, et qu'il ne soit pas mis fin à son agonie avant qu'il soit anéanti. Que les vers rongent ses entrailles, au nom du Ver qui ne meurt point, et quand enfin il ira à son châtiment dernier, que les flammes de l'enfer le consument à jamais [10].

Même un sceptique laïque aurait hésité avant de glisser un tel ouvrage sous son manteau.

Un moine pauvre ou vénal pouvait accepter de l'argent en échange des livres, mais le seul fait qu'un étranger s'y intéresse faisait grimper le prix. Il était possible de demander à un abbé la permission d'emprunter le livre, en promettant solennellement de le rapporter sans délai. Malheureusement, les abbés confiants, ou naïfs, étaient rares. Il était impossible de les forcer à accepter et, face à un non catégorique, toute l'entreprise tombait à l'eau et le bibliophile en était pour ses frais. On pouvait braver les sorts et tenter de voler l'ouvrage, mais les communautés monastiques avaient l'habitude de la surveillance. Les visiteurs étaient constamment épiés, les portes verrouillées la nuit et, parmi les frères, il y avait toujours quelques costauds mal dégrossis qui n'auraient eu aucun scrupule à corriger le voleur.

Le Pogge avait toutes les qualités requises pour franchir ces obstacles. Il maîtrisait parfaitement les techniques de déchiffrage des graphies d'autrefois. C'était un latiniste brillant, doté d'un œil de lynx sachant repérer le style, les formules rhétoriques et les structures grammaticales du latin classique. Connaisseur hors pair de la littérature de l'Antiquité, il avait en mémoire des dizaines d'indices permettant d'identifier certains auteurs ou certaines œuvres disparus. Et s'il n'était pas prêtre ni moine, il avait longtemps servi à la curie et à la cour papale : les structures institutionnelles de l'Église n'avaient pas de secrets pour lui et il connaissait ou avait connu personnellement de nombreux ecclésiastiques puissants, dont un certain nombre de papes.

Si ces relations haut placées ne suffisaient pas pour lui ouvrir les portes de la bibliothèque d'une abbaye reculée, le Pogge pouvait compter sur son charme personnel. C'était un conteur merveilleux, qui ne dédaignait pas les commérages et était toujours prêt à raconter des blagues, souvent d'un goût douteux. Certes, il ne pouvait pas s'entretenir avec des moines allemands dans leur langue maternelle. Il avait beau avoir vécu plus de trois ans dans une ville germanophone, il ne savait pas l'allemand. Chez un linguiste de sa compétence, ce manque devait être volontaire : l'allemand était la langue des barbares. Au concile de Constance, il avait dû se limiter à un cercle social où l'on parlait latin et italien.

Cette lacune dut le gêner au cours de son périple en Allemagne, mais elle ne lui posa sûrement pas de problème une fois arrivé à destination. L'abbé, le bibliothécaire et la plupart des membres de la communauté monastique devaient parler latin. Peut-être pas l'élégant latin classique que le Pogge avait mis tant d'assiduité à apprendre, mais plutôt, à en juger d'après les œuvres littéraires qui ont survécu, un latin plein de vie, fluide, souple, permettant de passer sans effort des nuances scolastiques les plus subtiles aux pires obscénités. Si le Pogge sentait qu'il pouvait impressionner ses hôtes par une certaine hauteur morale, il les entretenait avec éloquence de la misère de la condition humaine ; à l'inverse, s'il voulait les séduire en les faisant rire, il pouvait se lancer dans une de ses histoires mettant en scène des paysans idiots, des épouses dociles ou des prêtres débauchés.

Le Pogge possédait un talent supplémentaire, qui le distinguait des humanistes chasseurs de livres. C'était un scribe hautement qualifié, très précis, doté d'une écriture d'une finesse exceptionnelle et de grandes capacités de concentration. Il nous est difficile aujourd'hui de mesurer la valeur de ces qualités : nos technologies modernes permettant la reproduction de transcriptions, de fac-similés et de copies ont presque entièrement effacé ce qui était jadis une compétence personnelle reconnue. Ce type de qualification avait cependant commencé à décliner du vivant du Pogge, puisque c'est dans les années 1430 qu'un entrepreneur allemand du nom de Johannes Gutenberg commencera à expérimenter une invention, le caractère mobile, qui allait révolutionner la reproduction et la transmission des textes. À la fin du siècle déjà, des imprimeurs, en particulier le grand Alde Manuce à Venise, imprimeront des textes latins dans une police de caractères dont la clarté et l'élégance demeureront inégalées cinq siècles plus tard. Cette police s'inspirait de la belle écriture du Pogge [11] et de ses amis humanistes. Ce que le Pogge exécutait à la main pour produire une copie unique allait donc être exécuté mécaniquement pour produire des centaines d'exemplaires.

Pour l'heure, cette innovation appartenait à l'avenir. De plus, les imprimeurs qui composaient les livres dépendaient de la transcription manuscrite lisible et fidèle d'ouvrages que très peu de gens étaient capables de déchiffrer. Le talent de copiste du Pogge était stupéfiant, même pour ses contemporains, d'autant plus qu'il travaillait vite. Car non seulement il était capable de s'infiltrer dans un monastère pour y dénicher le précieux manuscrit d'une œuvre perdue, mais il pouvait l'emprunter, le copier rapidement et envoyer le résultat à ses pairs qui l'attendaient avec impatience en Italie. Si l'emprunt se révélait impossible – c'est-à-dire si le bibliothécaire refusait de lui prêter un manuscrit –, Poggio pouvait le recopier sur place ou, au besoin, confier la tâche à un scribe qu'il avait lui-même formé.

EN 1417, LE POGGE, LE CHASSEUR DE MANUSCRITS, était à un carrefour idéal du point de vue du temps, de ses compétences et de son désir. Seul lui manquait l'argent. Voyager, même de manière frugale, coûtait cher. Il fallait payer la location d'un cheval, les droits de passage pour traverser des rivières ou emprunter des routes à péage. À cela s'ajoutaient les sommes extorquées par divers employés des douanes et représentants de petits seigneurs, et celles qu'il fallait verser à des guides pour négocier des passes difficiles, sans parler du coût du gîte et du couvert dans les auberges et de la pension du cheval. Il fallait aussi de l'argent pour rémunérer son assistant et, si nécessaire, de quoi inciter un monastère récalcitrant à prêter son trésor.

Même s'il avait économisé pendant ses années dans l'administration papale, le Pogge n'avait sûrement pas les moyens d'assumer seul ces dépenses. Sans doute avait-il écrit à de riches amis italiens qui partageaient sa passion pour leur expliquer qu'il avait enfin l'occasion de réaliser leur rêve commun. En bonne santé, sans contraintes professionnelles ni familiales, libre d'aller et venir à sa guise, sans être l'obligé de quiconque, il était prêt à se lancer à la recherche des trésors perdus qui comptaient tant pour eux – l'héritage du monde antique.

Un tel soutien, qu'il vienne d'un unique protecteur fortuné ou d'un cercle d'humanistes proches, explique en partie qu'en 1417 le Pogge ait pu partir vers le monastère où il allait découvrir le manuscrit rêvé. Ce n'était pas sa première expédition de l'hiver. Peu avant, il était allé au monastère de Saint-Gall, près de Constance, où il avait fait une série de découvertes un an plus tôt, en compagnie de deux amis italiens. Persuadé qu'ils étaient passés à côté d'autres trésors, il y était retourné avec l'un d'eux.

Le Pogge et son compagnon, Bartolomeo Aragazzi, avaient beaucoup de points communs. Tous deux étaient originaires de Toscane, le Pogge de la petite ville de Terranuova, près d'Arezzo, Bartolomeo de la belle ville de Montepulciano, juchée sur une colline. Tous deux étaient allés à Rome et avaient occupé des postes de *scriptor* à la curie. Tous deux avaient été à Constance en tant que secrétaires apostoliques [12] durant le pontificat désastreux de Jean XXIII et étaient désœuvrés depuis la chute du pape. Enfin, tous deux étaient de fervents humanistes, désireux de mettre leur talent de lecteur et de copiste au service de la découverte de textes perdus de l'Antiquité.

Amis proches, travaillant, voyageant ensemble et partageant la même ambition, ils étaient néanmoins rivaux et se disputaient la gloire accompagnant la découverte. « J'abhorre la vantardise, la flatterie, l'exagération, écrivait Bartolomeo à un important protecteur en Italie. Puissé-je me garder de toute tentation de vanité ou de prétention [13]. » La lettre, datée du 19 janvier 1417, est écrite de Saint-Gall. Son auteur mentionne ensuite quelques-unes de ses trouvailles dans ce qu'il appelle la « prison » où ils étaient enfermés. Il ne peut espérer décrire tous les volumes qu'il a trouvés, ajoute-t-il, « car une journée ne suffirait pas à en dresser la liste ». Il ne mentionne même pas le nom de son compagnon de voyage, le Pogge.

Malheureusement, les découvertes de Bartolomeo n'étaient pas extraordinaires. Il avait exhumé une copie d'un livre de Végèce sur l'armée romaine antique – un livre, écrit-il de manière peu convaincante, « qui nous sera utile, s'il nous arrive de nous en servir en campagne ou plus glorieusement au cours d'une croisade » – et un petit dictionnaire ou liste de mots de Festus Grammaticus. Ces deux ouvrages étaient non seulement très mineurs, mais déjà disponibles en Italie, comme Bartolomeo devait le savoir, de sorte qu'on ne peut pas parler de réelles trouvailles.

À la fin du mois de janvier, n'ayant pas pu mettre la main sur les grands trésors espérés, et sans doute lassés de leur rivalité, les deux amis se séparèrent. Le Pogge partit apparemment vers le nord, sans doute accompagné d'un scribe allemand qu'il voulait former. Bartolomeo, lui, annonçait à son correspondant italien : « Je vais me mettre en route pour un autre monastère au cœur des Alpes. » Il projetait ensuite de visiter des monastères encore plus reculés, difficiles à atteindre, surtout en hiver – « le chemin est rude et accidenté, car on ne peut les approcher qu'en franchissant les à-pics des Alpes et en traversant rivières et forêts » –, mais il n'oubliait pas que « la voie de la vertu est pleine de pièges et de périls ». Les bibliothèques de ces monastères étaient des mines de livres antiques, disait-on. « Je vais tenter d'inciter ce pauvre petit corps à entreprendre l'effort de les sauver et à ne pas se laisser décourager par les difficultés de leur situation géographique, par l'inconfort et le froid de plus en plus vif des Alpes [14]. »

Le récit de ces misères pourrait prêter à sourire – Bartolomeo avait une formation de juriste et recherchait sûrement un effet rhétorique ; le fait est qu'il tomba malade peu de temps après avoir quitté Saint-Gall et dut retourner à Constance, où il mit plusieurs mois à recouvrer la santé. En route vers le nord, le Pogge devait ignorer que Bartolomeo avait renoncé. Il était désormais seul dans sa quête.

LE POGGE N'AIMAIT PAS LES MOINES. Il connaissait pourtant des frères remarquables, des hommes érudits et d'une grande rectitude morale, mais de manière générale, il les trouvait superstitieux, ignorants et d'une paresse désespérante. Pour lui, les monastères étaient des repaires d'individus inaptes à la vie dans le monde. Les nobles y envoyaient les fils qu'ils jugeaient inadaptés, trop frêles ou bons à rien ; les marchands y envoyaient leurs enfants attardés ou paralytiques ; et les paysans, des bouches impossibles à nourrir. Les plus robustes avaient au moins l'avantage de pouvoir exploiter les jardins ou les champs adjacents, mais pour la plupart, pensait le Pogge, c'était un ramassis de fainéants. Derrière les épais murs des cloîtres, ils marmonnaient leurs prières et vivaient des revenus de ceux qui exploitaient les vastes terres de leur monastère. Car l'Église était un propriétaire terrien plus riche que les membres de la plus haute noblesse du royaume et elle avait le pouvoir temporel de percevoir ses fermages et de faire valoir ses autres droits et ses privilèges.

Peu après son élection, l'évêque de Hildesheim, dans le nord de l'Allemagne, avait ainsi demandé à voir la bibliothèque diocésaine. On l'avait conduit à l'armurerie pour lui montrer les piques et les haches de guerre accrochées au mur [15] ; c'était avec ces livres-là, l'informa-t-on, que les droits de l'évêché avaient été conquis et qu'ils devaient être défendus. Les moines des grands monastères avaient beau avoir rarement recours à ces armes, quand ils étaient assis dans la pénombre et passaient en revue leurs revenus, ils savaient – de même que leurs fermiers – qu'ils pouvaient faire usage de la force.

Le Pogge ne se privait pas d'échanger des plaisanteries sur la vénalité, la bêtise et l'appétit sexuel des moines quand il était avec ses amis de la curie. Leur prétendue piété ne l'impressionnait pas : « Je ne sache pas qu'ils fassent autre chose que de chanter comme des sauterelles, écrivit-il, et je ne saurais comprendre qu'on les paie aussi grassement pour le stérile mouvement de leurs poumons. » Même l'effort nécessaire à la discipline spirituelle monacale lui paraissait dérisoire, comparé au labeur aux champs : « Ils vantent cependant leurs travaux comme une tâche d'Hercule, parce qu'ils se lèvent durant la nuit pour louer Dieu ; assurément, ce n'est pas un grand mérite que de s'asseoir ainsi pour psalmodier ; que diraient-ils donc si, au sortir de leurs lits, on les contraignait à tenir la charrue comme les laboureurs, en dépit du vent et de la pluie, les pieds nus et le corps à peine couvert [16] ? »

Le Pogge détestait peut-être la vie monastique, mais il la comprenait. Et le jour où il arriva près du monastère visé, sans doute garda-t-il ses opinions pour lui. Il savait exactement où, dans le monastère, il avait besoin d'aller et de quelles paroles doucereuses il lui faudrait user pour obtenir l'accès à ce qu'il voulait. Surtout, il connaissait parfaitement la technique qui avait permis de fabriquer des ouvrages. Il avait beau railler la paresse monastique, il savait qu'ils devaient leur existence à des siècles d'engagement et de travail.

Car, outre la prière et la lecture, la règle de saint Benoît imposait le travail manuel – dont l'écriture. Les fondateurs des premiers ordres monastiques ne considéraient pas la copie de manuscrits comme une activité noble ; au contraire, ils avaient parfaitement conscience que dans le monde antique, la plupart des copies étaient exécutées par des esclaves lettrés. La tâche était donc à la fois humiliante et ennuyeuse, deux qualités parfaites pour leur projet ascétique. Le Pogge n'éprouvait aucune sympathie pour une telle discipline spirituelle ; ambitieux et aimant la compétition, il aspirait à briller à la lumière du monde, non pas à dépérir dans l'ombre. Copier des manuscrits, ce qu'il faisait avec un talent sans égal, n'était pas pour lui une entreprise ascétique mais esthétique qui lui avait permis d'asseoir sa réputation. Il était capable de mesurer au premier coup d'œil – avec admiration ou mépris – le degré d'effort et d'habileté qu'avait nécessité le moindre manuscrit qui lui était soumis.

Tous les moines n'étaient pas également compétents pour le travail de copie, pas plus qu'ils ne l'étaient pour le dur labeur agricole dont dépendait la survie des premières communautés. Les règlements d'origine prévoyaient déjà une division du travail, telle la règle de saint Ferréol (530-581), un bénédictin français : « Celui qui ne laboure pas la terre avec la charrue doit écrire les parchemins à la main. »

(L'inverse était également vrai : celui qui n'était pas capable d'écrire était assigné au labour.) Les moines écrivant particulièrement bien – d'une belle graphie facile à lire et fidèles à leur modèle – étaient néanmoins de plus en plus valorisés. C'est ainsi que d'après le code Wergeld, qui, sur les terres germaniques et en Irlande, fixait les dommages à payer en cas de meurtre – 200 shillings pour le meurtre d'un manant, 300 pour celui d'un ecclésiastique d'un rang inférieur, 400 si l'ecclésiastique disait la messe au moment du crime… –, le meurtre d'un scribe équivalait à celui d'un évêque ou d'un abbé.

Ce prix élevé, à une époque où la vie valait si peu, témoigne de l'importance et de la difficulté pour les monastères d'obtenir des livres. Les bibliothèques monastiques du Moyen Âge les plus célèbres étaient petites par rapport aux bibliothèques antiques ou celles qui existaient à Bagdad ou au Caire. Avant l'invention de l'imprimerie, pour rassembler un nombre modeste d'ouvrages, il fallait créer ce qu'on appelait des scriptoria, ces ateliers où les moines restaient assis des heures durant pour exécuter les copies. Au début, cette tâche s'effectuait dans un endroit du monastère jouissant d'une bonne lumière, même si le froid engourdissait parfois les doigts. Avec le temps, des pièces spéciales furent aménagées ou construites à dessein. Dans les grands monastères, ceux qui cherchaient à rassembler de prestigieuses collections de livres, il s'agissait de vastes salles pourvues de fenêtres en verre transparent sous lesquelles les moines, dont le nombre pouvait aller jusqu'à trente, s'installaient face à des pupitres individuels parfois séparés par des cloisons.

Le scriptorium était placé sous la responsabilité du personnage auquel les bibliophiles devaient adresser leurs flatteries les mieux tournées : le bibliothécaire du monastère.

Celui-ci était l'objet d'une cour assidue, car il était chargé de distribuer les fournitures nécessaires à la copie des manuscrits : plumes, encre et couteaux, dont les copistes éprouvaient les qualités et les défauts au bout de quelques heures à peine. S'il le voulait, le bibliothécaire pouvait rendre la vie infernale à un moine ou, au contraire, confier à un favori les meilleurs outils. Parmi ceux-ci figuraient aussi des règles, des poinçons (pour faire des petits trous visant à espacer régulièrement les lignes), des plumes de métal à bout pointu pour tracer ces lignes, un lutrin sur lequel poser le livre à copier, des poids pour tenir les pages. Les manuscrits enluminés nécessitaient un matériel et des outils spécifiques.

Dans l'Antiquité, la plupart des livres se présentaient sous forme de rouleaux – proches des rouleaux de la Torah que les juifs utilisent encore aujourd'hui lors des services religieux –, mais dès le IVe siècle, les chrétiens avaient opté pour un format différent, le codex, ancêtre de nos livres modernes. Le codex a l'immense avantage de permettre au lecteur de se repérer sans difficulté dans le texte : celui-ci peut être paginé et indexé, et on peut rapidement tourner les pages jusqu'à l'endroit recherché. Il faudra attendre l'invention de l'ordinateur, équipé de fonctions de recherche sophistiquées, pour que le format simple et flexible du codex ait un rival sérieux. Et nous utilisons de nouveau l'expression « dérouler » un texte.

Le principal matériau utilisé pour la fabrique des livres consistait en peaux d'animaux – vaches, moutons, chèvres et parfois cerfs –, puisqu'on ne pouvait plus se procurer de papyrus et que l'usage du papier ne s'est pas généralisé avant le XIVe siècle. Ces peaux devant être lissées, le bibliothécaire distribuait de la pierre ponce qui servait à éliminer les poils restants, les bosses et autres imperfections. Une tâche pénible attendait le scribe à qui était attribué un parchemin de mauvaise qualité. Les marges de certains manuscrits monastiques ont parfois conservé des témoignages de leur détresse : « Le parchemin est velu » ; « Encre diluée, mauvais parchemin, texte difficile » ; « Dieu merci, il fera bientôt nuit ». « Qu'il soit permis au copiste de mettre un terme à son labeur », écrivit un moine épuisé sous son nom, précisant la date et le lieu où il travaillait. « J'ai fini, avouait un autre, pour l'amour du ciel donnez-moi à boire [17]. »

Le parchemin le plus fin était le vélin, nommé ainsi parce que fabriqué à partir de peau de veau. Le meilleur, le vélin utérin, provenait de la peau du veau mort-né. D'un blanc brillant, lisses et résistants, les vélins étaient réservés aux livres les plus précieux, décorés de miniatures élaborées, dignes d'œuvres d'art, et dont les couvertures étaient parfois incrustées de pierres précieuses.

Les bons copistes étaient dispensés de certains temps de prières collectives afin de pouvoir consacrer plus d'heures du jour à leur tâche. Ils ne travaillaient pas la nuit : la peur des incendies était telle qu'il était interdit d'allumer des chandelles. Certains monastères pouvaient espérer que les moines comprennent ce qu'ils copiaient : « Daigne bénir, Seigneur, ce lieu de travail de Tes serviteurs afin qu'ils saisissent le sens de ce qui y sera écrit, et qu'ils mènent à bien leur tâche [18]. » Telle était, par exemple, la déclaration faite lors de la consécration d'un scriptorium. Mais l'intérêt des copistes pour les ouvrages qu'ils copiaient (ou le dégoût qu'ils leur inspiraient) n'avait aucune importance. Dans la mesure où la copie était une forme de discipline – un exercice d'humilité et une acceptation de la douleur –, la répugnance ou l'incompréhension pouvaient être préférables à l'engagement. Il fallait à tout prix éviter la curiosité.

La soumission du moine copiste à son texte, la négation de son intelligence et de sa sensibilité – dont le but était de briser son caractère – avaient beau être aux antipodes de la curiosité et de la vanité du Pogge, celui-ci savait que son espoir de retrouver des traces fiables du passé antique dépendait de ce type de soumission. Un lecteur trop actif pouvait être tenté de modifier le texte afin de s'assurer qu'il ait un sens, et ces modifications conduisaient inévitablement à des altérations complètes au fil des siècles. Tant mieux, donc, si les scribes étaient obligés de copier rigoureusement ce qu'ils avaient sous les yeux, y compris ce qui semblait n'avoir aucun sens.

La page du manuscrit copiée était généralement recouverte d'une feuille percée d'une petite fenêtre, afin que le moine se concentre sur une seule ligne à la fois. Les moines avaient l'interdiction formelle de corriger ce qu'ils pensaient être des erreurs. Ils avaient exclusivement le droit de corriger leurs propres fautes en grattant délicatement l'encre à l'aide d'un rasoir, puis en appliquant un mélange de lait, de fromage et de chaux, version médiévale de notre Tipp-Ex. Il n'était pas question de froisser une page et de recommencer sur une autre. Même si les peaux de mouton et de chèvre abondaient, la fabrication du parchemin était laborieuse. Le bon parchemin était trop précieux et trop rare pour être gâché. C'est en partie pourquoi les monastères accumulaient les anciens manuscrits sans jamais s'en débarrasser.

Certes, il arrivait que des abbés et des bibliothécaires prisent non seulement le support, mais aussi les textes païens qui y étaient copiés. Nourris de littérature classique, certains estimaient qu'ils pouvaient profiter de ses trésors sans être souillés, tels les Hébreux de la Bible autorisés par Dieu à voler les richesses des Égyptiens. Mais au fil des générations, alors que se développait une importante littérature chrétienne, l'argument devint de plus en plus difficile à soutenir. En tout cas, les moines étaient de moins en moins nombreux à le tenter. Entre le VIe siècle et le milieu du VIIIe siècle, on arrêta presque complètement de copier les classiques grecs et latins. Ce qui avait commencé comme une campagne active pour oublier – une attaque religieuse contre les idées païennes – aboutit à un oubli pur et simple. Personne n'avait plus en tête, et encore moins aux lèvres, les poèmes, les traités philosophiques ni les discours politiques antiques, qui semblaient si menaçants et si attrayants. Ces œuvres avaient été réduites à l'état d'objets muets, de feuilles de parchemin reliées et couvertes d'un texte que plus personne ne lisait.

Seule la résistance du parchemin utilisé pour ces codex permettait aux idées des anciens de rester vivantes, mais les bibliophiles humanistes le savaient : même un matériau solide n'offre pas de garantie de survie éternelle. À l'aide de couteaux, de pinceaux et de chiffons, les moines effaçaient souvent délicatement les anciens écrits – de Virgile, d'Ovide, de Cicéron, de Sénèque ou de Lucrèce – pour les remplacer par ce que leurs supérieurs leur ordonnaient de copier [19]. La tâche devait être pénible et, pour les rares scribes s'intéressant à l'œuvre qu'ils effaçaient, douloureuse.

Si l'encre originelle se révélait tenace, il arrivait que l'on distingue la trace du texte effacé : une copie unique du IVe siècle de *De la république*, de Cicéron, est ainsi visible sous une copie du VIIe siècle des méditations de saint Augustin sur les Psaumes. La seule copie subsistante du livre de Sénèque sur l'amitié a été déchiffrée sous un Ancien Testament datant de la fin du VIe siècle. Ces étranges manuscrits faits de couches successives – appelés palimpsestes, d'après le terme grec signifiant « gratter de nouveau » – ont donc servi de sources sans lesquelles différentes œuvres majeures de l'Antiquité n'auraient pas été connues. Cependant, jamais les moines n'étaient encouragés à lire entre les lignes.

Le monastère était un espace régi par des règles, et le scriptorium par des règles à l'intérieur des règles. L'accès en était interdit à tout autre que les copistes. Le silence absolu y était de rigueur. Les scribes n'avaient pas le droit de choisir les livres qu'ils copiaient, ni de rompre le silence en réclamant au bibliothécaire les ouvrages nécessaires à leur tâche. Un langage gestuel compliqué avait été mis au point pour faciliter ces demandes. Quand un scribe voulait consulter un psautier, il faisait le signe correspondant au mot livre – tendant les mains et tournant des pages imaginaires –, puis il mettait les mains sur la tête pour former une couronne, le signe spécifique désignant les psaumes du roi David. S'il réclamait un livre païen, après avoir fait le signe désignant le livre, il se grattait derrière l'oreille, comme un chien se gratte les puces. Et s'il souhaitait consulter ce que l'Église considérait comme un livre païen particulièrement grossier ou dangereux, il pouvait introduire deux doigts dans sa bouche, mimant un haut-le-cœur.

LE POGGE ÉTAIT UN LAÏC et appartenait à un monde très différent. On ignore quelle fut sa destination précise, en 1417, après la séparation d'avec Bartolomeo – tel un chercheur d'or cachant l'emplacement de sa mine, peut-être évite-t-il délibérément d'indiquer un nom de lieu dans ses lettres. Il avait le choix entre une douzaine de monastères pour découvrir des trésors, mais de nombreux spécialistes pensent qu'il cherchait à se rendre à l'abbaye de Fulda [20].

Située dans une région stratégique du centre de l'Allemagne, entre le Rhône et le massif de Vogelsberg, cette abbaye avait tout pour susciter l'intérêt du bibliophile : elle était ancienne, riche et, après avoir abrité des générations d'érudits, elle était sur le déclin.

Si c'est bien à Fulda qu'il se rendait, le Pogge ne pouvait se permettre de se montrer arrogant. Fondée au VIIIe siècle par un disciple de « l'apôtre de l'Allemagne », saint Boniface, l'abbaye jouissait d'une indépendance hors du commun. Son abbé était un prince du Saint Empire romain et il avait le privilège de s'asseoir à la gauche de l'empereur. Lorsqu'il prenait part à une procession, un chevalier en armure portait la bannière impériale devant lui. De nombreux moines de Fulda étaient des nobles allemands : des hommes très conscients du respect qui leur était dû. Certes, le monastère avait beaucoup perdu de son prestige et il avait été obligé de se séparer d'une partie de ses immenses terres, mais il demeurait une puissance non négligeable. De famille modeste et doté de moyens financiers très limités, l'ancien secrétaire apostolique d'un pape disgracié et déposé avait peu d'atouts en main face à une telle institution.

Il est facile d'imaginer le Pogge répétant dans sa tête son petit discours de présentation, mettant pied à terre et remontant l'allée bordée d'arbres vers l'unique et lourde porte du monastère. De l'extérieur, l'abbaye de Fulda ressemblait à une forteresse ; au siècle précédent, elle avait été attaquée lors d'un violent conflit avec les bourgeois de la ville voisine. À l'intérieur, comme la plupart des monastères, l'organisation y était remarquable et l'autonomie, complète. En janvier, les vastes jardins potagers et botaniques étaient en jachère, mais les moines avaient récolté tout ce qui se conservait durant les longs mois d'hiver, dont les herbes médicinales utilisées à l'infirmerie et dans les bains communs. Le Pogge arriva sans doute en hiver, période de l'année où les greniers étaient encore bien remplis, et les écuries ne manquaient ni de paille ni d'avoine pour les chevaux et les ânes. En regardant autour de lui, il vit sûrement les poulaillers, le parc couvert pour les moutons, l'étable fleurant la bouse et le lait frais, et les grandes soues à cochons. Passa-t-il devant les moulins et la presse à huile, la grande basilique et le cloître adjacent, le noviciat, le dortoir, les quartiers des domestiques et l'hôpital des pèlerins où son assistant et lui allaient être logés ? Enfin, il fut sans doute accueilli et conduit jusqu'à la maison de l'abbé pour rencontrer le monarque de ce petit royaume.

Ce dernier s'appelait Johann von Merlau. Après l'avoir salué humblement, s'être présenté et avoir remis une lettre de recommandation signée par un cardinal bien connu, le Pogge manifesta certainement le désir de voir les précieuses reliques de saint Boniface et de dire une prière. Sa vie était remplie de ce genre d'observances : les employés de la cour papale avaient l'habitude de commencer et d'achever leur journée par des prières. Si rien dans ses lettres ne révèle un intérêt particulier pour les reliques, l'intercession des saints ou les rituels destinés à réduire le temps de l'âme au purgatoire, le Pogge connaissait sûrement le trésor qui faisait la fierté de Fulda.

Le visiteur reçu-t-il l'insigne faveur de pénétrer dans la basilique ? En entrant dans le transept, puis en descendant les marches pour rejoindre la crypte sombre et voûtée, il dut trouver l'église de Fulda étrangement familière : c'était une réplique de la basilique Saint-Pierre de Rome, bâtie au IVe siècle (la vaste basilique d'aujourd'hui fut construite bien après la mort du Pogge). À la lueur des chandelles, dans une châsse d'or, de cristal et de joyaux, il dut découvrir les os du saint massacré en 754 par les Frisons, qu'il s'efforçait de convertir.

Une fois ressorti à la lumière, le Pogge attendit sans doute le moment propice pour aiguiller la conversation sur le sujet de sa visite, en engageant, par exemple, la discussion sur l'un des personnages les plus célèbres de Fulda, Raban Maur, l'abbé du monastère pendant vingt ans, de 822 à 842. Raban Maur était un auteur de commentaires bibliques, de traités doctrinaux, de guides pédagogiques, de compendiums savants et de magnifiques poèmes en forme de calligrammes. Autant d'œuvres que le Pogge aurait facilement pu voir à la Bibliothèque vaticane, tout comme l'imposant ouvrage qui avait rendu Raban célèbre : une encyclopédie laborieusement érudite, vingt-deux livres rassemblant tout le savoir humain sous le titre *De rerum naturis (De la nature des choses)*. Ses contemporains, rendant justice à l'étendue de l'ambition de Raban, l'appelaient *De l'univers*.

Les œuvres de ce moine incarnaient le style fastidieux et pesant que fuyaient le Pogge et les humanistes. Mais le Pogge reconnaissait que Raban Maur était un érudit, féru de littérature païenne et chrétienne, qui avait fait de l'école monastique de Fulda la plus importante école d'Allemagne et qui avait enrichi la bibliothèque. Raban Maur avait étudié avec Alcuin[21], le plus grand savant de l'époque de Charlemagne, et il savait où trouver d'importants manuscrits. C'est ainsi qu'il les avait fait venir à Fulda, où il avait formé toute une cohorte de scribes à les copier, constituant peu à peu ce qui, pour l'époque, était une collection extraordinaire.

Cette époque remontait donc à six cents ans, une distance parfaite du point de vue du Pogge, car assez éloignée dans le temps pour offrir la possibilité d'un lien avec un passé plus ancien encore. En outre, le déclin progressif du prestige intellectuel du monastère au fil du temps augmentait son attrait. Qui sait ce qui reposait sur ces étagères, intouché peut-être depuis des siècles ? Des manuscrits ayant survécu à la longue période de chaos et de destruction qui avait suivi la chute de l'Empire romain. Les moines de Raban avaient peut-être fait mine de se gratter ou d'avoir un haut-le-cœur au moment de recopier des livres païens, et ces copies, tombées dans l'oubli, attendaient le regard de l'humaniste qui viendrait les sauver...

Tel devait être le vœu du Pogge en arrivant à Fulda. Son pouls dut s'accélérer quand enfin il fut conduit par le bibliothécaire en chef dans une grande salle au plafond voûté et qu'on lui montra un volume attaché par une chaîne au pupitre du bibliothécaire : le catalogue. Le Pogge dut le feuilleter en désignant du doigt, règle du silence oblige, les livres qu'il souhaitait voir.

Un intérêt sincère, ainsi qu'une certaine retenue, l'incitèrent sans doute à demander d'abord à consulter les œuvres rares d'un des plus grands Pères de l'Église, Tertullien. Puis, tandis qu'on déposait des manuscrits sur son bureau, il dut se plonger dans une série d'auteurs de l'Antiquité romaine dont les œuvres lui étaient complètement inconnues, à lui autant qu'aux autres humanistes. Car si le Pogge ne révéla jamais précisément où il était allé, il annonça – en fanfare – ce qu'il avait trouvé. Son rêve de bibliophile était en effet en train de devenir réalité. Il venait d'ouvrir un poème épique de quatorze mille vers sur les guerres entre Rome et Carthage, reconnaissant le nom de l'auteur, Silius Italicus, bien que jusqu'ici aucune de ses œuvres n'eût refait surface. Politicien habile, orateur roublard et peu scrupuleux qui avait été l'instrument de plusieurs procès truqués, Silius avait réussi à survivre aux règnes meurtriers de Caligula, de Néron et de Domitien. Avec une ironie polie, Pline le Jeune disait qu'après s'être retiré de la vie publique, « il effaça la tache qui ternissait sa réputation par une retraite digne d'éloges [22] ». Le Pogge et ses amis allaient donc savourer l'un des fruits de cette retraite.

Le Pogge découvrit ensuite un poème signé d'un certain Manilius, dont il ne pouvait reconnaître le nom puisqu'il n'est mentionné par aucun auteur antique ayant survécu. Il s'agissait d'un ouvrage savant d'astronomie et, d'après le style et les allusions de l'auteur, il pouvait être daté du début de l'empire (les règnes d'Auguste et de Tibère).

Ainsi surgissaient de nouveaux fantômes du passé romain : un critique littéraire célèbre sous le règne de Néron, qui avait écrit des notes et des gloses sur les auteurs classiques ; un autre critique qui citait abondamment des épopées perdues écrites dans le style d'Homère ; un grammairien auteur d'un traité d'orthographe. L'excitation du Pogge dut se teinter de mélancolie à la découverte d'un large fragment d'une histoire de l'Empire romain jusqu'ici inconnue, écrite par un haut gradé de l'armée impériale, Ammien Marcellin. Les treize premiers des trente et un livres que contenait l'original de cette histoire ne figuraient pas dans l'exemplaire que le Pogge copia à la main (ils n'ont jamais été retrouvés). En outre, l'œuvre avait été écrite à la veille de l'effondrement de l'empire. Historien clairvoyant, réfléchi et étonnamment impartial, Ammien semblait pressentir l'imminence de la fin. Sa description d'un monde ployant sous le poids des impôts, de la paupérisation de vastes segments de la population et de la démoralisation croissante de l'armée met en lumière les conditions qui permirent aux Goths, vingt ans après sa mort, de piller Rome.

La moindre trouvaille du Pogge était précieuse – la réapparition de tout texte après un si long temps relevait du miracle –, néanmoins toutes sont éclipsées, dans notre perspective, par la découverte d'une œuvre encore plus ancienne que les autres : un long texte écrit autour de l'an 50 avant Jésus-Christ, par un poète et philosophe nommé Titus Lucretius Carus. Son titre, *De rerum natura* – littéralement, *De la nature des choses* – ressemble étonnamment à celui de la célèbre encyclopédie de Raban Maur, *De rerum naturis*. Mais là où l'œuvre du moine était ennuyeuse et conventionnelle, celle de Lucrèce était d'une dangereuse radicalité.

Le Pogge reconnut certainement le nom de Lucrèce pour l'avoir vu cité par Ovide, Cicéron et d'autres sources antiques qu'il avait étudiées en compagnie de ses amis humanistes, mais personne n'avait jamais lu plus d'un ou deux fragments des écrits du poète latin qui, pensait-on, s'étaient perdus à jamais [23].

Le Pogge eu-t-il le temps, dans l'obscurité envahissant la bibliothèque monastique et sous l'œil vigilant de l'abbé ou du bibliothécaire, de lire plus que les premières lignes ? En tout cas, il remarqua sûrement l'exquise beauté des vers latins de Lucrèce et, donnant à son scribe l'ordre d'en faire une copie, il se hâta de les faire sortir du monastère. Mais se doutait-il que le livre qu'il remettait en circulation participerait, le moment venu, au démantèlement de tout son monde ?

Chapitre III

À LA RECHERCHE DE LUCRÈCE

Q UELQUE MILLE QUATRE CENT CINQUANTE ANS avant que le Pogge se lance dans sa quête, les contemporains de Lucrèce avaient lu son poème – qui continuera à être lu plusieurs siècles après sa rédaction [1]. Les humanistes italiens étaient à l'affût du moindre indice d'œuvres antiques perdues et ils avaient remarqué les références, même furtives, qui y étaient faites dans les ouvrages d'auteurs célèbres. Ainsi de Cicéron, l'écrivain romain préféré du Pogge, qui, bien qu'en profond désaccord avec les principes philosophiques de Lucrèce, reconnaissait la puissance du *De la nature*. « Les poèmes de Lucrèce sont bien comme tu le dis : le génie y brille et, par ailleurs, l'art y est grand [2] », écrivait-il à son frère, Quintus, le 2 février 54 avant Jésus-Christ. La tournure de phrase de Cicéron – en particulier ce « par ailleurs » quelque peu étrange – trahit sa surprise devant une œuvre si originale : un poème alliant un brillant génie philosophique et scientifique à une force poétique peu commune. Une alliance aussi rare à l'époque qu'aujourd'hui.

Cicéron et son frère n'étaient pas les seuls à être sensibles à cet équilibre parfait du savoir intellectuel et de la maîtrise esthétique. Le plus grand poète romain, Virgile, âgé d'environ quinze ans à la mort de Lucrèce, était envoûté par le *De rerum natura*. « Heureux qui a pu connaître les causes des choses et qui a mis sous ses pieds toutes les craintes, et l'inexorable destin, et le bruit de l'avare Achéron [3]. » En admettant qu'il s'agisse là d'une allusion subtile au titre du poème de Lucrèce, Virgile présente celui-ci comme un héros de la culture, ayant perçu les grondements inquiétants des Enfers et triomphé des peurs superstitieuses qui menacent de saper l'intelligence de l'homme. Mais Virgile ne cite pas le nom dudit héros, et même si le Pogge avait lu les *Géorgiques*, il ne pouvait pas relever l'allusion avant d'avoir lu Lucrèce [4]. Il aurait eu plus de mal encore à comprendre que la grande épopée de Virgile, l'*Énéide*, émanait de la volonté de proposer une voix concurrente à celle du *De la nature*. L'*Énéide* était une œuvre pieuse quand celle de Lucrèce était sceptique ; une œuvre patriote et militante quand celle de Lucrèce prônait le pacifisme ; une œuvre recommandant un sobre ascétisme quand Lucrèce incitait à la recherche du plaisir.

Enfin, le Pogge et les humanistes italiens avaient dû être titillés par les mots d'Ovide, qui auraient suffi à envoyer n'importe quel bibliophile se plonger dans les catalogues des bibliothèques monastiques : « Les poèmes du sublime Lucrèce ne périront que le jour où le monde entier sera détruit [5]. »

Il est donc d'autant plus frappant que les vers de Lucrèce aient failli disparaître – la survie de son œuvre ne tenait qu'à un fil – et qu'on ne sache presque rien de lui qui soit digne de foi. Nombre de poètes et de philosophes majeurs de la Rome antique étaient des personnalités et faisaient l'objet de rumeurs que les bibliophiles avides scrutaient pour y trouver des indices. Curieusement, il existe très peu de traces biographiques de Lucrèce. Le poète devait être un homme très secret, vivant dans l'ombre, et il ne semble pas avoir écrit autre chose que ce chef-d'œuvre. Difficile et dérangeant, *De rerum natura* n'était pas le genre de succès populaire à être assez largement diffusé pour que des fragments subsistent jusqu'au Moyen Âge. Aujourd'hui, avec l'avantage que donne la distance, et le chef-d'œuvre de Lucrèce entre les mains, nos savants ont réussi à mettre au jour une constellation de signes prouvant l'existence du texte, mais ces signes datent du haut Moyen Âge – ici une citation, là une entrée dans un catalogue –, la plupart étaient donc invisibles aux bibliophiles du début du XVe siècle. Ceux-ci tâtonnaient dans le noir, et s'ils repéraient un fil ténu, ils n'avaient pas les moyens de remonter à sa source. Quoi qu'il en soit, après six cents ans de travail mené par des spécialistes de l'époque classique, par des historiens et des archéologues, nous n'en savons pas beaucoup plus sur l'identité de l'auteur.

Les Lucretii étaient une vieille *gens* romaine connue – ce que le Pogge savait peut-être –, mais comme les esclaves, une fois affranchis, prenaient souvent le nom de la famille à laquelle ils avaient appartenu, rien ne prouve que l'auteur ait été un aristocrate. C'est cependant probable, pour la simple raison que Lucrèce a adressé son poème, sur un ton à la fois proche et cordial, à un noble, Gaius Memmius – un nom que le Pogge avait sans doute croisé au cours de ses lectures. Ayant mené une assez belle carrière politique, Memmius était le protecteur d'écrivains célèbres, dont l'auteur de poèmes d'amour Catulle, et lui-même passait pour un poète (quoique obscène, d'après Ovide[6]). C'était aussi un orateur « subtil et habile », comme le note Cicéron avec un peu d'acrimonie. Néanmoins, la question demeure : qui était Lucrèce ?

Pour y répondre, le Pogge et son cercle ne disposaient que d'une brève esquisse biographique que le Père de l'Église, saint Jérôme (vers 340-420), avait ajoutée à une chronique antérieure. Celui-ci notait ainsi : en 94 avant Jésus-Christ, « le poète Titus Lucretius naît. Après qu'un philtre d'amour l'eut rendu fou et qu'il eut écrit, entre ses périodes de folie, plusieurs livres corrigés par Cicéron, il se donna la mort à l'âge de quarante-quatre ans ». Ces détails à sensation inspireront toutes les représentations ultérieures de Lucrèce, y compris le célèbre poème victorien dans lequel Tennyson imagine la voix du philosophe fou et suicidaire, tourmenté par des fantasmes érotiques[7].

Les spécialistes actuels de l'époque classique ont tendance à se méfier des affirmations de saint Jérôme, car elles ont été consignées (ou inventées) plusieurs siècles après la mort de Lucrèce par un polémiste chrétien qui avait une lecture morale des philosophes païens. Dans la mesure où aucun bon chrétien du XVe siècle n'aurait mis en doute le récit du saint, le Pogge devait penser que le poème qu'il avait retrouvé était entaché par la folie et le suicide de son auteur, païen. Mais le bibliophile humaniste appartenait à une génération avide de déterrer des textes antiques, y compris ceux d'auteurs dont la vie incarnait la confusion morale et le péché mortel. Et s'il avait encore des réserves, l'idée que Cicéron en personne avait corrigé les livres du poète aurait suffi à les faire taire.

Seize siècles ont passé depuis la rédaction de la notice de saint Jérôme au IVe siècle, mais aucune information biographique supplémentaire n'est apparue, que ce soit pour confirmer ou infirmer l'histoire du philtre d'amour et son dénouement tragique. La personne de Lucrèce est aussi peu connue que lorsque le Pogge retrouva son poème en 1417[8]. Compte tenu des louanges d'Ovide sur les vers

« du sublime Lucrèce » et des autres signes de l'influence du poème, le fait que ses contemporains en aient si peu parlé reste un mystère. Heureusement, les découvertes archéologiques nous permettent d'imaginer le monde des premiers lecteurs du *De la nature*, voire le monde du poète.

Ces découvertes sont dues à la plus célèbre catastrophe de l'Antiquité : l'éruption du Vésuve, qui détruisit entièrement Pompéi et la station balnéaire d'Herculanum, dans la baie de Naples, le 24 août de l'an 79. Enfouie sous vingt mètres de débris volcaniques aussi denses que du béton, cette petite cité, où de riches Romains venaient en villégiature dans leurs élégantes villas à colonnes, fut oubliée jusqu'au début du XVIIIe siècle, époque à laquelle des ouvriers, creusant un puits, découvrirent des statues de marbre. Des fouilles commencèrent alors, conduites par un officier autrichien, puisque Naples était alors sous domination autrichienne.

Ces explorations se poursuivaient quand Naples passa aux mains des Bourbons, mais elles étaient extrêmement frustes et relevaient moins de la recherche archéologique que du pillage en règle. Pendant plus de dix ans, elles furent dirigées par un officier du génie de l'armée espagnole, Roque Joaquín de Alcubierre, qui considérait le site comme une décharge ossifiée dans laquelle un butin aurait inexplicablement été enfoui. (« Cet homme, écrit un contemporain consterné par ce saccage, en connaît autant sur les antiquités que la lune sur les langoustes [9]. ») Les ouvriers creusaient à tout va, à la recherche de statues, de pierres, de marbres précieux et autres trésors qu'ils trouvaient en abondance et livraient pêle-mêle à leurs maîtres royaux.

À partir de 1750, sous les ordres d'un nouveau responsable, les fouilleurs se montrèrent plus soigneux. Trois ans plus tard, alors qu'ils perçaient un tunnel dans une villa, ils firent une découverte déroutante : les ruines d'une pièce au sol de mosaïque, pleine d'objets « de la longueur d'une demi-paume et ronds », comme le rapporta l'un d'eux, « ressemblant à des racines de bois, tout noirs et apparemment faits d'un seul bloc [10] ». Certains pensaient qu'ils étaient tombés sur une réserve de briquettes de charbon et en brûlèrent quelques-unes pour dissiper la froidure du petit matin. D'autres croyaient qu'il s'agissait de rouleaux de tissu ou de filets de pêche carbonisés. Soudain, un de ces objets tomba par terre et se brisa. Des lettres apparurent et les explorateurs comprirent de quoi il s'agissait : de livres. Ils venaient de mettre au jour les vestiges d'une bibliothèque privée.

Les volumes que les Romains accumulaient dans leurs bibliothèques étaient plus petits que les livres d'aujourd'hui : la plupart étaient écrits sur des rouleaux de papyrus. (Le mot « volume » vient du latin *volumen*, désignant une chose enroulée.) Ces rouleaux de papyrus – la plante dont le nom a donné notre mot « papier » – étaient fabriqués à partir de longs roseaux qui poussaient dans la région marécageuse du delta du Nil, en basse Égypte [11]. Leurs tiges étaient coupées, puis débitées en bandes très fines, que l'on disposait les unes à côté des autres, de façon qu'elles se chevauchent légèrement. On plaçait ensuite une autre couche par-dessus, à la perpendiculaire, et l'on martelait délicatement la feuille avec un maillet. La sève qui s'en échappait permettait aux fibres d'adhérer les unes aux autres. Les feuilles ainsi fabriquées étaient ensuite collées pour former des rouleaux. (La première, sur laquelle on pouvait noter le contenu du rouleau, s'appelait en grec un *protokolon*, littéralement « collé en premier », à l'origine de notre mot « protocole ».) Des baguettes de bois, fixées à l'une ou aux deux extrémités du rouleau, et dépassant un peu sur les côtés, permettaient de le faire défiler plus facilement au fil de la lecture : lire un livre, dans l'Antiquité, c'était donc le dérouler. Les Romains appelaient cette baguette l'*umbilicus*, et lire un livre en entier se disait « dérouler jusqu'à l'*umbilicus* ».

Blanc et souple à l'origine, le papyrus devenait friable et se décolorait en vieillissant – rien ne dure éternellement –, mais il était léger, commode, assez peu onéreux et étonnamment robuste. Les petits propriétaires terriens d'Égypte savaient qu'ils pouvaient inscrire leurs récépissés fiscaux sur un morceau de papyrus, et qu'ils seraient parfaitement lisibles pendant des années, voire des générations. Les prêtres y avaient recours pour consigner les prières aux dieux ; les poètes, pour prétendre à l'immortalité symbolique dont ils rêvaient, et les philosophes, pour transmettre leurs pensées à de futurs disciples. Les Romains, comme les Grecs avant eux, comprirent aussi qu'il s'agissait du meilleur support d'écriture, et l'importèrent en masse d'Égypte pour répondre à leur goût de plus en plus développé pour l'archivage, les documents officiels, les lettres personnelles et les livres. Un rouleau de papyrus pouvait se conserver jusqu'à trois cents ans.

La pièce au pavement de mosaïque avait été tapissée de rayonnages en bois marqueté ; en son centre, il restait la trace d'une grande étagère non encastrée [12]. Des vestiges carbonisés, si fragiles qu'ils se désagrégeaient au toucher, de tablettes en cire effaçables que les lecteurs utilisaient pour prendre des notes (un peu comme les ardoises magiques avec lesquelles les enfants jouent aujourd'hui) étaient éparpillés partout. Les étagères étaient chargées de rouleaux de papyrus, dont certains, sans doute les plus précieux, étaient enveloppés d'écorces d'arbre, et leurs extrémités, protégées par des morceaux de bois. Ailleurs dans la villa, d'autres rouleaux, agrégés en une seule masse par la cendre volcanique, donnaient l'impression d'avoir été fourrés à la hâte dans un coffre en bois, comme si, en ce terrible jour d'août, quelqu'un avait eu l'idée fugitive et folle de sauver quelques livres du désastre. En tout, et malgré la perte irrévocable des nombreux ouvrages jetés avant qu'on ne comprenne leur valeur, ce sont onze cents livres qui furent découverts.

De nombreux rouleaux de la villa des Papyrus, ainsi qu'on en vint à l'appeler, avaient été écrasés sous les débris et le poids de la boue ; tout avait été brûlé par la lave, la cendre et les gaz volcaniques. Mais ce qui avait noirci ces livres les avait aussi protégés de la destruction. Pendant des siècles, ils étaient restés enfermés dans des contenants hermétiques. (Aujourd'hui encore, seule une petite section de la villa a été exposée, et une vaste portion n'a toujours pas été excavée.) Les découvreurs étaient cependant déçus : c'est à peine s'ils distinguaient ce qui était écrit sur les rouleaux, semblables à du charbon. Et chaque fois qu'ils essayaient de les dérouler, ceux-ci tombaient en poussière.

Des dizaines, peut-être des centaines de livres furent détruits de cette façon. Jusqu'au jour où l'on découvrit quelques parties lisibles sur des rouleaux ouverts. Après deux ans d'efforts plus ou moins vains et destructeurs, on fit alors venir un prêtre napolitain savant, le père Antonio Piaggio, qui travaillait à la Bibliothèque vaticane, à Rome. Opposé à la méthode de recherche utilisée jusqu'ici – qui consistait simplement à gratter les couches supérieures de papyrus brûlé jusqu'à ce que des mots deviennent lisibles –, celui-ci inventa un mécanisme ingénieux, une machine qui déroulait lentement et délicatement les rouleaux de papyrus, et révélait de plus larges surfaces lisibles qui étaient alors aplaties avec soin et collées sur des bandes. On découvrit alors que la bibliothèque de la villa, du moins la partie déjà explorée, était spécialisée, puisque y figuraient de nombreux traités en grec écrits par un philosophe du nom de Philodème. Ce fut au tour des chercheurs d'être déçus : ils espéraient trouver des œuvres perdues de Sophocle, de Virgile ou de leurs pairs. Néanmoins, ce qu'ils sauvèrent de l'oubli a un lien important avec la découverte faite des siècles plus tôt par le Pogge. Car Philodème, qui avait enseigné à Rome entre 75 et 40 avant Jésus-Christ environ, était l'exact contemporain de Lucrèce et un adepte de l'école de pensée illustrée par *De la nature*.

Pourquoi les œuvres d'un philosophe grec mineur se trouvaient-elles dans la bibliothèque de cette élégante villa côtière ? Et pourquoi une maison de vacances possédait-elle une bibliothèque aussi bien pourvue ? Philodème, pédagogue payé pour donner des cours et des conférences, n'était sûrement pas le maître de la villa des Papyrus. Cependant, la présence d'une grande partie de son œuvre fournit des indices sur les centres d'intérêt du propriétaire et la période où fut rendu public le poème de Lucrèce. Cette période correspond à l'apogée d'un lent processus qui vit se mêler les cultures grecque et romaine.

Ces deux cultures ne s'étaient pas toujours côtoyées aisément. Chez les Grecs, les Romains avaient depuis longtemps la réputation d'être un peuple dur et discipliné, doué pour la survie et animé d'une soif de conquête. Ils étaient aussi considérés comme des Barbares – des « Barbares raffinés », d'après le point de vue modéré du scientifique d'Alexandrie Ératosthène, des Barbares brutaux et dangereux d'après la majorité. À l'époque où leurs cités-États indépendantes étaient encore prospères, les intellectuels grecs avaient préservé un peu du mystérieux savoir des Romains, comme ils l'avaient fait avec les Carthaginois et les Indiens, mais ils n'avaient rien trouvé dans la vie culturelle romaine qui leur parût vraiment digne d'intérêt.

Les Romains du début de la République ne les auraient sans doute pas démentis. Rome avait toujours eu une certaine méfiance à l'égard des poètes et des philosophes. Elle s'enorgueillissait d'être la cité de la vertu et de l'action, non pas celle des mots fleuris, des spéculations intellectuelles ni des livres [13]. Cependant, alors même que les légions romaines établissaient progressivement leur domination militaire sur la Grèce, la culture grecque commençait à coloniser l'esprit des colonisateurs. Toujours sceptiques à l'égard des intellectuels et fiers de leur intelligence pratique, les Romains reconnaissaient avec un enthousiasme croissant le niveau d'excellence des philosophes, des scientifiques, des écrivains et des artistes grecs. Ils raillaient ce qu'ils prenaient pour les défauts du caractère grec, le côté bavard et précieux, ainsi que le goût pour la philosophie, mais les familles romaines ambitieuses envoyaient malgré tout leurs fils étudier dans les académies de philosophie qui avaient fait la réputation d'Athènes, tandis que des intellectuels grecs comme Philodème étaient invités à Rome et généreusement rémunérés pour y enseigner.

Il n'a jamais été très bien vu pour un aristocrate romain de faire montre d'un hellénisme trop fervent. Les Romains cultivés préféraient minimiser leur connaissance de la langue et de l'art grecs. Pourtant, les temples et les espaces publics romains étaient décorés de superbes statues volées dans les cités conquises en Grèce, notamment dans le Péloponnèse, et des généraux romains aguerris au combat ornaient leurs villas de vases et de sculptures grecs.

Étant donné la résistance de la pierre et de la terre cuite, il nous est facile de mesurer l'omniprésence à Rome d'objets grecs, mais ce sont surtout les livres qui permettaient de diffuser l'influence culturelle grecque. Rome était une ville à l'esprit martial, les premières grandes collections de livres furent donc importées sous forme de butin de guerre. En 167 avant Jésus-Christ, le général romain Paul Émile battit le roi Persée de Macédoine et mit un terme à une dynastie descendant d'Alexandre le Grand et de son père Philippe. Persée et ses trois fils furent envoyés à Rome, où ils défilèrent dans les rues, enchaînés, derrière le char du vainqueur. Suivant la tradition nationale, Paul Émile embarqua alors un gigantesque butin qu'il remit au Trésor romain, et se réserva un unique trophée pour lui-même et ses enfants : la bibliothèque du monarque captif[14]. Ce geste, une preuve évidente de la fortune personnelle du général, témoigne de la valeur des livres grecs et de la culture qu'ils recelaient.

L'exemple de Paul Émile fut suivi. Chez les nobles romains, la mode des bibliothèques privées, dans leurs maisons en ville ou leurs villas à la campagne, s'imposa de plus en plus. (Au début de la Rome antique, il n'existait pas de librairies, mais on pouvait acheter des livres à des marchands dans le sud de l'Italie et en Sicile, là où les Grecs avaient fondé des villes telles Naples, Tarente et Syracuse.) Le grammairien Tyrannion passait ainsi pour posséder trente mille volumes ; Serenus Sammonicus, un médecin, expert dans l'usage de la formule magique « abracadabra » pour éloigner la maladie, en avait plus de soixante mille. Rome avait contracté la fièvre livresque des Grecs.

Lucrèce vivait donc au sein d'une culture de riches collectionneurs de livres, et la société dans laquelle il fit circuler son poème était sur le point d'élargir son cercle de lecteurs à un public plus large. En 40 avant Jésus-Christ, dix ans après la mort du poète, la première bibliothèque publique de Rome était fondée par Pollion, un ami de Virgile [15]. L'idée émanait apparemment de Jules César, qui admirait les bibliothèques publiques qu'il avait vues en Grèce, en Asie Mineure et en Égypte, et avait décidé d'en offrir une au peuple romain. Hélas César fut assassiné avant d'avoir pu mener à bien le projet, et c'est Pollion, qui avait pris le parti de César contre Pompée, puis celui de Marc Antoine contre Brutus, qui s'en chargea. Commandant militaire habile, bien inspiré (ou extrêmement chanceux) quand il s'agissait de choisir ses alliés, Pollion était un homme cultivé et curieux. À part quelques fragments de discours, tous ses écrits sont aujourd'hui perdus, mais il composa des tragédies dignes de Sophocle, d'après Virgile, des récits historiques et des textes de critique littéraire, et il fut parmi les premiers auteurs romains à lire ses textes à un public d'amis.

La bibliothèque fondée par Pollion fut bâtie sur la colline Aventin et financée, à la manière romaine, par des biens saisis chez les vaincus – en l'occurrence, un peuple de la côte adriatique qui avait eu le tort de soutenir Brutus contre Marc Antoine. Peu après, l'empereur Auguste fonda deux bibliothèques [16], imité alors par nombre de ses successeurs. (En tout, au IVᵉ siècle après Jésus-Christ, il existait vingt-huit bibliothèques publiques à Rome.) Ces bâtiments, qui tous furent détruits, suivaient le même plan, lequel allait nous devenir familier : une vaste salle de lecture jouxtait de plus petites pièces où étaient entreposées les collections, classées dans des rayonnages numérotés. La salle de lecture, de forme rectangulaire ou semi-circulaire, et parfois éclairée par une ouverture ronde dans le toit, était décorée de bustes ou de statues grandeur nature d'écrivains célèbres : Homère, Platon, Aristote, Épicure... Les statues étaient un hommage aux écrivains que toute personne cultivée se devait de connaître, mais à Rome, elles avaient sans doute une signification supplémentaire, proche de celle des masques d'ancêtres que les Romains conservaient chez eux et revêtaient lors de commémorations. Elles étaient le signe d'une communication avec l'esprit des morts, le symbole de ces esprits que les livres permettaient aux lecteurs de faire apparaître.

De nombreuses villes antiques allaient également s'enorgueillir de collections publiques, financées par les revenus fiscaux ou par des dons de riches mécènes à l'esprit civique [17]. Les bibliothèques grecques disposaient de peu d'équipements, mais dans l'Empire romain des tables et des chaises confortables furent conçues pour permettre aux lecteurs de s'asseoir, de dérouler lentement les papyrus, puis d'enrouler chaque colonne de la main gauche après lecture. Le grand architecte Vitruve – l'un des auteurs antiques dont le Pogge retrouva l'œuvre – recommandait d'orienter les bibliothèques vers l'est afin de profiter de la lumière matinale et de réduire l'humidité risquant d'abîmer les livres. Des fouilles, à Pompéi et ailleurs, ont permis de retrouver des plaques en l'honneur de donateurs, des statues ou fragments de statues, des pupitres, des étagères où ranger les rouleaux de papyrus, des rayonnages numérotés qui accueillaient les volumes de parchemin reliés et les codex qui remplacèrent petit à petit les rouleaux, et des graffitis sur les murs. La ressemblance avec le plan des bibliothèques contemporaines n'est pas fortuite : la conviction que les bibliothèques sont un bien public, et l'idée de ce à quoi un tel bien devait ressembler proviennent en droite ligne d'un modèle créé à Rome il y a plusieurs millénaires.

Dans le monde romain [18], que ce soit sur les rives du Rhône en Gaule ou près du petit bois et du temple de Daphné dans la province de Syrie, sur l'île de Kos, près de Rhodes, ou à Dyrrachium dans ce qui est aujourd'hui l'Albanie, les demeures des hommes et des femmes cultivés possédaient des pièces particulières où lire au calme [19]. Les rouleaux de papyrus étaient soigneusement indexés, étiquetés (avec une étiquette saillante appelée *sillybos* en grec) et empilés sur des étagères ou entreposés dans des paniers de cuir. Même dans les thermes raffinés dont les Romains raffolaient, des salles de lecture, décorées de bustes d'auteurs grecs ou latins, avaient été aménagées pour permettre aux citoyens éduqués d'allier soin du corps et soin de l'esprit. C'est au Ier siècle après Jésus-Christ qu'apparaissent vraiment les premiers signes de ce que nous appellerions une « culture littéraire ». L'historien Tacite en fournit un exemple, qui un jour, pendant les jeux au Colisée, parla de littérature avec un parfait inconnu, ayant lu ses œuvres [20]. La culture n'était plus circonscrite à de petits cercles d'amis et de connaissances : Tacite avait rencontré son « public » sous les traits de ce lecteur qui avait dû acheter son livre sur un étal du Forum ou le lire à la bibliothèque. Ce goût de la lecture, qui s'était enraciné dans la vie quotidienne de l'élite romaine au fil de plusieurs générations, explique la présence d'une bibliothèque si bien garnie dans une villa d'agrément comme la villa des Papyrus.

RÉCEMMENT, DANS LES ANNÉES 1980, les archéologues ont recommencé à étudier cette villa dans l'espoir de parvenir à une meilleure compréhension du mode de vie dont témoigne sa conception – une conception qu'évoque avec éclat l'architecture du Getty Museum, à Malibu, en Californie, où sont conservés certaines des statues et des trésors retrouvés à Herculanum. La plupart des chefs-d'œuvre en marbre et en bronze de la villa – des représentations de dieux et de déesses, des bustes de philosophes, d'orateurs, de poètes et de dramaturges, un sanglier en train de bondir, un satyre ivre, un satyre endormi, ainsi qu'un Pan et une chèvre saisis *in flagrante delicto* – sont aujourd'hui au Musée national de Naples.

La reprise de cette étude a connu un lent démarrage : des œillets étaient cultivés sur le site dont la terre volcanique est fertile et les propriétaires répugnaient à laisser les fouilleurs perturber leur commerce. Après de longues négociations, les chercheurs ont obtenu le droit de descendre dans les puits pour approcher la villa dans de petits engins semblables à des gondoles circulant sans dommages dans les tunnels creusés à travers les ruines. Les conditions étaient difficiles, mais ils ont réussi à établir un plan plus précis de la villa, mesurant les dimensions exactes de l'atrium, situant les péristyles carrés et rectangulaires, et repérant certains aménagements, tels un vaste sol de mosaïque et une double colonne inhabituelle. Des traces de pousses et de feuilles de vigne vierge leur ont permis de déterminer la localisation précise du jardin où, il y a près de deux mille ans, le riche propriétaire et ses amis lettrés se rassemblaient.

Il est évidemment impossible de savoir de quoi ces gens parlaient au cours des longs après-midi ensoleillés passés dans le jardin à colonnades d'Herculanum, mais un indice fascinant est apparu dans les années 1980. En surface, cette fois, des spécialistes ont recommencé à se pencher sur les papyrus noircis découverts par les chasseurs de trésors du XVIIIe siècle. Ces rouleaux, réduits à l'état de morceaux durcis, avaient résisté aux premières tentatives d'ouverture et étaient entreposés depuis plus de deux cents ans dans la Bibliothèque nationale de Naples. En 1987, utilisant de nouvelles techniques, le bibliothécaire Tommaso Starace a réussi à ouvrir deux papyrus mal conservés. Il a collé les fragments lisibles de ces livres – qui n'avaient pas été lus depuis l'éruption du Vésuve dans l'Antiquité – sur du papier japonais, il les a microphotographiés et il a entrepris de les déchiffrer. Deux ans plus tard, le Norvégien Knut Kleve, un éminent papyrologue (comme on appelle les spécialistes du déchiffrement des papyrus), pouvait déclarer : « *De rerum natura* a été retrouvé à Herculanum, deux cent trente-cinq ans après la découverte des papyrus[21]. »

L'annonce n'a fait aucun bruit, mais on pardonnera aux antiquisants d'avoir accordé si peu d'attention, voire aucune, à la nouvelle, perdue dans le volume XIX de l'imposante revue italienne *Cronache Ercolanesi*. Kleve et ses collègues avaient trouvé seize minuscules fragments – guère plus que des mots ou des parties de mots – dont on a pu démontrer, après une analyse attentive, qu'ils provenaient des livres I, III, IV et V du poème latin qui en comptait six en tout. Ces fragments, modestes pièces d'un gigantesque puzzle, sont en soi négligeables. Mais ils semblent indiquer que l'intégralité de *De rerum natura* se trouvait dans la bibliothèque. Or la présence de ce poème dans la villa des Papyrus est significative.

Les découvertes d'Herculanum nous permettent d'imaginer les cercles dans lesquels le poème trouvé par le Pogge à la bibliothèque monastique a commencé à circuler. Autant l'œuvre de Lucrèce devait faire figure de mystérieuse étrangère parmi les missels, les manuels de confession et les sommes théologiques du Moyen Âge, autant à Herculanum, elle était chez elle. En outre, le contenu des autres rouleaux laisse penser que la collection de la villa faisait la part belle à l'école de pensée dont *De rerum natura* est l'expression la plus remarquable.

Si l'identité du propriétaire de la villa, du vivant de Lucrèce, demeure inconnue, le candidat le plus vraisemblable est Lucius Calpurnius Pison. Ce puissant politicien, un temps gouverneur de la province de Macédoine, et beau-père de Jules César, s'intéressait à la philosophie grecque. Cicéron, son adversaire en politique, le décrivait à un festin, « couché dans la puanteur et l'odeur de vin de ses chers Grecs [22] », tandis que résonnaient autour de lui des chansons paillardes. À en juger par le contenu de la bibliothèque, cependant, les hôtes participant aux après-midi d'Herculanum se consacraient très certainement à des passe-temps plus raffinés.

On sait que Pison connaissait personnellement Philodème. Dans une épigramme tirée d'un des livres du philosophe retrouvé dans la bibliothèque calcinée, ce dernier invite Pison à venir le voir dans sa modeste demeure pour célébrer un « vingtième » – un festin organisé en l'honneur d'Épicure, né le 20 du mois grec de Gamélion :

> Demain, cher Pison, un disciple d'Épicure, chéri des Muses, vous entraînera, dès la neuvième heure, vers une chaumière modeste, où il doit célébrer, dans un banquet, l'EICADE ANNUELLE. Vous n'y savourerez, il est vrai, ni les mamelles succulentes de la truie ni le vin de Chio, doux présent de Bacchus ; mais vous y verrez des amis parfaitement sincères ; mais vous y entendrez des sons plus doux que tout ce qu'on vous vante de la terre des Phéaciens. Daignez, Pison, jeter sur nous un regard favorable, et votre présence seule donnera de l'éclat à la fête, et nous tiendra lieu des mets les plus exquis [23].

Les derniers vers se transforment en un appel à la générosité du dédicataire, à moins qu'ils n'expriment l'espoir de Philodème d'être lui-même invité à un après-midi de conversation philosophique, arrosé de grands vins, dans la somptueuse villa de Pison. Étendus sur des divans, à l'ombre d'une treille ou d'un dais de soie, les hommes et les femmes de l'époque qui avaient le privilège d'être ses invités – il est fort possible que des femmes aient pris part à ces causeries – avaient ample matière à réflexion : depuis des années, Rome était la proie de troubles politiques et sociaux qui avaient déjà dégénéré en guerres civiles. La violence était maîtrisée, mais toutes les menaces contre la paix et la stabilité n'étaient pas écartées. D'ambitieux généraux se disputaient sans merci le pouvoir ; les troupes, mécontentes, devaient être payées en monnaie sonnante et trébuchante ou en terres ; les provinces s'agitaient et des rumeurs de désordres en Égypte avaient fait grimper le prix des céréales.

Cependant, choyés par des esclaves et jouissant du confort et de la sécurité de son élégante villa, le propriétaire et ses hôtes pouvaient considérer ces menaces comme si elles étaient relativement lointaines, du moins assez pour leur permettre de s'adonner au plaisir de la conversation. Levant langoureusement les yeux vers le Vésuve proche, peut-être ressentaient-ils un certain malaise en songeant à l'avenir [24]. Ils formaient pourtant l'élite, vivaient au cœur de la première puissance mondiale, et cultiver la vie de l'esprit faisait partie de leurs privilèges les plus prisés.

Les Romains de la République finissante étaient profondément attachés à ce privilège, et ils s'y accrochèrent là où d'autres l'auraient abandonné. Pour eux, il était le signe que leur monde était toujours intact, ou qu'eux-mêmes étaient personnellement à l'abri. Tel un homme qui, en entendant le son d'une sirène au loin dans la rue, s'assoit derrière son Bechstein pour jouer une sonate de Beethoven, les hôtes de la villa affirmaient leur sentiment de sécurité en se plongeant dans le dialogue intellectuel et la spéculation.

Dans ces années précédant l'assassinat de Jules César, philosopher n'était pas la seule réponse à la tension sociale, loin de là. Les cultes religieux originaires de la Perse, de la Syrie ou de la Palestine commençaient à s'imposer dans la capitale, suscitant des peurs et des espoirs fous, en particulier parmi la plèbe. Une poignée de l'élite – les plus anxieux ou les plus curieux – prêtait sans doute l'oreille à ces prophéties annonçant la venue d'un sauveur de modeste ascendance, destiné à être humilié et à souffrir, mais qui finirait par triompher. La plupart devaient cependant considérer ces histoires comme les fantasmes fiévreux d'une secte de juifs arrogants.

Les dévots allaient plus probablement implorer les dieux dans les temples et les chapelles qui parsemaient les terres fertiles. Car la nature du monde antique était une nature saturée par la présence du divin, qui se manifestait au sommet des montagnes, dans les sources, dans les cheminées hydrothermales qui crachaient de la fumée montant d'un mystérieux royaume souterrain et dans les vieux bosquets d'arbres sur lesquels les fidèles accrochaient des tissus colorés. Néanmoins, il est peu probable que ceux dont la bibliothèque reflétait les goûts intellectuels sophistiqués se fussent joints aux processions des suppliants. À en juger d'après les rouleaux de papyrus calcinés, les habitants de la villa, pour donner un sens à leur vie, semblaient moins attirés par le rituel que par la conversation.

Les Grecs et les Romains de l'Antiquité n'avaient pas comme nous le culte des génies solitaires, s'escrimant dans leur coin à résoudre des problèmes ardus. Les scènes de ce genre – Descartes remettant tout en question dans sa retraite secrète ou Spinoza réfléchissant en silence tout en taillant des verres de lunettes, après avoir été exclu de la communauté juive – allaient plus tard devenir les principaux emblèmes de la vie de l'esprit. Mais une profonde transformation de la notion de prestige culturel était entretemps passée par là, initiée par les premiers ermites chrétiens qui s'étaient détournés de ce que les païens valorisaient : saint Antoine (250-356) dans le désert ou saint Siméon le Stylite (390-459) perché sur sa colonne. Ces grandes figures disposaient en réalité de larges groupes de disciples et jouaient un rôle important dans la vie de vastes communautés, tout en vivant à l'écart. L'image dominante que ces hommes s'étaient façonnée – ou qui en vint à être façonnée autour d'eux – était néanmoins celle d'un isolement radical.

Rien à voir avec les Grecs et les Romains. L'exercice de la pensée et l'écriture nécessitant du calme et des distractions réduites au minimum, leurs poètes et philosophes devaient forcément s'abstraire du bruit et des affaires du monde pour accomplir leurs œuvres. Ils n'en renvoyaient pas moins une image sociable. Les poètes se décrivaient comme des pâtres chantant pour d'autres pâtres ; les philosophes se représentaient plongés dans de longues discussions qui pouvaient se prolonger plusieurs jours. On échappait aux distractions du quotidien non pas en se retirant dans une cellule solitaire, mais en menant de paisibles échanges avec des amis dans un jardin.

L'homme, selon Aristote, est un animal social : s'accomplir en tant qu'être humain, c'est donc participer à une activité de groupe. Et l'activité de prédilection des Romains cultivés, comme des Grecs avant eux, était la conversation. Aussi existait-il, fait remarquer Cicéron au début d'une de ses œuvres philosophiques, une grande variété d'opinions à propos des questions religieuses les plus importantes.

> Cette observation, écrit-il, je l'ai faite bien souvent, mais jamais elle ne s'est tant imposée à moi qu'au cours d'un débat serré, approfondi, chez mon ami Cotta sur les immortels. M'étant à son invitation expresse rendu chez lui au moment des féries latines, je le trouvai assis sous son portique et en train de discuter avec C. Velleius en qui les Épicuriens alors voyaient leur grand maître. Était présent aussi Q. Lucilius Balbus, si versé dans le stoïcisme qu'on le comparait aux plus qualifiés à cet égard d'entre les Grecs[25].

Cicéron expose sa pensée non pas comme un traité rédigé au terme d'une réflexion solitaire, mais comme un échange de vues entre personnes d'un même niveau social et intellectuel, une conversation où lui-même ne joue qu'un petit rôle et à l'issue de laquelle aucun ne s'impose comme vainqueur.

À la fin de ce débat – une longue œuvre qui aurait rempli plusieurs rouleaux de papyrus de bonne taille –, l'auteur ne tranche pas : « Ayant ainsi parlé, nous nous séparâmes. Velleius jugeait que la vérité se trouvait plutôt dans les idées développées par Cotta, à moi celles de Balbus paraissaient avoir plus de vraisemblance[26]. » Cette conclusion ouverte ne relève pas d'une quelconque modestie intellectuelle – Cicéron n'était pas un homme modeste –, mais d'une stratégie d'ouverture affable à l'égard de ses amis. C'est l'échange lui-même, non pas ses conclusions, qui est avant tout porteur de sens. C'est le dialogue qui importe, le fait que l'on réfléchisse ensemble, avec un mélange d'esprit et de sérieux, sans jamais tomber dans le commérage ni la calomnie, en ménageant toujours une place pour les opinions contraires. Que la discussion « n'exclue pas les autres, comme si elle arrivait dans sa propriété, mais qu'elle estime tout à fait juste que chacun ait son tour dans la conversation commune, comme dans tous les autres domaines [27] ».

Les dialogues écrits par Cicéron et d'autres n'étaient pas la transcription d'échanges réels, même si leurs personnages l'étaient, mais des versions idéalisées de conversations ayant sans doute eu lieu dans des endroits comme la villa d'Herculanum. À en juger d'après les livres retrouvés dans la villa des Papyrus, ces discussions touchaient à la musique, la peinture, la poésie, l'art oratoire et tous les sujets qui intéressaient les Grecs et les Romains cultivés. Sans doute abordaient-ils des questions scientifiques, éthiques et philosophiques plus ardues : quelle est la cause du tonnerre, des séismes ou des éclipses – sont-ils des signes envoyés par les dieux, comme l'affirment certains, ou ont-ils une origine naturelle ? Comment comprendre le monde que nous habitons ? Quels buts devrions-nous poursuivre dans notre vie ? Est-il sensé de se vouer à la quête du pouvoir ? Comment définir le bien et le mal ? Qu'advient-il de nous quand nous mourons ?

Si le puissant propriétaire de la villa d'Herculanum et ses amis prenaient plaisir à débattre de ces questions et consacraient une part importante de leur vie très remplie à y apporter des réponses, c'est qu'ils avaient une certaine conception de l'existence seyant à des gens de leur classe, de leur éducation et de leur rang. C'est aussi qu'ils avaient un univers mental et spirituel particulier, que Gustave Flaubert exprima ainsi dans une de ses lettres : « Les dieux n'étant plus et le Christ n'étant pas encore, il y a eu, de Cicéron à Marc Aurèle, un moment unique où l'homme seul a été. » On pourrait évidemment nuancer. Car pour nombre de Romains, les dieux existaient toujours ; même les épicuriens, parfois taxés d'athéisme, croyaient en l'existence des dieux, mais des dieux très éloignés des affaires des mortels. Enfin, le « moment unique » auquel Flaubert fait référence, allant de Cicéron (106-43 avant Jésus-Christ) à Marc Aurèle (121-180 de notre ère), a sans doute été plus long ou plus court que cet intervalle. L'idée est toutefois confirmée par les dialogues de Cicéron et par les œuvres retrouvées dans la bibliothèque d'Herculanum. Parmi les premiers lecteurs de ces textes, beaucoup ne devaient pas avoir de croyances et de pratiques fixes, liées à ce qu'on appelait la volonté divine. C'étaient des hommes et des femmes dont la vie était exceptionnellement affranchie des préceptes des dieux (ou de leurs prêtres). Seuls, comme l'écrit Flaubert, ils devaient choisir entre des conceptions de la nature des choses radicalement différentes et des stratégies de vie très divergentes.

Les fragments calcinés retrouvés à Herculanum nous éclairent sur la façon dont les habitants de la villa opéraient ces choix, sur ce qu'ils aimaient lire, ce dont ils discutaient, les gens qu'ils invitaient à participer à la conversation. C'est justement là que les minuscules fragments du papyrologue norvégien prennent tout leur sens. Lucrèce était un contemporain de Philodème et, plus important encore, du protecteur de Philodème, qui a pu, en conviant des amis à venir passer l'après-midi sur les pentes verdoyantes du volcan, partager avec eux des passages du *De la nature*. Peut-être ce riche protecteur, féru de philosophie, émit-il le souhait de rencontrer l'auteur. Il était facile d'envoyer quelques esclaves et une litière pour acheminer Lucrèce à Herculanum. De sorte qu'il n'est pas impossible que Lucrèce en personne, allongé sur une couche, ait lu à voix haute le manuscrit dont les fragments ont subsisté.

Imaginons que Lucrèce ait pris part aux conversations dans la villa. Ses conclusions, contrairement à celles de

Cicéron, n'auraient pas été ouvertes ni teintées de scepticisme. Il aurait affirmé avec passion que toutes les réponses à leurs questions se trouvaient dans l'œuvre d'un homme dont le buste et les écrits figuraient dans la bibliothèque de la villa, le philosophe Épicure.

Car seul Épicure, écrit Lucrèce, était en mesure de consoler l'homme qui, s'ennuyant à mourir chez lui, se précipitait à la campagne pour s'apercevoir que son esprit y est tout aussi accablé. Épicure, mort plus de deux siècles auparavant, n'était rien de moins que le sauveur. « La vie humaine, spectacle répugnant, gisait / sur la terre écrasée sous le poids de la religion, [...] quand pour la première fois un homme, un Grec, / osa la regarder en face, l'affronter enfin [28]. » Cet homme, si peu en accord avec une culture romaine privilégiant la dureté, le pragmatisme et la vertu militaire, était un Grec qui avait triomphé non pas par la force des armes, mais par la puissance de l'intelligence.

DE LA NATURE EST L'ŒUVRE D'UN DISCIPLE qui transmet des idées développées plusieurs siècles avant lui. Épicure, le messie philosophique dont parle Lucrèce, était né vers la fin de l'année 342 avant Jésus-Christ sur l'île de Samos, en mer Égée, où son père, un maître d'école pauvre originaire d'Athènes, s'était installé en colon [29]. De nombreux philosophes grecs, dont Platon et Aristote, venaient de familles fortunées et tiraient fierté de leur noble ascendance. Épicure, lui, n'avait pas de telles prétentions, et ses adversaires en philosophie, drapés dans leur supériorité de classe, se gaussaient de ses origines modestes. Épicure assistait son père dans son école pour un salaire de misère, prétendaient-ils, et faisait la tournée des maisons avec sa mère pour dire des incantations. L'un de ses frères, ajoutaient-ils, était un débauché vivant avec une prostituée. Pour toute personne respectable, c'était donc un philosophe infréquentable.

Si Lucrèce et tant d'autres ont célébré la sagesse et le courage d'Épicure, ce n'est évidemment pas pour ses origines sociales, mais pour le pouvoir salvateur de sa pensée, dont l'essence peut se résumer à une idée lumineuse : tout ce qui a jamais existé et tout ce qui existera jamais est un assemblage d'éléments de taille infinitésimale et en nombre infini. Les Grecs avaient un mot pour désigner ces éléments invisibles, qui, tels qu'ils les concevaient, ne pouvaient être divisés davantage : les atomes.

L'idée des atomes, qui trouve son origine au Ve siècle avant Jésus-Christ chez Leucippe et son élève Démocrite, n'était qu'une brillante hypothèse : il n'y avait pas moyen d'en donner une preuve empirique, et il n'y en aurait pas avant plus de deux mille ans. Certains philosophes de l'époque d'Épicure proposaient d'ailleurs des théories rivales : pour les uns, la matière fondamentale de l'Univers était le feu, l'eau, l'air ou la terre, ou encore une combinaison des quatre. D'autres soutenaient que si l'on avait pu voir la plus petite particule d'un homme, on aurait trouvé un homme microscopique ; de même pour un cheval, une goutte d'eau ou un brin d'herbe. D'autres enfin suggéraient que la complexité de l'ordre de l'Univers était la preuve de l'existence d'une intelligence ou d'un esprit invisible qui en avait assemblé avec soin les différentes pièces selon un plan préconçu. L'idée de Démocrite d'un nombre infini d'atomes ne possédant d'autres propriétés que leur taille, leur forme et leur poids – des particules qui ne sont pas des versions en miniature de ce que l'on voit, mais qui façonnent ce que l'on voit en se combinant en une variété inépuisable de formes – était donc une solution extraordinairement audacieuse pour un problème auquel réfléchissaient les plus grands esprits de son monde.

À tel point qu'il faudra de nombreuses générations pour en mesurer toutes les implications. (Et nous ne sommes pas encore au bout.) Épicure s'y était attelé dès l'âge de douze ans, quand il avait compris, révolté, que ses professeurs étaient incapables d'expliquer la signification du chaos. La vieille idée des atomes, énoncée par Démocrite, lui semblait l'intuition la plus prometteuse et il décida de la suivre pour voir où elle le mènerait. Plus tard, à l'âge de trente-deux ans, il fonda une école et là, dans un jardin d'Athènes, bâtit une conception de l'Univers et une philosophie de la vie entièrement nouvelles.

Épicure expliquait que les atomes, en mouvement perpétuel, entrent en collision les uns avec les autres et, en certaines circonstances, forment des corps de plus en plus volumineux. Les plus gros corps observables – le Soleil et la Lune – sont donc faits d'atomes, comme les êtres humains, les mouches d'eau et les grains de sable. Il n'y a pas de catégorie de matière supérieure aux autres, pas de hiérarchie des éléments. Les corps célestes ne sont pas des êtres divins qui façonnent notre destinée en bien ou en mal, pas plus qu'ils ne traversent le vide guidés par les dieux : ils font simplement partie de l'ordre naturel ; ce sont d'énormes structures d'atomes, soumises aux mêmes principes de création et de destruction que toute chose existante. Si l'ordre naturel est d'une taille et d'une complexité inimaginables, il est néanmoins possible de comprendre ce que sont ses éléments constitutifs et ses lois universelles. Mieux encore, cette compréhension est un des plus grands plaisirs de la vie humaine.

Ce plaisir est la clé permettant d'expliquer l'influence de la pensée d'Épicure [30], comme si le philosophe avait libéré une source de satisfaction inextinguible, cachée à l'intérieur des atomes de Démocrite. Cette influence est assez difficile à saisir aujourd'hui. D'une part, ce plaisir peut nous sembler trop intellectuel pour concerner davantage qu'un petit nombre de spécialistes ; d'autre part, les notions d'atome et d'atomique sont aujourd'hui synonymes de peur. Certes, la philosophie antique était loin d'être un mouvement de masse, mais Épicure ne s'adressait pas qu'à une poignée de physiciens des particules. Évitant le recours à un jargon compréhensible par un nombre restreint de disciples, il tenait à utiliser une langue accessible, viser le public le plus large possible et faire du prosélytisme. Pour suivre son enseignement, nul n'était besoin de posséder une culture scientifique approfondie. Il ne s'agissait pas de saisir les lois de l'Univers physique dans toute leur complexité, mais de comprendre qu'il existe une explication naturelle cachée pour tout ce qui nous inquiète ou nous échappe : les atomes. Si l'homme parvient à garder en tête cette simple vérité – les atomes, le vide et rien d'autre, les atomes, le vide et rien d'autre –, sa vie peut changer. Il n'aura plus peur de la colère de Zeus au moindre grondement de tonnerre, ni de celle d'Apollon à la moindre épidémie de grippe. Il sera libéré de cette affliction terrible que Hamlet, des siècles plus tard, nommera « la terreur de quelque chose après la mort, / Contrée inexplorée dont, la borne franchie, / Nul voyageur ne revient [31] ».

La peur d'un châtiment qui nous attendrait outre-tombe ne pèse plus guère aujourd'hui, mais il est évident qu'elle était très présente dans l'Athènes d'Épicure et la Rome de Lucrèce, autant que dans le monde chrétien où vivait Poggio Bracciolini. Celui-ci avait forcément vu les images de ces atrocités sculptées sur le tympan des églises ou peintes sur leurs murs intérieurs. Or ces scènes de cauchemar étaient modelées sur les représentations de l'au-delà construites par l'imagination païenne. Certes, tout le monde n'y croyait pas. « N'es-tu pas terrifié, fait dire Cicéron à l'un de ses personnages dans un dialogue, par le monde des Enfers, son terrible chien à trois têtes, sa rivière noire et ses affreux châtiments ? – Penses-tu que j'extravague au point de croire ce que tu racontes là ? » réplique son interlocuteur. La peur de la mort n'a rien à voir avec le sort de Sisyphe ou de Tantale : « Peut-on trouver idiot celui sur qui ces fables font de l'effet[32] ? » Car cette peur est liée à la peur de souffrir, à celle de disparaître, et l'on a du mal à comprendre pourquoi les épicuriens pensent offrir un quelconque palliatif, écrivait Cicéron[33]. S'entendre dire que l'on périt corps et âme (littéralement), et pour toujours, n'est guère consolateur à ses yeux.

Les disciples d'Épicure répondaient en rappelant les derniers jours de leur maître qui, mourant et en proie à une très douloureuse obstruction de la vessie, réussit à garder l'esprit serein en se remémorant les plaisirs qu'il avait connus dans la vie. On doute que ce modèle ait été facile à suivre – comme le dit un personnage de *Richard II* de Shakespeare : « Qui pourra tenir le feu dans sa main en pensant aux glaces du Caucase ? » – cela dit, dans un monde sans morphine ni antalgique, il est difficile d'imaginer des solutions pour apaiser les souffrances de l'agonie. Ce que proposait le philosophe grec n'était pas une aide à mourir, mais une aide à vivre. Une fois libéré des superstitions, enseignait Épicure, l'homme était libre de poursuivre le plaisir.

Les ennemis d'Épicure exploitèrent son éloge du plaisir et inventèrent toutes sortes d'histoires malveillantes sur sa débauche, histoires alimentées par le fait inhabituel qu'il comptait des femmes parmi ses disciples. Il « vomissait deux fois par jour tant il mangeait [34] », prétendait une de ces histoires, et dépensait des fortunes dans ses festins. En réalité, le philosophe semble avoir vécu une vie frugale. « Envoyez-moi un pot de fromage, écrivit-il un jour à un ami, afin que, au moment choisi, je puisse me nourrir somptueusement. » Et il recommandait à ses élèves la même simplicité. La devise gravée au-dessus de la porte de son jardin invitait le passant à s'attarder, car « ici le souverain bien est le plaisir [35] ». Mais d'après le philosophe Sénèque, qui la citait dans une lettre célèbre que Poggio Bracciolini et ses amis connaissaient et admiraient, le passant qui entrait se voyait servir un simple repas composé de polenta et d'eau. « Lorsque nous disons que le plaisir est le souverain bien, écrivait Épicure dans une de ses rares lettres ayant survécu, nous ne parlons pas des plaisirs des débauchés ni des jouissances sensuelles. » La tentative frénétique de satisfaire certains appétits – « les beuveries et les banquets continuels, [...] la jouissance que l'on tire de la fréquentation des mignons et des femmes, [...] la joie que donnent les poissons et les viandes dont on charge les tables somptueuses [36] » – ne peut mener à la paix de l'esprit qui est indispensable au plaisir durable.

« C'est en effet parce que les hommes tiennent pour ce qu'il y a de plus nécessaire les [biens] qui leur sont les plus extérieurs [...] qu'ils se chargent des maux les plus pénibles », ajoutait son disciple Philodème, dans l'un des ouvrages retrouvés dans la bibliothèque d'Herculanum, « et que, à rebours, [ils restent sourds à leurs appétits] les plus nécessaires, parce qu'ils les tiennent pour ce qui leur est le plus extérieur ». Quels sont ces appétits nécessaires qui mènent au plaisir ? Il est impossible de mener une vie plaisante, poursuivait Philodème, « qui ne soit pas prudente, belle et juste, et encore courageuse, maîtresse de soi, magnanime, ouverte à l'amitié, pleine d'humanité et s'accompagnant généralement des autres vertus fondamentales » [37].

C'est là la voix d'un authentique disciple d'Épicure, retrouvée à notre époque dans un rouleau de papyrus noirci par une éruption volcanique. C'est pourtant une voix inattendue pour la majorité des gens familiers du terme « épicurisme ». Dans une de ses pièces satiriques, Ben Jonson, contemporain de Shakespeare, décrivait ainsi l'esprit dans lequel la philosophie d'Épicure fut comprise pendant des siècles. « Je ferai gonfler d'air les coussins de mes lits, au lieu de les rembourrer, déclare un personnage. Le duvet est trop dur. Je me ferai servir tous mes plats dans des coquilles de l'Inde serties de pierres précieuses. Mon valet mangera des faisans, des saumons farcis, des bécasses, des lamproies. Pour moi, je commanderai des langues de carpes, des talons de chameau bouillis dans de l'esprit de soleil et de la perle dissoute, des barbillons de rougets au lieu de salades, des champignons à la grecque, et les mamelles gonflées et onctueuses d'une truie pleine et grasse, fraîchement coupées et accommodées à la sauce piquante. Pour cela, je dirai à mon cuisinier : "Voici de l'or, va, je t'arme chevalier [38] !" » Quel est le nom donné par Jonson à cet homme embarqué dans une poursuite frénétique de la jouissance ? Sir Épicure Mammon.

L'affirmation philosophique selon laquelle le but suprême de la vie est le plaisir (même défini en termes mesurés et responsables) semblait scandaleuse aussi bien aux païens qu'à leurs adversaires, les juifs et plus tard les chrétiens. Le plaisir, érigé au rang de souverain bien ? Qu'en était-il, alors, du culte des dieux et des ancêtres ? du respect de la famille, de la cité et de l'État ? de celui des lois et des commandements ? de la quête de la vertu ou du divin ? Autant d'exigences qui demandaient des formes de sacrifice, d'abnégation et d'autodénigrement incompatibles avec la poursuite du plaisir. Deux mille ans après Épicure, l'idée du plaisir souverain était encore assez scandaleuse pour susciter des parodies aussi outrées que celle de Jonson.

Derrière ce genre de pastiche se cachait la peur de voir la volonté de privilégier le plaisir et d'éviter la douleur devenir un objectif trop séduisant et une règle de vie. Car c'est un ensemble de vieux principes – le sacrifice, l'ambition, la discipline, la piété –, qui étaient remis en question, de même que les institutions qu'ils servaient. Représenter la poursuite épicurienne du plaisir comme un sybaritisme grotesque et jouisseur – recherche obsessionnelle du sexe, du pouvoir, de l'argent, ou même (comme chez Jonson) d'une nourriture extravagante et ridiculement onéreuse – permettait de repousser la menace.

Dans son jardin isolé à Athènes, le véritable Épicure, dînant de fromage, de pain et d'eau, menait une vie tranquille. *Trop* tranquille, selon certains, formulant là un reproche plus légitime. Le philosophe recommandait en effet à ses disciples de se garder d'un engagement total dans les affaires de la cité. « Certains ont voulu devenir réputés et célèbres, se figurant qu'ainsi ils acquerraient la sécurité que procurent les hommes [39]. » Si la sécurité accompagnait véritablement la célébrité et le renom, celui qui les recherchait devait atteindre le « bien naturel ». Mais dans la plupart des cas, la célébrité aggravait l'insécurité, elle n'en valait donc pas la peine. Dans cette perspective, faisaient remarquer les détracteurs d'Épicure, comment justifier la lutte sans merci et la prise de risque nécessaires à une cité pour atteindre la grandeur ?

Cette critique de la tranquillité épicurienne aurait pu être formulée dans le jardin baigné de soleil d'Herculanum : parmi les invités de la villa des Papyrus, certains aspiraient sûrement à la gloire et à la célébrité au cœur de ce qui était alors la plus grande cité du monde occidental. À l'inverse, le beau-père de Jules César – si Pison était bien le propriétaire de cette demeure – et certains amis de son cercle étaient peut-être attirés par cette école philosophique précisément parce qu'elle offrait une échappatoire à leurs ambitions. Les ennemis de Rome avaient beau tomber devant la puissance de ses légions, point n'était besoin d'avoir des pouvoirs prophétiques pour percevoir les signes menaçant l'avenir de la République. Même ceux qui jouissaient de sécurité auraient eu du mal à démentir l'un des célèbres aphorismes d'Épicure : « Face à tout le reste, il est possible de se procurer la sécurité, mais à cause de la mort, nous les hommes habitons une ville sans rempart [40]. »

L'essentiel, comme l'écrira son disciple, Lucrèce, dans une poésie d'une beauté sans égale, était de renoncer à vouloir bâtir des murs de plus en plus hauts – une tentative vouée à l'échec – et de se tourner vers le plaisir.

Chapitre IV

LES DENTS DU TEMPS

MIS À PART LES FRAGMENTS DE PAPYRUS retrouvés, calcinés, à Herculanum et ceux qui ont été découverts au milieu d'amas de détritus dans l'ancienne cité égyptienne d'Oxyrhynque, aucun manuscrit du monde antique grec et romain n'a subsisté jusqu'à nos jours. Tout ce qui nous reste, ce sont des copies, souvent très éloignées des originaux du point de vue du temps, du lieu et de la culture. Et ces copies ne représentent qu'une petite partie des œuvres des auteurs les plus célèbres de l'Antiquité. Sur les quatre-vingts ou quatre-vingt-dix pièces d'Eschyle et les cent vingt pièces de Sophocle, seules sept de chacun de ces dramaturges ont été conservées. Euripide et Aristophane ne font guère mieux : dix-huit des quatre-vingt-douze pièces du premier, et onze des quarante-trois écrites par le second nous sont parvenues.

Ces œuvres-là ont eu de la chance. La majeure partie des écrits des noms les plus célèbres de l'Antiquité a disparu sans laisser de trace. Scientifiques, historiens, mathématiciens, philosophes ou hommes d'État : ils ont légué le fruit de leurs travaux – l'invention de la trigonométrie, par exemple, le calcul de la position grâce à la latitude et la longitude ou l'analyse rationnelle du pouvoir politique –, mais pas leurs livres. L'infatigable savant Didyme d'Alexandrie était surnommé « aux entrailles d'airain » tant il était prolifique ; or il ne subsiste aujourd'hui de lui que quelques fragments de ses trois mille cinq cents livres [1]. À la fin du Ve siècle de notre ère, un éditeur littéraire ambitieux, connu sous le nom de Jean Stobée [2], compila une anthologie de la prose et de la poésie des meilleurs auteurs antiques : sur mille quatre cent trente citations, mille cent quinze provenaient d'ouvrages perdus.

Toutes les œuvres des brillants fondateurs de l'atomisme, Leucippe et Démocrite, et la plupart de celles de leur héritier intellectuel, Épicure, ont également disparu. Ce dernier était un auteur très fécond [3]. Son principal adversaire en philosophie, le stoïcien Chrysippe, et lui avaient écrit plus de mille livres à eux deux, dit-on. Même si ce chiffre est exagéré, ou s'il inclut des textes courts et des lettres, leur production écrite n'en était pas moins très abondante. Or ces textes n'existent plus. Hormis trois lettres citées par un historien de la philosophie, Diogène Laërce, et une liste de quarante maximes, il ne demeure pratiquement rien d'Épicure. Seuls quelques fragments inédits ont été identifiés depuis le XIXe siècle, certains sur des rouleaux de papyrus noircis trouvés à Herculanum, d'autres sur les ruines d'un mur antique. Sur ces pierres découvertes à Œnoanda, une ville située dans les montagnes déchiquetées du sud-ouest de la Turquie, un vieil homme avait fait graver dans les premières années du IIe siècle après Jésus-Christ sa philosophie épicurienne de la vie – « un [beau] péan... de la plénitude [des plaisirs] [4] ».

Où sont donc passés tous les livres ? Le climat et les insectes expliquent, pour une large part, leur disparition. Le papyrus et le parchemin ont beau être remarquablement solides (plus que notre pauvre papier et nos données informatiques), les ouvrages se sont détériorés au fil des siècles, même quand ils ont échappé aux ravages des incendies et des inondations. Composée d'un mélange de suie (provenant de mèches de lampes), d'eau et de gomme d'arbre, l'encre était bon marché et facile à lire, mais elle était soluble dans l'eau. (Un scribe pouvait supprimer une faute avec une éponge.) Il suffisait d'un verre de vin renversé ou d'une forte averse, et le texte s'effaçait. Outre ces risques quotidiens, à force de dérouler, puis d'enrouler les rouleaux, de compulser les codex, de les toucher, de les faire tomber, de tousser au-dessus d'eux, de les laisser noircir au feu des chandelles ou simplement de les lire et les relire, ils finissaient par se dégrader.

Il ne servait à rien de limiter leur utilisation, car faute de demeurer des nourritures intellectuelles, les livres étaient la proie d'appétits très concrets. Il était possible, faisait remarquer Aristote, de détecter la présence d'animalcules dans les vêtements, les couvertures de laine ou le fromage frais, « et dans les livres, ajoutait-il, il en naît d'autres, les uns semblables à ceux qui sont dans les vêtements, les autres semblables à des scorpions sans queue et tout à fait petits [5] ». Presque deux mille ans plus tard, dans *Micrographia* (1655), le scientifique Robert Hooke rapportait ainsi ce qu'il vit lorsqu'il examina l'une de ces créatures à l'aide de cette invention remarquable qu'était le microscope :

> Une mite ou un petit ver blanc aux reflets argentés, que je trouvai dans les livres et les journaux et qui doit être ce qui ronge et perce les feuilles et les couvertures. Il a une grosse tête épointée, d'où part un corps effilé jusqu'à la queue, presque en forme de carotte [...]. Il a deux longues antennes devant, droites, fuselées à l'extrémité, et curieusement entourées d'anneaux ou de nœuds [...]. La partie antérieure est terminée par trois queues, qui ressemblent en tout point aux

deux antennes un peu plus longues qui lui poussent sur la tête. Les pattes sont squameuses et poilues. Cet animal se nourrit probablement du papier et des couvertures des livres, dans lesquels il perce plusieurs petits trous ronds [6].

Le lecteur d'aujourd'hui a oublié les ravages du lépisme – « l'une des dents du temps », selon l'expression de Hooke –, mais autrefois les hommes connaissaient et redoutaient cet insecte. En exil, le poète romain Ovide écrivait également : « Comme un livre enfermé est dévoré par les mites, ainsi mon cœur ressent la perpétuelle morsure des soucis qui l'accablent sans fin [7]. » Horace, son contemporain, craignait que son livre ne finisse par être « mis de côté et mangé aux vers [8] ». Et pour le poète grec Euénos, le lépisme était l'ennemi symbolique de la culture humaine : « Ô le pire ennemi des Muses, toi qui dévores les pages des livres, hôte funeste des trous, qui sans cesse te repais de ce que tu dérobes à la science, pourquoi, noir animal, tendre tes pièges aux pensées sacrées, ô ver, en y dessinant ton odieuse image [9] ? » Il existait des mesures de protection efficaces, asperger les pages d'huile de cèdre par exemple, mais la meilleure façon d'empêcher les livres de se faire dévorer était de les utiliser, puis, une fois qu'ils étaient lus, d'en faire de nouvelles copies.

Car à l'époque antique, le commerce des livres était entièrement une affaire de copie, même si nous disposons de peu d'informations sur la façon dont il s'organisait. Il y avait des scribes à Athènes, comme dans toutes les villes du monde grec et hellénistique, mais on ignore s'ils apprenaient le métier dans des écoles spécifiques, auprès de maîtres, ou s'ils se formaient seuls. Certains étaient payés pour la beauté de leur calligraphie ; d'autres au nombre de lignes écrites (le total des lignes est noté à la fin de certains manuscrits ayant survécu.) En tout cas, il est peu probable que les scribes aient été directement rémunérés : beaucoup, voire la plupart des scribes grecs, devaient être des esclaves travaillant pour des éditeurs à qui ils appartenaient ou qui les louaient [10]. (L'inventaire des biens d'un riche citoyen romain, possédant un domaine en Égypte, mentionne, parmi ses cinquante-neuf esclaves, cinq clercs, deux secrétaires, un scribe et un restaurateur de livres, ainsi qu'un cuisinier et un barbier.) Mais nous ne savons pas si ces scribes avaient l'habitude de s'asseoir en groupes et de copier sous la dictée ou s'ils travaillaient seuls à partir d'un exemplaire de référence. Et si l'auteur de l'œuvre était en vie, on ignore s'il intervenait dans la vérification ou la correction de la copie achevée.

On en sait un peu plus sur le commerce des livres à Rome, où l'on distinguait les copistes *(librarii)* et les scribes *(scribæ)*. Les *librarii* étaient généralement des esclaves ou des employés rémunérés qui travaillaient pour des libraires. Ces derniers placardaient des publicités sur les colonnes et vendaient leur marchandise dans des boutiques installées sur le Forum. Les *scribæ* étaient des citoyens libres ; ils travaillaient comme archivistes, secrétaires particuliers ou dans l'administration. (Jules César avait sept scribes qui le suivaient dans ses déplacements en notant par écrit ses paroles.) Les riches Romains employaient (ou possédaient comme esclaves) des bibliothécaires personnels et des employés qui copiaient les livres empruntés à leurs amis. « J'ai bien reçu le livre, écrivait Cicéron à son ami Atticus, qui lui avait prêté un exemplaire d'un ouvrage de géographie en vers d'Alexandre Lychnus. C'est un mauvais poète et il ne sait rien ; cependant, il est d'une certaine utilité. Je le fais copier, puis vous le retournerai [11]. »

La vente de leurs livres ne rapportait rien aux auteurs ; leurs revenus provenaient des riches protecteurs auxquels ils dédiaient leurs œuvres. (Ce procédé, qui permet de comprendre la flatterie exagérée de certaines dédicaces, a beau nous paraître étrange, il connut une longévité remarquable, puisqu'il perdura jusqu'à l'invention du droit d'auteur au XVIIIᵉ siècle.) Les libraires subissaient la concurrence de la copie privée de livres, mais leur activité devait être lucrative, puisqu'il y en avait non seulement à Rome, mais à Brindisi, Carthage, Lyon, Reims et d'autres villes de l'empire [12].

Pour satisfaire la demande de livres, un grand nombre d'hommes et de femmes – l'existence de femmes copistes est attestée [13] – passaient leur vie penchés sur leur papier, avec un encrier, une règle et un calame à portée de main. L'invention du caractère mobile, au XVᵉ siècle, allait changer l'échelle de la production de manière exponentielle [14], mais dans le monde antique, le livre n'était pas un objet rare : un esclave bien formé, lisant tout haut un manuscrit à une salle pleine de scribes tout aussi bien formés, pouvait produire une quantité impressionnante de textes [15]. Au fil des siècles, des dizaines de milliers de livres, des centaines de milliers de copies furent ainsi fabriqués et vendus.

Pendant une (très longue) période, dans l'Antiquité, ce déluge inépuisable de livres dut même être un problème. Où mettre tous ces ouvrages ? Comment les classer sur des étagères grinçantes ? Comment assimiler autant de savoir ? Quiconque vivant parmi une telle abondance de livres ne pouvait imaginer qu'un jour ils disparaitraient. C'est pourtant ce qui arriva : l'entreprise prit fin non pas soudain, mais lentement, avec la force cumulative d'une extinction de masse. Ce qui semblait stable se révéla fragile ; ce qui paraissait immuable, temporaire.

Les scribes furent sans doute les premiers à le remarquer : le travail se faisait plus rare. La pluie qui s'infiltrait par les toits percés effaçait les lettres dans les livres épargnés par les flammes, et les poissons d'argent, ces « dents du temps », attaquaient ce qui restait. Les lépismes n'étaient que les agents subalternes de la Grande Disparition. D'autres forces étaient à l'œuvre, qui hâtèrent la destruction des livres et réduisirent les rayonnages de bibliothèques à l'état de poussière et de cendre. Le Pogge et les autres chasseurs de manuscrits eurent de la chance de retrouver quoi que ce soit.

Le destin de la plus grande bibliothèque du monde antique illustre celui des livres dans leur ensemble. C'était une bibliothèque située non pas en Italie, mais à Alexandrie, capitale de l'Égypte et plaque tournante du commerce en Méditerranée orientale [16]. Si la cité possédait de nombreuses attractions touristiques, dont un théâtre impressionnant et un quartier de prostituées, elle s'enorgueillissait d'une institution exceptionnelle que ne manquaient jamais de remarquer les visiteurs : un espace somptueux situé au centre de la ville et appelé le Muséum, où la plus grande partie de l'héritage intellectuel des cultures grecque, latine, babylonienne et juive avait été rassemblée à grands frais et soigneusement archivée pour servir à la recherche. Dès 300 avant Jésus-Christ, les rois de la dynastie des Ptolémées qui gouvernaient Alexandrie avaient eu l'heureuse idée d'attirer dans leur cité les savants, les scientifiques et les poètes de premier plan en leur offrant un poste à vie au Muséum, accompagné d'un salaire généreux exonéré d'impôts, du gîte et du couvert, ainsi que la possibilité d'utiliser les immenses ressources de la bibliothèque.

Les bénéficiaires de ces largesses étaient doués d'un niveau exceptionnel et le Muséum d'Alexandrie devint un lieu d'excellence intellectuelle. C'est là qu'Euclide développa sa géométrie, qu'Archimède découvrit pi et jeta les bases du calcul ; qu'Ératosthène postula que la Terre était ronde et calcula sa circonférence avec une marge d'erreur de 1 % ; là encore que Galien révolutionna la médecine. Les astronomes d'Alexandrie posèrent l'hypothèse d'un Univers héliocentrique ; ses géomètres déduisirent qu'une année durait trois cent soixante-cinq jours et un quart et proposèrent d'ajouter un jour supplémentaire tous les quatre ans ; ses géographes émirent l'hypothèse de rejoindre l'Inde par la mer en faisant route à l'ouest depuis l'Espagne ; ses ingénieurs inventèrent des engins hydrauliques et pneumatiques ; ses anatomistes découvrirent que le cerveau et le système nerveux formaient une unité, étudièrent la fonction du cœur et du système digestif, et réalisèrent des expériences nutritionnelles. Dans l'ensemble, le niveau scientifique était inouï.

La bibliothèque d'Alexandrie n'était pas liée à une doctrine ou une école philosophique particulière, elle couvrait tout le spectre de la recherche intellectuelle. Elle représentait un cosmopolitisme très vaste, une volonté de rassembler le savoir accumulé dans le monde entier, de l'approfondir et de le développer [17]. On s'efforçait non seulement d'y amasser un grand nombre d'ouvrages, mais d'acquérir ou d'établir des éditions définitives des ouvrages en question. Les savants d'Alexandrie étaient connus pour leur rigueur et leur souci de l'exactitude textuelle. Mais comment corriger les erreurs qui s'étaient inévitablement glissées dans des livres copiés et recopiés, le plus souvent par des esclaves, pendant des siècles ? Des générations de savants dévoués mirent au point des techniques perfectionnées d'analyse comparative et de commentaire. Ils cherchaient également à avoir accès au savoir existant au-delà des frontières du monde hellénophone. C'est pourquoi Ptolémée Philadelphe, souverain d'Alexandrie, aurait lancé l'ambitieux et onéreux projet d'engager soixante-dix érudits pour traduire la Bible hébraïque en grec. Le résultat – connu sous le nom de Septante (d'après le mot latin signifiant soixante-dix) – fut pour nombre des premiers chrétiens le principal moyen d'accès à ce qu'ils en vinrent à appeler l'Ancien Testament.

À son apogée, le Muséum contenait au moins cinq cent mille rouleaux de papyrus classés, étiquetés et rangés selon un système ingénieux apparemment inventé par son premier directeur, un spécialiste d'Homère appelé Zénodote : le système de l'ordre alphabétique. Outre cet immense fonds, le Muséum s'étendit ensuite pour inclure une seconde collection, logée dans une des merveilles architecturales du temps, le Sérapéum, le temple de Jupiter Sérapis. Agrémenté d'élégantes cours bordées de colonnes, de salles de lecture, « de statues dont on dirait qu'elles respirent » et de nombreuses œuvres d'art, le Sérapéum n'était surpassé en magnificence que par le Capitole de Rome, d'après Ammien Marcellin, l'historien du IVe siècle redécouvert par le Pogge [18].

Les forces qui détruisirent cette institution permettent de comprendre comment une école de pensée qui avait été débattue dans des milliers d'ouvrages avait pu disparaître, au point de ne laisser pour seul vestige que le manuscrit de Lucrèce, retrouvé en 1417. Le premier coup porté fut la conséquence d'une guerre. Une partie de la collection de la bibliothèque d'Alexandrie – sans doute des rouleaux conservés dans des entrepôts près du port – brûla en

48 avant Jésus-Christ, alors que Jules César se battait pour conserver le contrôle de la cité [19]. Il existait cependant des menaces pires que la guerre. Le fait que la bibliothèque fasse partie d'un complexe religieux décoré de statues de dieux et de déesses, d'autels et d'autres attributs du culte païen, finit par se révéler fatal. Comme son nom l'indique, le Muséum était un lieu saint dédié aux Muses, les neuf déesses incarnant la créativité humaine. Le Sérapéum, où était conservée la collection secondaire, abritait une statue colossale du dieu Sérapis – un chef-d'œuvre d'or et d'ivoire, réalisé par le célèbre sculpteur grec Bryaxis –, et associait le culte du dieu romain Jupiter à celui des divinités égyptiennes Osiris et Apis.

Les juifs et les chrétiens, nombreux, qui vivaient à Alexandrie étaient très troublés par ce polythéisme. Ils ne doutaient pas de l'existence d'autres dieux, mais à leurs yeux tous étaient des démons déterminés à détourner l'humanité crédule de la seule vérité universelle. Les révélations et les prières contenues dans ces montagnes de papyrus étaient des mensonges. Le salut se trouvait dans les Écritures, que les chrétiens avaient choisi de lire dans un nouveau format : non plus le rouleau démodé (utilisé aussi bien par les juifs que les païens), mais le codex, qui avait l'avantage d'être compact, commode et facile à transporter.

Des siècles de pluralisme religieux – à l'époque païenne, trois religions vivaient côte à côte dans un esprit de rivalité et de tolérance prosélyte – étaient en train de s'achever. Au début du IVe siècle de notre ère, l'empereur Constantin initia le processus par lequel le christianisme allait devenir la religion officielle de Rome. Il ne fallut pas longtemps pour que l'un de ses successeurs zélés, Théodose le Grand, promulgue des édits (à partir de 391) interdisant les sacrifices publics et fermant d'importants sites cultuels [20]. L'État avait décidé de mener la guerre au paganisme.

À Alexandrie, le chef spirituel de la communauté chrétienne, le patriarche Théophile, se conforma avec ardeur aux édits. Belliqueux et sans pitié, il libéra des meutes de zélotes chrétiens qui se mirent à parcourir les rues en insultant les païens. Ces derniers, choqués, prirent peur, et les tensions entre les deux communautés s'aggravèrent. Il suffisait d'une étincelle pour mettre le feu aux poudres, étincelle qui ne tarda pas. Des ouvriers qui rénovaient une basilique chrétienne découvrirent un sanctuaire souterrain qui contenait des objets de culte païens (on peut aujourd'hui visiter un sanctuaire semblable, dédié à Mithra, enfoui sous la basilique Saint-Clément, à Rome). Voyant là une occasion de livrer les symboles secrets des « mystères » païens à la moquerie populaire, Théophile ordonna de faire défiler ces objets du culte dans les rues.

La colère des païens explosa « comme s'ils avaient bu un calice de serpents [21] », commenta avec ironie un observateur chrétien de l'époque. Ils s'en prirent violemment aux chrétiens, puis se réfugièrent derrière les portes du Sérapéum. Armés de haches et de marteaux, leurs adversaires, aussi enragés, firent irruption dans le sanctuaire, écrasèrent ses défenseurs et démolirent la célèbre statue d'or et d'ivoire. Les morceaux de la statue furent éparpillés dans la ville afin d'être détruits ; le torse décapité et démembré fut traîné jusqu'au théâtre et brûlé publiquement. Théophile ordonna à des moines de s'installer sur le site du temple païen, dont les somptueux bâtiments seraient convertis en églises. Là où se dressait la statue de Sérapis, les chrétiens triomphants allaient ériger des reliquaires contenant les précieux restes d'Élie et de Jean-Baptiste.

Palladas, un poète païen, exprima ainsi son sentiment de désolation après le sac du Sérapéum :

> N'est-il pas vrai que nous sommes morts, et n'avons
> que l'apparence de la vie,
> Nous, les Hellènes, vaincus par le désastre,
> Dont la vie n'est plus qu'un rêve, puisque nous demeu-
> rons vivants
> Alors que notre culture est morte et disparue [22] ?

Palladas l'avait compris : la destruction du sanctuaire signifiait bien plus que la perte d'une simple image cultuelle. On ignore si la bibliothèque subit des dégâts à cette occasion. Les bibliothèques, les musées et les écoles sont des institutions fragiles. Ils ne survivent pas longtemps à des assauts violents. Un mode de vie, une culture, étaient en train de mourir.

Quelques années plus tard, le nouveau patriarche d'Alexandrie, Cyrille, successeur et neveu de Théophile, élargit le champ de ces attaques, dirigeant cette fois sa pieuse colère contre les juifs. De violentes escarmouches éclatèrent dans le théâtre, dans les rues, devant les églises et les synagogues. Les juifs raillaient les chrétiens et leur lançaient des pierres ; les chrétiens envahissaient et pillaient les boutiques et les maisons des juifs. Encouragé par l'arrivée de cinq cents moines du désert venus grossir les rangs des émeutiers chrétiens, déjà très nombreux, Cyrille exigea alors l'expulsion de la vaste communauté juive de la cité. Oreste, gouverneur d'Alexandrie et chrétien modéré, refusa, soutenu par l'élite intellectuelle païenne de la ville, dont la plus éminente représentante était l'influente et très cultivée Hypatie.

Hypatie était la fille d'un mathématicien, l'un des grands savants en résidence au Muséum. D'une beauté légendaire, elle devint célèbre pour ses travaux en astronomie, en musique, en mathématiques et en philosophie. On venait de loin pour étudier les œuvres de Platon et d'Aristote sous sa direction. Son autorité était telle que certains philosophes lui écrivaient pour solliciter son approbation. « Si tu décrètes qu'il faut publier l'ouvrage, je le destinerai aux orateurs ainsi qu'aux philosophes, car les uns y trouveront leurs délices, les autres leur bénéfice », écrivait ainsi un correspondant à Hypatie. En revanche, si l'ouvrage « ne te paraît pas le mériter, une obscurité épaisse et dense le recouvrira, et l'humanité ne l'entendra plus mentionner »[23], poursuit la lettre.

Vêtue du traditionnel manteau des philosophes, appelé *tribon*, et se déplaçant dans un char, Hypatie était un des personnages publics les plus connus d'Alexandrie. Si les femmes du monde antique vivaient souvent des vies recluses, ce n'était pas son cas. « À cause de la noble liberté de parole qu'elle tenait de son éducation, écrivait un contemporain, elle allait en toute modestie en présence des gouverneurs, et il n'y avait aucune honte à ce qu'elle se trouve au milieu des hommes[24]. » Hypatie avait beau avoir facilement accès à l'élite dirigeante, elle se mêlait peu de politique. À l'époque des premières attaques contre les images du culte, ses disciples et elle étaient restés au-dessus de la mêlée. Sans doute pensaient-ils que la destruction de statues inanimées laissait intact ce qui comptait vraiment. Au moment des émeutes contre les juifs, en revanche, sans doute avaient-ils compris que les feux du fanatisme n'étaient pas près de s'éteindre.

Le soutien qu'apporta Hypatie à Oreste lorsqu'il refusa d'expulser la population juive de la cité explique probablement ce qui se passa ensuite. Des rumeurs commencèrent à circuler selon lesquelles son intérêt pour l'astronomie, les mathématiques et la philosophie – si étrange, après tout, pour une femme – était suspect : Hypatie devait être une sorcière qui pratiquait la magie noire[25]. En mars 415, la foule, excitée par un des partisans de Cyrille, se déchaîna. Alors qu'elle rentrait chez elle, Hypatie fut jetée à bas de son char et emmenée dans une église, un ancien temple dédié à l'empereur. (Le lieu n'était pas innocent : il symbolisait la transformation du paganisme en la seule vraie foi.) Là, on lui arracha ses vêtements et elle fut lapidée avec des morceaux de poterie. Puis on traîna son corps hors des murs de la cité et on le brûla. Plus tard, le héros de cette foule, Cyrille, fut canonisé.

Le meurtre d'Hypatie représente bien plus que la disparition d'une femme remarquable : il signale le déclin de la vie intellectuelle d'Alexandrie et sonne le glas de la tradition philosophique qui sous-tendait le texte retrouvé par le Pogge des siècles plus tard[26]. Le Muséum et son projet de rassembler tous les textes, toutes les écoles et toutes les idées n'étaient plus protégés, car ils n'étaient plus au centre de la société civile. Au cours des années qui suivront, la bibliothèque ne sera pratiquement plus mentionnée, comme si ses grandes collections – qui représentaient presque toute la somme de la culture classique – n'existaient plus. Ces collections n'ont sûrement pas disparu d'un coup – une destruction de cette ampleur aurait été consignée. Alors, on se demande où sont passés tous les livres. La réponse ne tient pas seulement à l'ardeur des soldats, ni au long, lent et secret ouvrage des poissons d'argent. Elle est liée, du moins symboliquement, au destin d'Hypatie.

Dans l'ensemble, les bibliothèques du monde antique n'ont guère connu de sort plus enviable. Au début du IVe siècle, à Rome, on dénombrait vingt-huit bibliothèques publiques, outre les innombrables collections privées abritées derrière les murs des demeures aristocratiques. Vers la fin du siècle, l'historien Ammien Marcellin déplorait que les Romains aient abandonné toute pratique sérieuse de la lecture. Il ne parlait pas des raids barbares ni du fanatisme chrétien. Nul doute cependant qu'ils étaient là, en toile de fond. Ce qu'il observait, alors que l'empire se délitait lentement, c'était une perte d'ancrage culturel, une plongée dans une vulgarité fébrile. « À la place d'un philosophe, c'est un chanteur qu'on fait venir, au lieu d'un orateur, c'est un maître ès arts scéniques ; les bibliothèques, à la manière des sépulcres, sont closes pour toujours, et l'on fabrique des orgues hydrauliques, des lyres énormes comme des chariots[27]. » De plus, notait-il avec aigreur, les gens conduisaient leurs chars à toute vitesse dans les rues bondées.

Après une longue et lente agonie, l'Empire romain d'Occident finit par s'effondrer – le dernier empereur, Romulus Augustule, abdiqua en 476 après Jésus-Christ. Les tribus germaniques qui s'emparèrent peu à peu des provinces n'avaient pas de tradition d'alphabétisation. Les Barbares pénétraient dans les bâtiments publics et occupaient les villas sans hostilité affichée envers la culture, mais sans non plus montrer le moindre intérêt pour la préservation des traces matérielles de cette culture. Les anciens propriétaires de ces villas, réduits en esclavage et déportés dans des fermes lointaines, avaient des biens domestiques plus importants que les livres à sauver et à emporter avec eux. Dans la mesure où les conquérants étaient en majorité chrétiens, ceux qui savaient lire et écrire avaient peu de raison d'étudier les œuvres des auteurs classiques païens. Comparé aux forces déchaînées de la guerre et de la foi, le Vésuve fut plus clément envers l'héritage de l'Antiquité.

UNE PRESTIGIEUSE TRADITION CULTURELLE, ayant façonné la vie intérieure de l'élite, ne disparaît pas aussi facilement, même chez ceux qui se réjouissent de sa perte. Dans une lettre écrite en 384 de notre ère, Jérôme – le saint savant à qui l'on doit l'histoire de la folie et du suicide de Lucrèce – décrivait la lutte intérieure qu'il menait. Dix ans plus tôt, se souvenait-il, il avait quitté Rome pour se rendre à Jérusalem afin de rompre avec les contingences de ce monde, mais en emportant sa précieuse bibliothèque. Il s'était engagé à discipliner son corps et sauver son âme, mais il ne parvenait pas à renoncer aux plaisirs de l'esprit : « Je jeûnais pour lire Cicéron. Après de longues et de fréquentes veilles, après avoir versé des torrents de larmes, que le souvenir de mes péchés passés faisait couler du fond de mon cœur, je me mettais à lire Plaute[28]. » Jérôme pouvait bien savoir que Cicéron était un païen qui affichait le plus grand scepticisme à l'égard de toute affirmation dogmatique, dont celles de la religion, l'élégance de sa prose lui semblait irrésistible. Plaute, c'était encore pire : ses comédies étaient pleines de prostituées, de souteneurs et de profiteurs, mais elles respiraient un humour délicieux. Délicieux, et néanmoins pernicieux, car chaque fois que Jérôme se détournait de ces plaisirs littéraires pour se replonger dans les Écritures, les textes sacrés lui paraissaient frustes et incultes. Son amour pour la beauté et l'élégance du latin était tel que, lorsqu'il décida d'apprendre l'hébreu, il commença par être physiquement rebuté : « Et après avoir goûté avec tant de plaisir les vives et brillantes expressions de Quintilien, la profonde et rapide éloquence de Cicéron, les tours délicats et naturels de Pline, le style grave et majestueux de Fronton, écrivit-il en 411, je m'assujettis à apprendre l'alphabet de la langue hébraïque, et à étudier des mots que l'on ne saurait prononcer qu'en parlant de la gorge et comme en sifflant[29]. »

Ce qui le sauva, poursuivait-il, ce fut un cauchemar. Il tomba gravement malade et dans son délire rêva qu'il était traîné devant Dieu pour le Jugement. Quand on lui demanda quelle était sa profession, il répondit qu'il était chrétien. Le Juge répliqua sévèrement : « Tu mens ; tu n'es pas chrétien, mais cicéronien » *(ciceronianus es, non christianus)*. La réplique, terrible, aurait pu signer sa damnation éternelle, mais le Seigneur, dans sa miséricorde, ordonna que Jérôme ne soit que fouetté. Le pécheur fut absous : « Ceux qui étaient présents à cette exécution, s'étant jetés aux pieds du Seigneur, Le prièrent de pardonner à ma jeunesse et de me donner le temps de faire pénitence de ma faute, dont ils pourraient ensuite me punir rigoureusement si jamais je lisais les auteurs profanes[30]. » À son réveil, Jérôme découvrit que ses épaules étaient couvertes de bleus.

Jérôme partit ensuite s'installer à Bethléem, où il fonda deux monastères, le premier pour les moines qui le suivaient et lui-même, le second pour les femmes pieuses qui l'accompagnaient. Il y vécut trente-six ans, durant lesquels il étudia, participa à de virulentes controverses théologiques et, plus important, traduisit les Écritures hébraïques en latin et révisa la traduction latine du Nouveau Testament. Son œuvre, la grande traduction de la Bible latine connue sous le nom de Vulgate, fut déclarée « plus authentique » que l'originale par l'Église catholique au XVIe siècle.

La piété de Jérôme contient un élément fondamentalement destructeur. Ou plutôt, dans la perspective de sa foi, le plaisir intense que lui procurait la littérature païenne le minait. Car la question n'était pas seulement de consacrer plus de temps aux textes chrétiens, mais de renoncer complètement aux textes païens. Jérôme s'imposa un serment solennel : « Seigneur, s'il m'arrive jamais d'avoir ou de lire des livres profanes, je consens que Vous me regardiez comme un homme qui Vous a renié [31]. » Ce renoncement aux auteurs qu'il aimait était une affaire intime : Jérôme cherchait à se guérir d'une dépendance dangereuse afin de sauver son âme. Or il n'était pas le seul à en souffrir – et donc à devoir accepter ce renoncement. Bien d'autres étaient fascinés par les auteurs païens, auxquels ils trouvaient le même attrait que lui [32]. Il lui revenait donc de les persuader de consentir au même sacrifice. « Comment allier Horace avec le psautier, Virgile avec les Évangiles, Cicéron avec l'apôtre saint Paul [33] ? »

De nombreuses générations de chrétiens lettrés sont demeurées imprégnées, comme Jérôme, d'une culture dont les valeurs avaient été formées par les classiques païens. Le christianisme a emprunté au platonisme sa représentation de l'âme, à l'aristotélisme la notion de « cause première », au stoïcisme son modèle de providence. Autant de raisons pour lesquelles ces chrétiens se répétaient ces histoires exemplaires de renoncement. À travers elles, ils anticipaient, comme dans un rêve, l'abandon du riche terreau culturel qui les avait nourris, eux, leurs parents et leurs grands-parents, jusqu'au jour où ils se réveillaient pour découvrir qu'ils l'avaient bel et bien abandonné.

Comme dans une chanson de geste populaire, ces chevaliers du renoncement étaient presque toujours des personnages flamboyants qui s'affranchissaient du symbole le plus fort de leur statut – leur accès privilégié à une éducation élitiste – au nom de la religion qu'ils avaient embrassée. Le temps du renoncement arrivait après une formation rigoureuse en grammaire et en rhétorique, une étude approfondie des chefs-d'œuvre littéraires et une immersion dans les mythes. Il faudra attendre le VIe siècle pour que les chrétiens commencent à traiter en héros les hommes qui renonçaient à toute instruction, et ce, non sans hésitation et un certain sens du compromis. Ainsi l'éloge de saint Benoît par Grégoire le Grand :

> Issu d'une famille honorable, dans la province de Norcie, il fut envoyé à Rome pour y étudier les belles-lettres. Mais à la vue d'une foule d'étudiants qui se plongeaient dans la fange du vice, après avoir, pour ainsi dire, posé le pied sur le sol du monde, il recula : il craignit que la contagion de sa science ne le précipitât tout entier, lui aussi, dans l'affreux abîme. Ainsi, dédaignant l'étude des lettres, il quitta la maison et les biens de son père, et, désireux de plaire à Dieu seul, il chercha la profession d'une vie sainte. Il se retira donc avec son ignorance volontaire et sa grossièreté pleine de sagesse [34].

La description de ce type d'abdication montre que ces hommes avaient peur d'être tournés en dérision. Ils ne craignaient plus la persécution – le christianisme était devenu la religion officielle de l'empire –, mais le ridicule. Certes, il valait mieux être moqué plutôt que de finir en pâture pour les lions, mais le rire était une arme redoutable, surtout dans le monde antique. Aux yeux d'un païen cultivé, le christianisme avait plusieurs aspects qui pouvaient prêter à rire : non seulement la langue – le style rudimentaire du grec des Évangiles, issu de l'altérité barbare de l'hébreu et de l'araméen –, mais aussi l'exaltation qu'il faisait de l'humiliation et de la douleur divines, mêlée à un triomphalisme arrogant.

Une fois le christianisme affermi, il sera en mesure de détruire la plupart des expressions de ce rire hostile. Quelques traces en subsistent cependant dans des citations et des résumés d'apologistes chrétiens. Certaines plaisanteries étaient communes aux ennemis du christianisme qui aimaient la polémique – Jésus était né d'un adultère, son père était un moins que rien et ses prétentions à la dignité divine contredites par sa pauvreté et sa mort déshonorante –, mais d'autres étaient plus spécifiques aux cercles épicuriens quand ceux-ci croisaient cette nouvelle religion messianique venue de Palestine. Ce registre particulier de moquerie et le défi spécifique qu'il représentait pour les premiers chrétiens préparaient le terrain de la disparition de l'école de pensée épicurienne : le christianisme triomphant pouvait s'accommoder de Platon et d'Aristote, des païens qui croyaient à l'immortalité de l'âme, mais sûrement pas de l'épicurisme [35].

Épicure ne niait pas l'existence des dieux, mais il estimait que, si le concept de divinité avait le moindre sens, les dieux ne pouvaient s'intéresser qu'à leurs propres plaisirs, qu'ils n'étaient pas plus créateurs que destructeurs de l'univers, parfaitement indifférents aux actions de tout être autre qu'eux-mêmes, sourds à nos prières et à nos rites. L'Incarnation, aux yeux des épicuriens, était une idée particulièrement absurde. Pourquoi les humains devraient-ils se croire si supérieurs aux abeilles, aux éléphants, aux fourmis ou à toute autre espèce existante ou à venir, au point que Dieu prendrait leur forme et aucune autre ? Et pourquoi, de toutes les variétés d'humains, aurait-il pris la forme d'un juif ? Comment une personne sensée pouvait-elle croire à l'idée de Providence, un concept puéril que toutes les expériences et les observations rationnelles contredisaient ? Les chrétiens étaient semblables à une assemblée de grenouilles dans un étang, coassant à qui mieux mieux : « Le monde a été créé à notre intention. »

Ces mêmes chrétiens pouvaient rendre la pareille à leurs adversaires. Les doctrines de l'Incarnation ou de la résurrection du corps paraissaient peut-être absurdes – « fictions d'une créance malsaine », comme l'écrivit un païen, « consolations imaginaires que font accepter les poètes par la douceur de leurs vers [36] » –, mais que penser des légendes auxquelles les païens disaient croire ?

> Vulcain est boiteux et débile. Après tant d'années vécues, Apollon est toujours imberbe [...]. Neptune a les yeux glauques ; Minerve les a bleus. Junon, elle, a les yeux de bœuf [...]. Janus a deux visages, comme s'il marchait en arrière ! De temps en temps, Diane prend ses habits de chasseresse ; mais comme déesse d'Éphèse, elle est représentée avec un nombre incalculable de mamelles [37].

Malheureusement, la stratégie du « retour à l'envoyeur » a quelque chose de maladroit, car le ridicule supposé d'une croyance ne permet en rien d'étayer la validité d'une autre. En outre, les chrétiens savaient que de nombreux païens ne croyaient pas à la vérité littérale de leurs mythes, et que certains, en particulier les épicuriens, remettaient en question tous les systèmes religieux et leurs promesses. Ces ennemis de la foi jugeaient la doctrine de la résurrection particulièrement risible, puisqu'elle était contredite à la fois par leur théorie scientifique des atomes et par les preuves apportées par leurs sens : les corps en putréfaction témoignaient avec une éloquence écœurante de la dissolution de la chair.

Le Père de l'Église Tertullien affirmait qu'en dépit des apparences, tout ressusciterait dans l'au-delà, jusqu'aux plus petits éléments du corps mortel. Il savait pourtant les réponses qu'il allait s'attirer de la part des sceptiques : « Pourquoi ces pieds, ces mains et tous ces membres destinés au travail, puisque dès lors cesseront les nécessités de la vie ? Pourquoi des reins gonflés par la semence, pourquoi les deux sexes, pourquoi le laboratoire de la conception et la source des mamelles, puisque la génération, l'enfantement et l'allaitement n'existeront plus ? En un mot, pourquoi le corps tout entier, puisque le corps tout entier deviendra inutile [38] ? »

Tertullien écrivait encore : « La multitude s'en moque, s'imaginant que rien ne survit après la mort », mais rirait bien qui rirait le dernier, ajoutait-il, car : « Ce serait plutôt à moi de railler ce vulgaire qui brûle avec tant d'inhumanité des morts [39]. » Le jour du Jugement, chaque homme sera présenté devant le tribunal céleste, non pas une partie de lui, une ombre ou un symbole, mais bien lui tout entier, tel qu'il aura vécu sur terre. C'est-à-dire avec ses dents, ses intestins et ses organes génitaux, quand bien même leurs fonctions mortelles auraient cessé pour toujours. « Il fut un temps où nous riions, comme vous, de ces vérités, proclamait Tertullien à l'adresse de ses auditeurs païens. Car nous sortons de vos rangs. On ne naît pas chrétien, on le devient [40]. »

Certains critiques firent remarquer, non sans ironie, que de nouveaux éléments caractéristiques du christianisme avaient été volés à des histoires païennes beaucoup plus anciennes : un tribunal où étaient jugées les âmes, le châtiment par le feu infligé dans une prison souterraine, un paradis d'une extraordinaire beauté, réservé aux esprits des saints. Mais les chrétiens rétorquèrent que ces antiques croyances n'étaient que des reflets déformés des authentiques mystères de la foi chrétienne. Et le succès de leur stratégie est illustré par le mot que nous utilisons pour désigner les personnes qui s'accrochent à la vieille foi polythéiste. Ceux qui croyaient en Jupiter, Minerve et Mars ne se considéraient pas comme des « païens » : le mot, apparu à la fin du IVᵉ siècle, est étymologiquement proche du mot « paysan ». C'est donc une insulte, et un signe que les moqueries à l'encontre de l'ignorance et de la rusticité avaient changé de côté.

Pour les chrétiens, il fut plus facile de répondre à l'accusation de plagiat doctrinal qu'à celle d'absurdité. Les pythagoriciens, qui croyaient à la résurrection du corps, avaient la bonne idée générale : il suffisait de la rectifier. Mais comment corriger les épicuriens qui affirmaient que l'idée de résurrection allait à l'encontre de tout ce que nous savons sur l'Univers physique ? Il était possible d'argumenter avec les premiers ; quant aux seconds, mieux valait les réduire au silence.

Si les premiers chrétiens, et parmi eux Tertullien, admiraient certains aspects de l'épicurisme [41] – la célébration de l'amitié, l'importance accordée à la charité et au pardon, une méfiance à l'égard de l'ambition –, dès le début du IVe siècle, leur mission était claire : faire disparaître les atomistes. Les disciples d'Épicure avaient déjà de nombreux ennemis à l'extérieur de la communauté chrétienne. Quand l'empereur connu sous le nom de Julien l'Apostat (vers 331-363) tenta de redynamiser le paganisme face à un christianisme conquérant, il dressa une liste d'ouvrages qu'il importait aux prêtres païens de lire, et nota certains titres qu'il voulait voir exclus : « Nous ne devons pas inclure les discours d'Épicure [42]. » Les juifs, eux, qualifiaient quiconque s'éloignait de la tradition rabbinique d'*apikoros* [43], c'est-à-dire d'épicurien.

Les chrétiens voyaient dans l'épicurisme une menace particulièrement délétère. Si l'on admet l'affirmation d'Épicure selon laquelle l'âme est mortelle, écrivait Tertullien, c'est toute la trame de la morale chrétienne qui se défait. Pour Épicure, la souffrance humaine a toujours un caractère limité : « C'est pourquoi Épicure aussi fait bon marché de tous les tourments et de toutes les douleurs, en déclarant que, modérée, la douleur est facile à braver, et que, grande, elle n'est jamais de longue durée[44]. » Être chrétien, ripostait Tertullien, c'est croire que la torture et la douleur durent toujours. « Épicure renverse entièrement la religion par cette doctrine, écrivait un autre Père de l'Église, et en la renversant remplit le monde de confusion et de désordre[45]. »

Les polémistes chrétiens devaient trouver un moyen d'orienter le flot des moqueries vers Épicure et ses partisans. Il ne servait à rien de ridiculiser le panthéon païen puisque l'épicurisme démontait tout le culte sacrificiel des dieux et rejetait les vieilles légendes. Il fallait donc remodeler la théorie du fondateur, Épicure, afin qu'il apparaisse non pas comme un apôtre de la modération au service du plaisir raisonnable, mais comme un personnage à la Falstaff, porté aux excès et à la débauche. Un idiot, un porc, un fou. Son principal disciple romain, Lucrèce, devait être grimé de la même façon.

Salir la réputation d'Épicure et de Lucrèce, en faire des êtres stupides, autocomplaisants, dérangés et, pour finir, suicidaires, ne suffisait pas. Pas plus que d'interdire la lecture de leurs œuvres, humilier quiconque leur montrait de l'intérêt ou décourager la fabrication de copies. Car plus encore que la théorie selon laquelle le monde n'était formé que d'atomes et de vide, c'était l'idée morale maîtresse de l'épicurisme qui posait problème : considérer la poursuite du plaisir et la diminution de la douleur comme le souverain bien. La tâche s'annonçait rude pour les détracteurs, puisqu'il fallait faire passer ce qui semblait sain et naturel – les instincts ordinaires des créatures sensibles – pour l'ennemi de la vérité.

Des siècles furent nécessaires pour accomplir ce grand dessein, et encore, il ne le fut jamais complètement. On le trouve cependant esquissé dans ses grandes lignes, à la fin du IIIe siècle et au début du IVe, dans les œuvres d'un païen nord-africain converti au christianisme : Lactance. Nommé précepteur du fils de l'empereur Constantin, qui avait fait du christianisme la religion de l'empire, Lactance rédigea un ensemble de textes polémiques contre l'épicurisme. Si cette philosophie compte de nombreux adeptes, reconnaissait-il, « ce n'est pas qu'elle approche de plus près la vérité, mais c'est qu'elle attire plus de monde par le nom de la volupté [46] ». Les chrétiens devaient décliner cette invite et comprendre que le plaisir était l'autre nom du vice.

Pour Lactance, il ne s'agissait pas seulement de détourner les fidèles de la poursuite des plaisirs humains, mais de les convaincre que, contrairement à la croyance des épicuriens, Dieu n'était pas complètement absorbé par les plaisirs divins et indifférent au sort des humains. Au contraire, affirmait-il dans un ouvrage célèbre écrit en 313 de notre ère, Dieu se préoccupait des humains comme un père se soucie d'un enfant indocile. Et le signe de cet intérêt était Sa colère. Dieu était furieux contre l'homme – Sa façon à Lui de manifester Son amour – et cherchait à le châtier sans répit, avec une violence spectaculaire et implacable.

Le refus haineux du plaisir et l'affirmation de la colère providentielle de Dieu : voilà qui sonnait le glas de l'épicurisme, désormais qualifié de « folie » par les croyants. Lucrèce incitait celui qu'animait un désir sexuel à satisfaire ce désir. Le christianisme indique un autre chemin. C'est ce que démontre une histoire racontée par Grégoire le Grand, dans laquelle le pieux Benoît se prend à songer à une femme qu'il a vue un jour. Son désir est immédiatement éveillé :

Il aperçut à ses côtés des touffes d'orties et des buissons épais. Aussitôt, il se dépouilla, se jeta tout nu sur les épines acérées et sur les cuisantes orties. Après s'y être longuement roulé, il se releva tout ensanglanté, et les blessures de son corps guérirent les blessures de son cœur. La cruelle inflammation qu'il s'était infligée extérieurement éteignit dans son sein les pensées coupables. Dès lors [...], la tentation de la volupté fut si bien domptée, qu'il ne ressentit plus jamais rien de semblable [47].

Ce qui était salutaire pour le saint au début du VIe siècle le serait pour d'autres ; les règles monastiques y veilleraient. Et la poursuite de la douleur triompha sur celle du plaisir au cours de l'une des transformations culturelles majeures de l'histoire de l'Occident.

Pourtant, les châtiments corporels n'étaient pas inconnus dans le monde de Lucrèce, loin de là [48]. Les Romains consacraient de larges sommes et de vastes arènes à des spectacles publics violents. Et il n'y avait pas qu'au Colisée qu'ils pouvaient se repaître d'injures, de douleur et de mort. Les pièces de théâtre et les poèmes, inspirés des mythes antiques, étaient souvent sanglants, tout comme les peintures et les sculptures. La violence faisait partie de la vie quotidienne [49]. Les maîtres d'école et les propriétaires d'esclaves avaient l'habitude de fustiger leurs victimes, et le fouet était fréquemment un prélude à l'exécution. Dans l'Évangile, avant sa crucifixion, Jésus est attaché à un poteau et fouetté.

Dans la plupart des cas, cependant, les païens ne voyaient pas dans la douleur une valeur positive, une étape vers le salut, contrairement aux chrétiens résolus à se flageller, mais un mal, un châtiment imposé à ceux qui violaient la loi, aux criminels, aux prisonniers, aux miséreux et – seule catégorie possédant une certaine dignité – aux soldats. Les Romains rendaient hommage à l'acceptation de la douleur par le soldat courageux, acceptation qui n'avait pas grand-chose à voir avec l'accueil extatique de la souffrance célébré dans des centaines de couvents et de monastères. Les héros des légendes romaines acceptaient les épreuves qu'ils ne pouvaient pas éviter ou qu'ils estimaient devoir endurer pour prouver à leurs ennemis leur courage sans faille. À part cette obligation héroïque, une discipline philosophique particulière permettait aux sages de l'époque classique d'affronter la douleur inévitable – tels les calculs rénaux, par exemple – avec équanimité. Mais chez tous, du philosophe le plus exalté au plus humble artisan, existait la poursuite naturelle du plaisir.

Dans la Rome païenne, le paroxysme de cette recherche du plaisir se jouait dans l'arène des gladiateurs, où elle croisait le paroxysme de la douleur infligée et endurée. Si Lucrèce proposait une version moralisée et purifiée du principe romain de plaisir, le christianisme proposait une version moralisée et purifiée du principe romain de la douleur. Les premiers chrétiens, méditant sur les souffrances du Sauveur, les péchés de l'homme et la colère d'un Père juste, jugeaient absurde et dangereuse l'idée de cultiver le plaisir. Au mieux, le plaisir était une distraction sans intérêt, au pire, un piège démoniaque, représenté par ces femmes séduisantes sous les robes desquelles on aperçoit des pattes griffues dans l'art médiéval. La seule vie digne d'être imitée, celle de Jésus, témoignait largement de la présence inévitable de la douleur et de la tristesse dans l'existence mortelle, mais pas de celle du plaisir. Les premières représentations picturales de Jésus partagent une même sobriété mélancolique. Comme le savait tout lecteur pieux de l'Évangile de Luc, Jésus pleure, mais aucun verset ne le montre riant ou souriant, encore moins à la recherche d'un quelconque plaisir.

Pour les chrétiens des Ve et VIe siècles, les raisons de pleurer ne manquaient pas : les cités tombaient en ruine, le sang des soldats à l'agonie abreuvait les champs, le vol et le viol étaient monnaie courante. Il devait exister une explication au comportement calamiteux des hommes depuis tant de générations, même s'ils étaient incapables de tirer des leçons de l'histoire. La théologie fournissait une réponse plus profonde que tel individu ou telle institution, par définition faillibles : les hommes étaient corrompus par nature. Héritiers du péché d'Adam et Ève, ils méritaient chaque catastrophe qui leur arrivait ; il fallait les punir ; un régime de souffrance sans fin les attendait. Ce n'est qu'à travers cette douleur qu'un petit nombre trouvait la porte étroite du salut.

Les partisans les plus fervents de cette doctrine, ceux qu'animait un mélange détonant de peur, d'espoir et d'enthousiasme, étaient déterminés à faire de la douleur à laquelle toute l'humanité était condamnée un choix volontaire. Ils espéraient payer à un Dieu de colère le tribut de souffrance que Celui-ci, de manière implacable et juste, exigeait. Ils possédaient un peu de cette dureté martiale admirée dans la culture traditionnelle romaine, mais, à quelques exceptions près, leur objectif n'était pas d'atteindre l'indifférence stoïcienne à la douleur [50]. Au contraire : tout leur projet dépendait de l'expérience d'une extrême sensibilité à la faim, la soif ou la solitude. Lorsqu'ils se flagellaient avec des branches épineuses ou se frappaient avec des cailloux acérés, ils ne cherchaient pas à réprimer leurs cris de suppliciés. Ces cris faisaient partie du paiement, de l'expiation qui, en cas de succès, leur permettrait de retrouver dans l'au-delà le bonheur qu'Adam et Ève avaient perdu.

Il existait plus de trois cents monastères et couvents et Italie et en Gaule en l'an 600 [51]. Beaucoup étaient encore modestes – une villa fortifiée et ses dépendances –, mais ils possédaient une ligne de conduite spirituelle et une cohérence institutionnelle qui leur assuraient de la stabilité dans un monde instable. Ces monastères recrutaient parmi ceux qui se sentaient l'obligation de transformer leur vie, d'expier leurs péchés et ceux des autres, et de se préparer un bonheur éternel en tournant le dos aux plaisirs ordinaires. Avec le temps, des pensionnaires beaucoup moins fervents les rejoindraient, confiés à l'Église par leurs parents ou leurs tuteurs.

Les monastères et les couvents régis par la croyance que la rédemption ne pourrait venir que de la mortification pratiquaient les châtiments corporels. Tout manquement aux règles était puni : le *virgarum verbera* (coup de bâton), le *corporale supplicium* (punition corporelle), l'*ictus* (coups), le *vapulatio* (coup de trique), la *disciplina* (coup de fouet) ou la *flagellatio*. Ces pratiques disciplinaires qui, dans la société païenne, étaient des humiliations réservées aux inférieurs, étaient appliquées avec une indifférence au rang social que l'on pourrait presque dire démocratique. Souvent, le coupable devait porter le bâton utilisé pour la punition, puis, assis par terre et répétant *mea culpa*, subir les coups jusqu'à ce que l'abbé ou l'abbesse soit satisfait.

Si le châtiment devait être pleinement accepté par les victimes – ce que symbolisait le baiser donné au bâton –, c'est parce qu'il participait de la volonté délibérée de fouler au pied le *credo* épicurien – la recherche du plaisir et le refus de la souffrance [52]. Après tout, l'expérience de la douleur n'était pas qu'un châtiment : c'était une forme d'émulation pieuse. Les ermites chrétiens, méditant sur les souffrances du Sauveur, mortifiaient leur corps afin de vivre dans leur chair les tourments de Jésus.

Ces actes d'autoflagellation commencèrent à être rapportés dès l'Antiquité tardive – au début, ils étaient suffisamment nouveaux et étranges pour attirer une large attention –, mais il faudra attendre le XIe siècle pour qu'un réformateur monastique, le bénédictin italien Pierre Damien, établisse l'autoflagellation volontaire comme une pratique ascétique importante et acceptable par l'Église. Il aura donc fallu mille ans pour gagner la bataille et assurer le triomphe de la recherche de la douleur. « Notre Sauveur n'a-t-il pas subi le fouet ? » demandait Damien à ceux qui remettaient en question cette pratique. Les apôtres, ainsi que de nombreux saints et martyrs, n'avaient-ils pas été fustigés ? Quel meilleur moyen de suivre leurs traces, quelle plus sûre méthode pour imiter le Christ, que d'endurer le même sort ? Certes, admettait Damien, ces glorieux prédécesseurs ne maniaient pas le fouet. Mais dans un monde où le christianisme avait triomphé, c'était à chacun de s'autoflageller. Sinon, le rêve et la doctrine d'imitation du Christ devaient être abandonnés. « Le corps doit être modelé comme un morceau de bois, lisait-on dans un des nombreux textes écrits dans le sillage de Damien, avec des coups de bâton, des coups de fouet et de la discipline. Le corps doit être torturé et affamé afin de se soumettre à l'esprit et de prendre la forme parfaite[53]. » Cette quête spirituelle était telle que toutes les limites, les entraves et les inhibitions s'effaçaient. La honte d'apparaître nu devant autrui n'avait plus lieu d'être, pas plus que l'embarras d'être vu en train de trembler, de gémir ou de pleurer.

Ainsi la description de la vie des dominicaines de Colmar, rédigée au tournant du XIVe siècle par une religieuse du nom de Catherine de Guebwiller, qui vivait au couvent depuis l'enfance :

> Durant la période de l'avent et pendant tout le carême, les sœurs se rendaient, après les mâtines, dans la grande salle ou dans un autre lieu prévu à cet effet. Là, à l'aide de toutes sortes d'instruments, elles suppliciaient leur corps de la manière la plus sévère qui soit, jusqu'à ce que le sang coule, afin que le bruit des coups de fouet résonne dans le couvent tout entier et s'élève, plus doux que toute autre mélodie aux oreilles du Seigneur [54].

Cette description n'est pas un simple fantasme sadomasochiste : de nombreux indices confirment que de telles scènes, héritières ritualisées de la scène de saint Benoît se roulant dans les orties, étaient répandues à la fin du Moyen Âge. On y voyait une preuve de sainteté. Sainte Thérèse, « alors même qu'elle dépérissait lentement, s'infligeait de douloureux coups de fouet, se frictionnait avec des orties fraîchement coupées et se roulait, nue, dans les ronces ». Sainte Claire d'Assise « déchira l'enveloppe d'albâtre de son corps avec un fouet pendant quarante-deux ans et ses plaies exhalaient des odeurs célestes qui remplissaient l'église ». Saint Dominique se lacérait la chair chaque soir avec un fouet muni de trois chaînes de fer. Saint Ignace de Loyola recommandait l'usage de fouets aux lanières assez fines, « infligeant de la douleur à la chair, mais sans toucher les os ». Henri Suso, qui avait gravé le nom de Jésus sur sa poitrine, portait une croix de fer fixée avec des clous dans le dos et se flagellait jusqu'au sang. Elsbeth von Oye, une religieuse de Zurich et contemporaine de Suso, se flagellait avec tant d'énergie qu'elle éclaboussait de son sang les personnes présentes dans la chapelle.

Les tendances hédonistes et autoprotectrices du public laïque ne faisaient pas le poids face aux convictions passionnées et au formidable prestige de ces maîtres spirituels. Ces croyances et ces pratiques avaient beau être l'apanage de religieux, d'hommes et de femmes se tenant à l'écart des impératifs quotidiens et triviaux du « monde », elles se répandirent peu à peu dans la population, s'affirmant dans des sociétés de flagellants ou au cours de crises d'hystérie collective. Ce qui, à l'origine, était une contre-culture radicale réussit ainsi à imposer l'idée qu'elle représentait les valeurs fondamentales de tous les croyants.

Bien sûr, on continuait à rechercher les plaisirs – le vieil Adam ne pouvait pas être éliminé aussi facilement. Dans les masures des paysans et les châteaux des puissants, sur les chemins de campagne, dans les palais des prélats et derrière les hauts murs des monastères, on buvait, on faisait bombance, on riait, on dansait et on succombait au péché de chair. Mais jamais l'on n'entendait quiconque possédant une autorité morale ou une voix écoutée justifier ces pratiques. Ce silence ne s'expliquait pas, ou pas seulement, par la timidité ou la peur. La recherche du plaisir était devenue indéfendable sur le plan philosophique. Épicure était mort et enterré ; presque toute son œuvre avait été détruite. Et après que saint Jérôme, au IVᵉ siècle, eut mentionné le suicide de Lucrèce, on ne vit plus la moindre attaque contre le grand disciple romain d'Épicure : il était oublié.

Le poème autrefois célèbre de Lucrèce ne doit sa survie qu'au hasard. Hasard qui voulut qu'une copie du *De la nature* se retrouve dans la bibliothèque de quelques monastères, ces espaces qui avaient banni la poursuite épicurienne du plaisir. Qui voulut qu'un moine, travaillant dans quelque scriptorium au IXᵉ siècle, ait recopié le texte avant qu'il moisisse à jamais. Qui voulut enfin que cette copie échappe au feu, aux inondations et aux dents du temps pendant cinq cents ans, jusqu'au jour de 1417 où elle tomba entre les mains de l'humaniste qui aimait à se faire appeler *Poggius Florentinus*, le Pogge Florentin.

Chapitre V

NAISSANCE ET RENAISSANCE

C'ÉTAIT À L'AUBE DU XVe SIÈCLE. Florence présentait peu des merveilles architecturales que nous connaissons et qui évoquent, à grande échelle, le rêve du passé antique. La coupole de Brunelleschi surmontant la cathédrale de la ville appelée le Duomo – le premier grand dôme construit depuis l'Antiquité romaine et le monument le plus remarquable de Florence – n'existait pas encore, pas plus que la loggia de l'hôpital des Innocents aux arches si élégantes ni les ouvrages du même Brunelleschi conçus d'après des principes dérivés de l'Antiquité. Il manquait encore au baptistère de la cathédrale le célèbre portail de style classique dessiné par Ghiberti ; la basilique Santa Maria Novella n'avait pas encore son harmonieuse façade à la symétrie idéale, due à Leon Battista Alberti. L'architecte Michelozzi n'avait pas dessiné les splendides bâtiments austères du couvent San Marco. Les plus riches familles de la ville – les Médicis, les Pitti, les Rucellai – n'avaient pas encore fait construire leurs somptueux palais, dont les colonnes, les arches et les chapiteaux sculptés soulignent l'ordre et le sens des proportions classiques.

Derrière ses murs, la ville avait tout de l'apparence d'une cité médiévale, enclose et sombre. Au centre, très peuplé, se dressaient de hautes tours et des bâtiments de pierre fortifiés, et les rues et ruelles étroites et sinueuses étaient obscurcies par la saillie des étages des maisons et de leurs balcons couverts. Sur le vieux pont traversant l'Arno, le Ponte Vecchio, les échoppes étaient serrées les unes contre les autres et cachaient le paysage. Vue du ciel, la ville aurait semblé avoir de nombreux espaces ouverts, mais la plupart étaient les cours intérieures des immenses monastères bâtis par les ordres religieux rivaux : le couvent dominicain de Santa Maria Novella, le couvent franciscain de Santa Croce, le couvent des augustins Santo Spirito, le couvent des carmélites Santa Maria del Carmine, entre autres. Les espaces publics séculiers étaient rares. C'est dans cette cité obscure, étouffante et surpeuplée, régulièrement en proie à des épidémies de peste bubonique, que Poggio Braccio-lini arriva à la fin des années 1390.

Poggio Bracciolini était né en 1380 à Terranuova, une petite bourgade du territoire contrôlé par Florence [1]. Des années plus tard, l'un de ses ennemis, Tommaso Morroni, écrira qu'il était le fils bâtard de paysans qui vivotaient du travail de la terre. L'affirmation est douteuse : il s'agit d'une des nombreuses calomnies que les humanistes de la Renaissance, tels des pugilistes, se lançaient sans vergogne – et Poggio Bracciolini ne faisait pas exception. Cela dit, vu l'endroit où il grandit, il connaissait sûrement la terre toscane, qu'il y ait travaillé ou non. Il aurait eu du mal à revendiquer une illustre lignée d'ancêtres : le jour où il le fera la tête haute, une fois élevé dans le monde, c'est après avoir acheté un blason vieux de trois cent cinquante ans.

Une version plus plausible, que le Pogge semble avoir accréditée à certains moments de sa vie, fait de lui le fils d'un notaire, bien qu'un relevé d'impôts de la période décrive Guccio Bracciolini comme un *spetiale*, c'est-à-dire un apothicaire. Peut-être était-il les deux. Les notaires n'étaient pas des personnages particulièrement importants, même s'ils étaient pléthoriques dans ce monde procédurier et litigieux. Le notaire florentin Lapo Mazzei décrit six ou sept cents confrères se pressant dans les couloirs de l'hôtel de ville en portant sous le bras des liasses de papiers, « chacun de leurs dossiers étant aussi épais que la moitié d'une bible[2] ». Leur connaissance du droit leur permettait de libeller les réglementations locales, d'organiser les élections villageoises ou de rédiger des lettres de plaintes. Les employés municipaux chargés de rendre la justice ignoraient souvent comment procéder ; les notaires leur glissaient à l'oreille ce qu'ils devaient dire et rédigeaient les documents nécessaires. Il était donc utile d'en avoir à proximité.

Quoi qu'il en soit, il existe un lien entre la famille de Poggio Bracciolini et le notariat, par le truchement de son grand-père maternel Michaelle Frutti. Ce lien mérite d'être mentionné puisqu'en 1343, bien avant la naissance de l'humaniste, Ser Michaelle avait signé un registre notarial avec une graphie extraordinairement belle. Or l'écriture allait jouer un rôle central dans la vie de son petit-fils. Dans l'enchaînement d'événements menant à la découverte du poème de Lucrèce, la calligraphie du Pogge sera déterminante.

Guccio Bracciolini et sa femme Jacoba eurent d'autres enfants : deux filles (dont une mourut en bas âge) et un second fils, dont Poggio aura des motifs de se plaindre plus tard. À en juger d'après les impôts payés par son père, les premières années de Poggio furent relativement confortables ; mais vers 1388, alors qu'il avait huit ans, la situation familiale se dégrada. Guccio dut vendre sa maison et ses biens et, fuyant ses créanciers, déménagea sa famille dans la ville voisine d'Arezzo. D'après Tommaso Moroni, le jeune Poggio fut envoyé chez un dénommé Luccarus pour travailler aux champs. Jusqu'au jour où, rapporte encore Moroni, il fut surpris en train de voler son employeur, fut condamné à être crucifié, puis gracié en raison de son jeune âge. Là encore, méfions-nous de ces calomnies ; elles sont à l'image de la haine que déchaînaient les querelles entre érudits. À Arezzo, Poggio dut fréquenter une école où il apprit le latin et l'écriture, plutôt que le travail des champs et l'art d'échapper au bourreau. Mais de sa pauvreté il attestera le jour où il se souviendra de son arrivée à Florence *cum quinque solidis* – avec cinq sous en poche.

Le jeune indigent arriva à Florence dans les années 1390, bien avant son vingtième anniversaire. Sans doute avait-il sur lui une lettre de recommandation de son maître d'école d'Arezzo, et peut-être avait-il quelques bases en droit après de brèves études à Bologne. Plus tard, il retrouvera son père et sa famille, qui s'étaient installés à Florence. Mais la première fois qu'il foula la Piazza della Signoria ou leva les yeux vers le magnifique campanile de Giotto à côté du Dôme, Poggio était seul, et il n'était personne.

Si la population florentine avoisinait les cinquante mille âmes, un petit nombre de familles de commerçants et d'aristocrates dominait la vie politique, sociale et économique : les Albizzi, les Strozzi, les Peruzzi, les Capponi, les Pitti, les Buondelmonti et quelques autres. Ces familles affirmaient leur présence et leur importance en dépensant plus que de raison. « Il est beaucoup plus agréable de dépenser de l'argent que de le gagner, écrivait Giovanni Rucellai, dont la famille avait fait fortune dans la teinture de la laine et la banque. Dépenser me procure une plus profonde satisfaction[3]. » Et elles étaient entourées d'un grand nombre d'obligés, d'intendants, de comptables, d'ecclésiastiques, de secrétaires, de messagers, de précepteurs, de musiciens, d'artistes, de domestiques et d'esclaves. La pénurie de main-d'œuvre qui avait suivi la Grande Peste de 1348 avait augmenté la demande d'esclaves, amenés non seulement de l'Espagne et de l'Afrique musulmanes, mais des Balkans, de Constantinople et des rives de la mer Noire[4]. La traite était autorisée, sous réserve que les esclaves fussent des infidèles et non pas des chrétiens, et Poggio dut voir arriver beaucoup de Nord-Africains, de Chypriotes, de Tartares, de Grecs, de Russes, de Géorgiens et bien d'autres.

Florence était une oligarchie fondée sur une petite coterie opulente et bien née dont la richesse provenait de la banque et de la propriété mobilière, comme souvent, mais aussi du tissage et de la confection qui allaient rendre la ville célèbre. L'industrie textile nécessitait une vision cosmopolite, des nerfs d'acier et une attention extraordinaire aux détails. Les archives de Francesco di Marco Datini, un grand marchand de la ville de Prato, à proximité de Florence – qui n'était pas le plus fortuné de ces premiers capitalistes – contiennent cent cinquante mille lettres, ainsi que cinq cents livres de compte et autres registres, trois cents contrats d'association, quatre cents contrats d'assurance, plusieurs milliers de connaissements, d'avis, de lettres de change et de chèques. Sur la première page du grand livre de Datini figurent les mots : « Au nom de Dieu et du profit[5]. »

Les Florentins honoraient Dieu dans les nombreuses églises qui s'élevaient côte à côte le long des rues de la ville. Le culte passait aussi par les longs sermons passionnés qui attiraient de vastes foules, les harangues des frères itinérants, les prières, les vœux, les offrandes et les expressions d'une crainte mêlée de respect que l'on retrouve dans tous les écrits, officiels ou non, qui devaient saturer le discours quotidien. Il passait enfin par les élans périodiques de piété populaire.

Les Florentins honoraient également le dieu du profit dans cette industrie textile internationale très active, qui employait une importante main-d'œuvre [6]. Les ouvriers les plus qualifiés étaient organisés en puissantes corporations qui veillaient sur leurs intérêts, mais beaucoup travaillaient pour une misère. En 1378, deux ans avant la naissance de Poggio, le mécontentement de ces misérables journaliers, le *populo minuto*, se transforma en une révolte sanglante. Des bandes d'artisans couraient à travers les rues en criant : « Longue vie au peuple et aux métiers ! » Les familles dirigeantes furent renversées et un régime démocratique fut brièvement mis en place. Mais l'ordre ancien fut vite restauré, et avec lui un régime déterminé à maintenir l'influence des corporations et des grandes familles.

Après la défaite des « ciompi », comme on appelait ces ouvriers révolutionnaires, les oligarques s'accrochèrent au pouvoir pendant plus de quarante ans, imprimant leur marque sur la ville où Poggio était déterminé à se forger un destin. Mais comment pénétrer dans un monde conservateur et aussi socialement cloisonné ? Grâce à un talent inné et une bonne formation, Poggio pouvait s'enorgueillir d'une des rares compétences permettant à quelqu'un d'origine modeste d'y parvenir : une belle écriture. La clé qui lui ouvrit la première porte n'a plus aucune valeur dans le monde contemporain.

La calligraphie du Pogge n'avait pas grand-chose à voir avec l'écriture gothique, une graphie angulaire, aux entrelacs complexes. Dès le XIVᵉ siècle, le besoin s'était fait sentir d'avoir une écriture plus aérée et plus lisible. Le poète Pétrarque (1304-1374) se plaignait de l'écriture utilisée dans la plupart des manuscrits, qui rendait le texte extrêmement difficile à déchiffrer, « comme si elle avait été conçue pour autre chose que la lecture[7] ». Les lettres avaient besoin d'être libérées des ligatures, les mots et les lignes plus espacés, les abréviations évitées pour faciliter la lecture.

Le Pogge et quelques autres accomplirent une œuvre remarquable dans ce domaine. Ils s'inspirèrent de la minuscule caroline (une innovation scripturale de la cour de Charlemagne, au IXe siècle) et la transformèrent pour créer une graphie qu'ils utiliseraient pour copier des manuscrits et écrire des lettres. (Celle-là servira ensuite de base au développement des italiques et de la police de caractères que nous appelons « romaine ».) Ils furent donc les inventeurs d'une écriture considérée, encore aujourd'hui, comme la représentation graphique la plus simple, la plus claire et la plus élégante de nos mots. Il est difficile d'en prendre toute la mesure sans la contempler par soi-même, dans les manuscrits conservés à la bibliothèque Laurentienne de Florence, par exemple : les volumes de vélin à la couverture veloutée, qui ont gardé leur couleur crème plus de cinq cents ans après, réservent des pages et des pages d'une calligraphie magnifique, d'une finesse et d'une régularité presque magiques. On remarque de minuscules trous dans les marges, là où devaient être fixées les pages blanches afin d'être maintenues en place et, à peine visibles, des petits traits permettant de former des lignes droites, vingt-six par page. Mais ces aides à l'écriture sont loin d'expliquer pareille élégance.

L'invention d'une calligraphie immédiatement reconnaissable qui est encore admirée six siècles plus tard n'est

Transcription de Cicéron signée par le Pogge (1425).
L'élégante calligraphie du Pogge, très prisée de son vivant,
fut l'une des clés de sa réussite.

pas une mince prouesse. Elle témoigne non seulement du talent exceptionnel du Pogge, mais de la puissance des courants culturels qui animaient Florence et l'Italie. Tout se passe comme si le Pogge avait compris que le besoin d'une nouvelle écriture cursive n'était qu'un élément mineur dans un projet beaucoup plus vaste, un projet qui mêlait création et respect de l'ancien. Car la quête du Pogge était une passion partagée, dont l'origine remontait à Pétrarque, qui, une génération avant la naissance du Pogge, avait fait de la redécouverte de l'héritage culturel de la Rome antique un idéal collectif.

Pour les admirateurs de Pétrarque, le passé antique était une période complètement oubliée jusqu'à ce que leur héros le fît revivre. À dire vrai, l'entreprise du poète était moins novatrice qu'il n'y paraît. L'intérêt pour l'Antiquité, avant la Renaissance du XVe siècle, avait resurgi par période au fil des siècles, à la fois dans l'Italie médiévale et dans les royaumes du Nord. Il fut notamment manifeste à l'époque de la grande Renaissance carolingienne du IXe siècle. Jamais l'héritage intellectuel de l'Antiquité n'a complètement disparu. Les compendiums médiévaux révèlent bien plus de continuité avec la pensée classique que ne le croyaient les admirateurs de Pétrarque. Au Moyen Âge classique, les philosophes scolastiques, qui lisaient Aristote grâce au brillant commentateur arabe Averroès, avaient une vision du monde très élaborée et rationnelle. Et même l'engagement de Pétrarque en faveur de l'esthétique du latin classique (son rêve de marcher dans les pas des auteurs antiques) avait des précurseurs. La nouvelle approche que Pétrarque et ses adeptes revendiquaient relevait, pour une bonne part, de l'exagération tendancieuse et de l'autosatisfaction.

Pour autant, l'on ne saurait démystifier complètement le mouvement initié par Pétrarque et ses admirateurs, ne fût-ce que pour leur capacité à formaliser leur expérience. Eux-mêmes se considéraient comme des explorateurs intrépides du monde physique – les montagnes qu'ils franchissaient, les bibliothèques monastiques qu'ils fouillaient, les ruines qu'ils mettaient au jour – et de leur désir profond. L'urgence de l'entreprise prouve que cette tentative de retrouver ou d'imiter la langue, les objets et les œuvres culturelles d'un passé très lointain n'avait rien d'évident ni d'inévitable. C'était une initiative étrange, bien plus étrange que de se contenter de vivre une vie ordinaire, installé plus ou moins confortablement au milieu des vestiges muets de l'Antiquité.

Partout ces vestiges étaient visibles, en Italie et à travers l'Europe : ponts et routes toujours empruntés mille ans plus tard, voûtes et murs d'anciens thermes ou marchés, colonnes de temples intégrées à des églises, vieilles pierres gravées récupérées pour de nouvelles constructions, statues amputées, vases brisés… Hélas ! la civilisation qui avait laissé ces traces avait été détruite. Ces ruines servaient parfois de murs à la construction de maisons neuves, à la fois signe que tout passe et tombe dans l'oubli, et témoignage silencieux du triomphe du christianisme sur le paganisme. Les ruines étaient utilisées comme des carrières (au sens littéral) où se fournir en pierres et en métaux précieux. Des générations d'hommes et de femmes, en Italie et en Europe, avaient développé des techniques efficaces pour recycler les fragments du classicisme antique dans leurs écrits et dans leurs bâtiments. Personne n'avait peur de se mêler à ces restes de culture païenne : que ce soit des bouts de pierre ou de vagues inscriptions, ces empreintes étaient à la fois utiles et inoffensives. Que demander de plus à des décombres que l'on foulait depuis plus de mille ans ?

Ceux qui s'intéressaient au sens de ces ruines suscitaient la perplexité et risquaient de s'attirer des ennuis. On ne pouvait pas justifier sa passion pour l'Antiquité par la curiosité, puisque celle-ci était condamnée comme un péché mortel [8]. Pour beaucoup, la religion des païens était considérée comme un culte de démons. Les chrétiens étaient encouragés à considérer les objets grecs et romains comme des ouvrages appartenant au monde temporel, au royaume de l'homme, par opposition au royaume de Dieu, éternel et transcendant.

Pétrarque était un chrétien très pieux, qui, toute sa vie, réfléchit à sa condition spirituelle [9]. Pourtant, au fil d'une carrière complexe, faite de voyages incessants, de diplomatie, d'introspection et d'écriture compulsive, il demeura fasciné par l'Antiquité païenne qu'il ne parvenait pas à vraiment comprendre. Il eut beau vivre seul pendant de longues périodes, il n'eut de cesse de partager cette passion et d'insister, avec un zèle de missionnaire, sur le pouvoir expressif, la beauté et le défi que représentaient toutes ces traces enfouies sous le poids de la négligence.

Brillant érudit, il se mit alors à rechercher des textes antiques perdus. Il n'était pas le premier, mais il insuffla à sa quête une ferveur et un plaisir nouveaux et presque éro-tiques. Il écrivait ainsi à son frère : « L'or, l'argent, les pierres précieuses, les vêtements de pourpre, les maisons de marbre, les champs bien cultivés, les tableaux, les coursiers richement harnachés et les autres biens de la sorte apportent un plaisir muet et superficiel ; les livres pro-curent un plaisir profond [10]. »

Après avoir copié, comparé et corrigé les textes latins antiques qu'il trouvait, Pétrarque les transmettait à un vaste réseau de correspondants à qui il écrivait, souvent en plein cœur de la nuit, avec une énergie fébrile. C'était une façon de répondre aux auteurs antiques comme s'ils faisaient partie de ce réseau, ou comme si c'étaient des intimes ou des parents avec lesquels il pouvait partager ses pensées. Le jour où il découvrit un ensemble de lettres de Cicéron à son riche ami Atticus, lettres qui trahissaient l'égoïsme, l'ambition et le ressentiment de l'expéditeur, Pétrarque n'hésita pas à lui répondre en latin pour lui reprocher de ne pas être à la hauteur de ses principes.

Pétrarque professait un mépris sans bornes pour l'époque dans laquelle il était contraint de vivre [11]. Il la jugeait sordide et vulgaire, pleine d'ignorance et de trivia-lité, vouée à vite disparaître de la mémoire des hommes. Ce mépris affiché semble avoir renforcé son charisme et sa célébrité, puisque sa gloire ne cessa de s'étendre, de même que l'influence de son goût immodéré pour le passé. Les générations suivantes assimileront ce goût jusqu'à en faire une nouvelle matière à enseigner : les humanités *(studia humanitatis)*, soit l'étude de la langue et de la littérature grecque et latine, l'accent étant mis sur la rhétorique. Mais l'humanisme que Pétrarque contribua à créer et qu'il transmit à ses plus proches amis et disciples – à commencer par Boccace (1313-1375) et Coluccio Salutati (1331-1406) – n'était pas d'ordre strictement académique.

Ces premiers humanistes se sentaient partie prenante d'un mouvement historique et en concevaient un mélange de fierté, d'étonnement et de peur. Car ce mouvement impliquait d'admettre qu'un élément en apparence vivant était en réalité mort. Pendant des siècles, des princes et des prélats avaient affirmé qu'ils poursuivaient les traditions du monde classique dont ils s'étaient approprié les symboles et la langue. Pétrarque et ses disciples dénonçaient ce qu'ils qualifiaient de mensonge : ce n'était pas l'Empire romain qui avait son siège à Aix-la-Chapelle, le lieu du couronnement du « saint empereur romain » ; les institutions et les idées qui définissaient le monde de Cicéron et de Virgile avaient été taillées en pièces ; le latin écrit par les philosophes et les théologiens depuis six ou sept cents ans n'était qu'une image déformée et laide d'une langue autrefois exceptionnellement expressive. Mieux valait arrêter de faire semblant et admettre qu'il n'existait pas de continuité. Le cadavre était enterré depuis longtemps ; à présent décomposé.

Cette reconnaissance n'était qu'une première étape. Une fois assumé le deuil de cette perte tragique, il était possible de préparer le terrain pour ce qui se trouvait après la mort : la résurrection. Le processus était familier à tout bon chrétien – dont Pétrarque, qui était ecclésiastique –, mais la résurrection des humanistes avait lieu dans le monde d'ici-bas. Son objet était fondamentalement culturel et séculier.

Le Pogge arriva à Rome un quart de siècle après la mort de Pétrarque ; l'état de grâce du mouvement était déjà passé. L'audace créatrice du poète avait laissé place à un esprit d'archéologue, un désir de discipliner, de corriger et de canaliser le rapport avec le passé antique. Le Pogge et sa génération étaient obnubilés par le souci d'éviter les fautes de grammaire latine et de repérer celles des autres. Cependant, le sentiment persistant de l'étrangeté de la redécouverte de l'Antiquité permet de comprendre en quoi sa calligraphie était une vraie nouveauté. L'écriture du Pogge n'évoquait pas celle des Romains de l'Antiquité : toute trace en avait depuis longtemps disparu, à part quelques inscriptions gravées en belles lettres capitales sur la pierre et quelques graffiti grossiers. Elle était l'expression graphique de la recherche d'un genre d'esthétique diffé-rent, une forme qui signalerait la redécouverte d'un bien précieux. Le caractère de ses lettres s'inspirait du style manuscrit de certains scribes de l'époque carolingienne. Pourtant, le Pogge et ses contemporains n'assimilaient pas ce style à la cour de Charlemagne ; ils l'appelaient *lettera antiqua*, et ne rêvaient pas d'Alcuin d'York, le précepteur de Charlemagne, mais de Cicéron et de Virgile.

Pour gagner de l'argent, le jeune Poggio copia des livres et des documents, sans doute en grand nombre. Sa calligra-phie et son talent durent être assez remarquables dès ses débuts pour lui permettre de financer ses études. Il perfec-tionna son latin auprès du professeur Jean de Ravenne (Giovanni Malpaghini, vers 1356-1417), une personnalité ombrageuse qui avait été le secrétaire et le copiste de

Pétrarque et gagnait sa vie en donnant des conférences sur Cicéron et sur la poésie romaine à Venise, Padoue, Florence ou ailleurs. Le Pogge put aussi financer, grâce à ses revenus, sa formation de notaire, qui avait l'avantage d'être moins chère et plus courte que le long cursus de juriste [12].

À vingt-deux ans, le Pogge se présenta à son examen non pas à l'université, mais devant un jury composé d'hommes de loi et de notaires. Le premier document notarial écrit de sa main est une lettre de recommandation pour son propre père, qui avait fui à Rimini afin d'échapper à un créancier courroucé. On ignore ce que le Pogge avait en tête en la rédigeant. Sans doute était-il davantage attaché à la personne au nom de laquelle elle était écrite : Coluccio Salutati, déjà nommé ci-dessus, grand chancelier de la république de Florence.

Celui-ci en était de fait le ministre des Affaires étrangères. Florence était un État indépendant, contrôlant un vaste territoire du centre de l'Italie et engagé dans une perpétuelle partie d'échecs avec d'autres États puissants, en particulier Venise et Milan au Nord, Naples au Sud et la papauté à Rome, qui, bien qu'affaiblie par des dissensions internes, demeurait riche, dangereuse et prompte à se mêler de tout. Chaque fois que Florence se sentait menacée, ses rivaux étaient prêts à solliciter l'aide financière ou militaire des souverains d'Europe continentale, trop contents d'intervenir. Dans cette partie, tous les joueurs étaient ambitieux, calculateurs, perfides, sans pitié et armés. La façon dont le chancelier menait les relations diplomatiques, notamment avec l'Église, était déterminante pour l'équilibre de la ville, et pour sa survie face aux menaces de la France, du Saint Empire romain et de l'Espagne.

Le jour où le Pogge arriva à Florence, à la fin des années 1390, Salutati – qui avait commencé comme notaire de province – occupait le poste de chancelier depuis environ vingt-cinq ans, menant des intrigues, engageant des mercenaires dont il se débarrassait ensuite, donnant des instructions aux ambassadeurs, négociant les traités, tâchant de déjouer les ruses de ses ennemis, forgeant des alliances et publiant des manifestes. Tout le monde – les ennemis les plus acharnés de la ville autant que ses citoyens les plus fiers – reconnaissait qu'avec son chancelier Florence disposait d'une personnalité exceptionnelle, douée d'une grande compétence juridique, d'adresse politique et de talents diplomatiques, mais aussi de finesse psychologique, d'aisance en public et d'un talent littéraire indéniable.

Comme Pétrarque, avec qui il avait correspondu, Salutati était sensible à la force du passé et s'était lancé dans une recherche savante pour découvrir les vestiges de la culture classique. C'était un chrétien très pieux, qui ne trouvait rien à admirer d'un point de vue stylistique dans ce qui avait été écrit entre Cassiodore, au VIe siècle, et Dante, au XIIIe. Salutati cherchait à imiter le style de Virgile et de Cicéron, et même s'il reconnaissait ne pas avoir le génie littéraire de Pétrarque – *Ego michi non placeo* (« Je ne m'aime pas »), écrivit-il tristement –, il étonnait ses contemporains par la puissance de sa prose.

Salutati partageait avec Pétrarque la conviction que la redécouverte du passé dépassait l'archéologie. La lecture des auteurs antiques n'était pas là pour produire le même son que le leur. « Je préfère de beaucoup que mon style soit vraiment le mien, écrivit Pétrarque, inculte et rude, mais adapté, tel un vêtement, à la taille de mon esprit, plutôt qu'à celui de quelqu'un d'autre, qui peut être plus élégant, plus ambitieux et plus riche, mais qui, né d'un plus grand génie, glisse en permanence, inadapté aux modestes proportions de mon intellect [13]. » Outre le péché de fausse modestie, cette déclaration trahit le désir sincère de créer une voix originale, non pas en s'abîmant dans la prose des grands maîtres, mais en l'assimilant. Les auteurs antiques, expliquait Pétrarque à Boccace, « se sont fixés non seulement dans ma mémoire, mais jusque dans la moelle de mes os, pour ne faire plus qu'un avec mon esprit, au point que, même si je ne les lisais plus de ma vie, ils resteraient en moi, car ils ont pris racine dans les profondeurs de mon âme [14] ». Dans la même veine, Salutati écrivait : « J'ai toujours pensé que je devais imiter l'Antiquité non seulement pour la reproduire, mais afin de produire quelque chose de nouveau [15]… »

Pour prouver son utilité, l'entreprise humaniste ne devait donc pas se contenter d'engendrer des copies passables du style classique, mais viser un objectif éthique plus vaste [16]. Et pour ce faire, elle devait exister pleinement et avec éclat dans le présent. À cet égard, le disciple s'éloigna du maître : Pétrarque, né en exil, n'avait jamais eu de terre natale, il naviguait entre palais royaux, cités, cour papale et villégiature à la campagne, désespérant de forger quelque attache stable et attiré par une retraite contemplative. Salutati, lui, voulait produire une œuvre nouvelle à partir de la cité-État qu'il aimait passionnément [17].

Au centre du paysage de Florence se dressait le Palazzo della Signoria, qui, comme on l'a vu, était le cœur politique de la République où se réunissait la Seigneurie, le corps exécutif du gouvernement. Et la gloire de la cité, selon Salutati [18]. L'indépendance de Florence – qui n'était soumise à aucun autre État, ni à la papauté, qui n'était dirigée ni par un roi, ni par un tyran ni même un prélat, mais par un corps de citoyens – était ce qui comptait le plus à ses yeux. Ses lettres, ses dépêches, ses protocoles et ses manifestes, écrits au nom des prieurs de Florence, étaient des documents pleins de ferveur, lus et copiés dans toute l'Italie. Ils prouvaient que la rhétorique antique était vivante, qu'elle avait le pouvoir de susciter des émotions politiques et de réveiller de vieux rêves. Diplomate et politicien talentueux, Salutati usait d'un grand nombre de registres théoriques, qu'il est possible de percevoir à travers une lettre adressée à la Ville d'Ancône et datée du 13 février 1376. Comme Florence, Ancône était une commune indépendante, dont Salutati exhortait les citoyens à se rebeller contre le gouvernement papal qui leur avait été imposé : « Allez-vous demeurer pour toujours dans l'obscurité de l'esclavage ? Ne mesurez-vous pas, vous les meilleurs des hommes, à quel point la liberté est douce ? Nos ancêtres, et toute la race italienne, se sont battus pendant cinq cents ans [...] afin que la liberté ne soit pas perdue [19]. » La révolte qu'il essayait de provoquer servait les intérêts de Florence, mais son éloge de la liberté ne relevait pas du seul cynisme : oui, Florence était l'héritière de la république qui avait fait la grandeur de la Rome antique. Cette grandeur – la fière revendication de la liberté et de la dignité humaines – avait presque complètement disparu de Rome, ravalée au rang de théâtre de sordides intrigues cléricales, tandis qu'elle avait survécu à Florence. Et Salutati en était la principale voix.

Il ne le serait pas toujours. À soixante-dix ans passés, de plus en plus troublé par des questions religieuses et préoccupé par les menaces pesant sur sa ville, Salutati s'en remit à un cercle de jeunes gens talentueux qu'il avait pris sous son aile. Dont le Pogge, bien qu'on ne sache pas précisément comment Salutati avait choisi ceux qu'il formait. Le plus prometteur de ces étudiants était Leonardo Bruni, dit l'Arétin, de dix ans l'aîné du Pogge et lui aussi d'origine modeste. Bruni avait commencé à étudier le droit, mais comme d'autres sujets brillants de sa génération, surtout parmi ceux qui gravitaient dans l'orbite de Salutati, il s'était pris de passion pour les études classiques. Chez lui, le facteur décisif avait été l'apprentissage du grec ancien, sous la houlette de Manuel Chrysoloras, un éminent érudit byzantin venu à Florence en 1397 pour y enseigner une langue presque complètement oubliée. « Avec la venue de Chrysoloras, se rappellera plus tard Bruni, je me suis mis à hésiter sur mon choix de vie : je me rendais compte que j'avais tort d'abandonner le droit et reconnaissais pourtant qu'il serait criminel de ne pas saisir une si belle occasion d'apprendre la littérature grecque. » La tentation se révéla irrésistible. « Finalement convaincu par ces raisonnements, je me livrai à Chrysoloras avec une telle passion que ce qu'il m'enseignait pendant la journée m'occupait l'esprit la nuit pendant les heures de sommeil[20]. »

Paradoxalement, le Pogge ne se sentait pas particulièrement proche de l'honnête, travailleur et ambitieux Bruni, un provincial désargenté qui ne pouvait compter que sur l'acuité de son intelligence. Mais bien qu'il admirât Bruni – qui finit par devenir un chancelier de Florence brillant et très patriote, et l'auteur, entre autres, de la première grande histoire de la ville –, c'est avec Niccolò Niccoli, un autre étudiant de Salutati, esthète sensible et raisonneur, que le Pogge noua l'amitié la plus solide.

De seize ans l'aîné du Pogge, Niccoli était né dans une des plus riches familles de la ville. Son père avait fait fortune dans la laine, les activités de prêt, le marché des céréales et d'autres affaires. Des registres fiscaux des années 1390 indiquent que Niccolò et ses cinq frères étaient plus fortunés que la plupart des habitants de leur quartier, dont certaines familles dirigeantes comme les Brancacci et les Pitti. (Aujourd'hui, les touristes peuvent se faire une idée de l'étendue de cette fortune en se rappelant la grandeur du palais Pitti, bâti vingt ans après la mort de Niccoli.)

À l'époque où le Pogge fit leur connaissance, les Niccoli étaient sur le déclin. Même s'ils demeuraient très riches, les six frères se querellaient âprement, et la famille semblait peu désireuse ou incapable de jouer le jeu politique qui eût été nécessaire pour protéger et augmenter son patrimoine. Seuls les citoyens exerçant un pouvoir politique actif dans la cité et veillant scrupuleusement sur leurs intérêts pouvaient échapper aux impôts massifs et souvent punitifs imposés aux fortunes vulnérables. À Florence, fit remarquer l'historien Guicciardini un siècle plus tard, on usait de l'impôt comme d'une dague[21].

Niccolò Niccoli dépensait tout ce qu'il avait pour une passion intellectuelle, qui l'éloignait des obligations civiques ayant pu lui permettre de sauvegarder une partie de la fortune familiale. Le commerce de la laine et la spéculation sur les matières premières ne l'intéressaient pas. Il n'était pas non plus fait pour servir la République à la Signoria, ou au sein des conseils qu'étaient les « Douze Buonomini » et les « Seize Gonfaloniers » de la milice. Il était fasciné par les vestiges de l'Antiquité romaine et n'avait pas de temps à consacrer à autre chose. Plutôt que de mener carrière et d'occuper un poste municipal, il décida, probablement assez tôt, d'utiliser son héritage pour vivre une vie épanouie en convoquant les fantômes du passé antique.

À Florence, la famille était alors l'institution centrale, sur le plan social, économique et psychologique. Quiconque ne choisissait pas l'Église – surtout l'héritier d'une vaste fortune – subissait des pressions pour se marier, avoir des enfants et augmenter la richesse familiale. « Le mariage offre une abondance de plaisirs et de délices de toute sorte », écrivait un jeune contemporain de Niccoli, Leon Battista Alberti. « Si l'intimité accroît l'affection, il n'existe pas d'intimité plus grande et plus durable qu'avec une épouse ; si des liens forts et une volonté commune naissent de la révélation et de la communication de nos sentiments et de nos désirs, il n'y a personne avec qui l'on a plus d'occasions de communiquer pleinement et à qui on peut ouvrir son esprit plus qu'à notre femme, compagne permanente ; si, enfin, une union honorable mène à l'amitié, aucune autre relation ne mérite davantage notre respect que les liens sacrés du mariage. Ajoutez à cela que chaque moment tisse d'autres liens faits de plaisir et d'utilité, confirmant l'affection qui nous comble le cœur [22]. »

Le tableau a beau être idéalisé, il s'accompagne de sévères mises en garde. Malheur à l'homme qui n'a pas d'épouse, entonnait saint Bernardin, le prédicateur le plus écouté de l'époque :

> S'il est riche et qu'il a du blé, les moineaux le mangent, et les souris. S'il a de l'huile [...], elle se répand [...]. Et savez-vous à quoi ressemble sa couche ? À une tanière. Et quand il met un drap sur son lit, il l'y laisse jusqu'à ce qu'il soit en loques. Et dans la salle où il mange, le sol est jonché d'écorce de melon, d'os et de feuilles de salade [...]. Il se contente de torcher le tranchoir, le chien le lèche et voilà comment il est lavé. Et savez-vous comment vit cet homme ? Comme une bête sauvage [23].

Niccoli rejeta à la fois les encouragements et les mises en garde. Il choisit de rester célibataire, dit-il, afin qu'aucune femme ne le distraie de ses « études ». Le terme « études » a beau être juste – c'était un homme très instruit –, il ne reflète pas le type de vie entièrement consacrée au passé que Niccoli choisit très tôt. Tout ce qui constitue la recherche d'un bonheur « ordinaire » semble lui avoir été indifférent. « Il avait une domestique, écrit son premier biographe, Vespasiano, pour pourvoir à ses besoins [24]. »

Niccoli fut l'un des premiers Européens à collectionner des antiquités en tant qu'œuvres d'art, dont il s'entourait dans ses appartements florentins. Aujourd'hui, l'usage est si courant chez les gens fortunés que nous avons tendance à oublier qu'un jour ce fut une idée neuve. Certes, les pèlerins du Moyen Âge qui se rendaient à Rome s'extasiaient devant le Colisée et autres « merveilles » du paganisme lorsqu'ils allaient se recueillir devant les tombeaux des saints et des martyrs. Mais la collection rassemblée par Niccoli à Florence relevait d'une logique différente : il ne s'agissait pas d'accumuler des trophées, mais d'apprécier des objets pour leur valeur esthétique.

La rumeur se répandit peu à peu selon laquelle un excentrique était prêt à payer royalement pour des têtes et des torses antiques. Des fermiers qui auraient sans doute brûlé les bouts de marbre qu'ils déterraient en labourant pour récupérer la chaux, ou utilisé les vieilles pierres gravées pour bâtir des soues à cochons, se mirent à les vendre. Niccoli avait créé une mode : à côté des timbales, des pièces de verrerie, des médailles, des camées et autres trésors de la Rome antique, les sculptures exposées chez lui avaient éveillé chez certains des envies de collectionner.

Le Pogge n'était pas assez fortuné pour se faire servir ses repas dans des assiettes antiques ou distribuer des pièces d'or, comme le faisait son ami, afin d'acquérir un camée millénaire aperçu autour du cou d'un gamin des rues [25]. Mais il partageait la passion de Niccoli, ce désir de comprendre et de pénétrer par l'imagination le monde culturel qui avait façonné ces merveilleux objets. Le Pogge et Niccoli travaillaient ensemble, échangeaient des anecdotes historiques sur la République et l'Empire romains, réfléchissaient à la religion et à la mythologie représentées par les statues de dieux et de héros, mesuraient les fondations des villas en ruine, discutaient de la topographie et de l'organisation des cités antiques, et surtout enrichissaient leur connaissance de la langue latine qu'ils aimaient et utilisaient dans leur correspondance privée, voire dans leurs conversations personnelles.

Une chose comptait pour Niccolò Niccoli, encore plus que les sculptures exhumées de la terre : les textes classiques et patristiques que ses camarades humanistes dénichaient dans les bibliothèques monastiques. Niccoli aimait posséder ces textes, les étudier, les recopier lentement, très lentement, d'une écriture encore plus belle que celle du Pogge. Car Niccoli partage avec le Pogge la paternité de l'écriture humaniste, et l'amitié entre ces deux humanistes doit sans doute autant à leur goût pour la forme des lettres qu'à leur goût pour la pensée antique.

Les manuscrits de textes antiques étaient onéreux, mais pour le collectionneur avide, aucun prix ne semblait trop élevé. La bibliothèque de Niccoli était célèbre parmi les humanistes d'Italie et d'ailleurs, et bien que Niccoli fût solitaire, ombrageux et obtus, il ouvrait volontiers ses portes aux érudits qui voulaient consulter ses collections. À sa mort, en 1437, à l'âge de soixante-treize ans, il laissera ainsi huit cents manuscrits, constituant de loin la plus grande et la plus belle collection de Florence.

Prenant modèle sur Salutati, Niccoli avait précisé ce qu'il voulait voir advenir de ces textes. Pétrarque et Boccace espéraient préserver, après leur mort, l'intégrité de la collection de manuscrits qu'ils avaient acquis ; malheureusement, ceux-ci avaient été vendus, dispersés ou simplement négligés. (Nombre des précieux codex que Pétrarque avait mis tant de peine à rassembler et qu'il avait apportés à Venise pour former le cœur de ce qui devait être une nouvelle bibliothèque d'Alexandrie furent entreposés, puis oubliés dans un palais humide où ils tombèrent en poussière.) Niccoli ne voulait pas voir l'œuvre de sa vie subir le même sort. Il rédigea un testament dans lequel il exigea que les manuscrits soient conservés ensemble, interdit leur vente ou leur dispersion, fixa des règles strictes pour leur emprunt et leur retour, nomma un comité de conservateurs et laissa une somme d'argent pour la construction d'une bibliothèque. Celle-ci devait être aménagée dans un monastère, mais sans être, selon la volonté expresse de Niccoli, une bibliothèque monastique fermée au monde et réservée aux moines. Les livres devaient être accessibles non seulement aux religieux, mais à « tous les citoyens cultivés », *omnes cives studiosi*[26]. Plusieurs siècles après la fermeture et l'abandon de la dernière bibliothèque romaine, Niccoli ressuscitait ainsi le concept de bibliothèque publique.

À la fin des années 1390, quand le Pogge rencontra Niccoli, leur passion de collectionneur n'en était qu'à ses débuts, mais les deux amis étaient convaincus de la supériorité de tout ce qui était antique – à l'exception de la religion. Ils n'avaient plus l'ambition ni la créativité littéraires de Pétrarque, ni le zèle patriotique et la passion de la liberté de Salutati. Chez eux, ces qualités avaient été remplacées par un culte moins flamboyant, plus dur et plus rébarbatif : le culte de l'imitation et la recherche obstinée de l'exactitude. Peut-être cette jeune génération n'avait-elle pas le talent exceptionnel de la précédente ? Tout se passait comme si les disciples de Salutati, pourtant talentueux, avaient renoncé au désir audacieux d'apporter quelque chose de nouveau au monde. Méprisant le neuf, ils rêvaient de ramener l'ancien à la vie. Ce rêve, étroit et aride par essence, était voué à l'échec. Il eut pourtant des résultats surprenants.

Pour ceux qui n'appartenaient pas au cercle enchanté de ces jeunes humanistes, cette attitude à l'égard du langage et de la culture pouvait sembler repoussante. « Afin de paraître cultivés aux yeux du peuple, écrivait un contemporain dégoûté, ils s'interpellent sur la place à propos du nombre de diphtongues que possédaient les Anciens, et se demandent pourquoi il n'y en a plus que deux aujourd'hui en usage [27]. » Même Salutati était embarrassé, et à raison, car si c'était à lui qu'ils devaient leur classicisme fervent, ils s'étaient écartés du chemin que lui-même avait tracé au point d'être proches de la répudiation.

À la mort de Pétrarque, le 19 juillet 1374, Salutati avait déclaré que le monde venait de perdre un plus grand prosateur que Cicéron, un plus grand poète que Virgile. Vingt ans plus tard, jugeant ces éloges ridicules, le Pogge et Niccoli exhortèrent Salutati à les démentir. Personne à leurs yeux n'avait égalé les grands auteurs classiques pour la perfection du style. Depuis l'époque antique, tout n'était qu'une longue histoire de corruption stylistique et d'appauvrissement. Indifférents ou ignorants, les auteurs du Moyen Âge, même ceux qui passaient pour cultivés, avaient oublié l'art de former des phrases à la manière des maîtres du latin classique, l'art d'utiliser les mots avec l'élégance, la justesse et la précision d'autrefois. Pis encore, les textes qui avaient survécu avaient été corrompus et ne pouvaient plus servir de modèles. Les « Anciens » cités par les scolastiques médiévaux, affirmait Niccoli, « n'auraient pas reconnu comme leur les écrits qui leur sont attribués, conservés comme ils le sont dans des textes corrompus et traduits sans esprit et sans goût [28]. »

Pétrarque, qui ne cessait de répéter que la maîtrise d'un style classique ne permettait pas, en soi, d'atteindre la vraie grandeur littéraire et morale, s'était attribué la couronne de poète lauréat sur les marches du Capitole – comme si l'esprit des anciens revivait véritablement en lui. Mais dans la perspective du classicisme pur et dur de la jeune génération, ni Dante, ni Pétrarque, ni Boccace, sans parler d'auteurs moins brillants, n'avaient accompli grand-chose de significatif : « Tant que l'héritage littéraire antique sera en si piteux état, aucune vraie culture n'est possible, et tout débat est bâti sur un sol mouvant [29]. »

La citation reflète l'opinion de Niccoli, mais elle est extraite d'un dialogue imaginé par Leonardo Bruni. Mis à part quelques lettres à des amis intimes, Niccoli n'a pratiquement rien écrit. Comment l'aurait-il pu, compte tenu de son regard hyper-critique, de son classicisme étroit et sans concession ? Ses amis lui envoyaient leurs textes en latin, attendant avec angoisse ses corrections, la plupart du temps sévères, voire implacables. Mais Niccoli était encore plus dur envers lui-même.

Niccolò Niccoli était, pour reprendre les mots de Salutati, le « double » du Pogge [30]. Mais ce dernier ne souffrait pas des inhibitions qui avaient réduit son ami au silence. Au cours de sa longue carrière, le Pogge écrivit des livres sur des sujets très variés : l'hypocrisie, l'avarice, la véritable noblesse, l'opportunité pour un vieillard de se marier, les vicissitudes de la fortune, la misère de la condition humaine et l'histoire de Florence. « Il avait un grand talent pour les mots, écrivait à son propos son jeune contemporain, Vespasiano Da Bisticci. Il était prompt à lancer des injures, et tout le monde le craignait [31]. » Autant le Pogge, le maître de l'invective, refusait d'admettre qu'un auteur ait pu égaler, encore moins surpasser, l'éloquence des Anciens, autant il était prêt à reconnaître que Pétrarque avait accompli une œuvre : il était le premier qui « grâce à son travail, son assiduité et son attention rigoureuse, a ranimé des études presque tombées en désuétude et ouvert la voie à ceux qui n'étaient que trop avides de suivre [32] ».

C'était ce chemin qu'avait résolument emprunté Niccoli, quitte à négliger tout le reste. Le Pogge, quoique heureux de le rejoindre, était contraint de gagner sa vie. Son talent de copiste hors pair ne lui permettait pas de financer l'existence à laquelle il aspirait. Sa maîtrise du latin classique aurait pu lui ouvrir une carrière de professeur, mais celle-ci offrait peu des agréments qu'il recherchait. Les universités manquaient de locaux, de bibliothèques, de dotations ; elles étaient composées d'étudiants et de maîtres, et les humanistes étaient beaucoup moins bien payés que les professeurs de droit et de médecine. Ils avaient souvent des vies itinérantes, voyageant de ville en ville, donnant des conférences sur quelques auteurs choisis dans tel ou tel lieu avant de reprendre la route dans l'espoir de trouver de nouveaux protecteurs. Ce genre de vie ne tentait pas le Pogge. Il souhaitait un métier plus stable.

Il ne possédait pas la ferveur patriotique – cette passion pour la cité et la liberté républicaine – qui inspirait Salutati et dont avait hérité Bruni. Et il ne nourrissait pas non plus de vocation pour entrer dans les ordres, devenir prêtre ou moine. Il avait un esprit résolument laïque et des désirs appartenant à ce monde. À l'automne 1403, âgé de vingt-trois ans, pourvu d'une lettre de recommandation de Salutati, il se mit en route pour Rome.

Chapitre VI

L'OFFICINE DE MENSONGES

P OUR UN JEUNE PROVINCIAL AMBITIEUX comme le Pogge, l'attrait principal de Rome était la vie qui tourbillonnait autour du pape. Mais la ville avait d'autres atouts, de puissantes familles nobles – en particulier les Colonna et les Orsini – qui trouvaient toujours à employer un latiniste compétent, doté d'une écriture élégante. Par ailleurs, les évêques et les cardinaux résidant à Rome étaient entourés d'une petite cour, et l'aptitude d'un notaire à rédiger et écrire des documents juridiques était une qualité recherchée. Dès son arrivée, le Pogge trouva un emploi dans l'une de ces cours, celle du cardinal de Bari. C'était là une étape brève dans un parcours qui le mena plus haut, au service du pape – soit au palais (le *palatium*) soit à la cour (la *curia*). Moins d'un an s'était écoulé, et le très républicain Salutati avait tiré suffisamment de ficelles à la cour du pontife, Boniface IX, pour aider son brillant élève à obtenir ce qu'il convoitait, le poste de clerc apostolique.

La plupart des fonctionnaires de la papauté étaient originaires de Rome et des environs ; et beaucoup, comme le Pogge, avaient étudié le droit. Même si les secrétaires devaient assister à la messe tous les matins avant de se mettre au travail, ils occupaient un poste séculier : ils étaient surtout chargés des affaires temporelles de la papauté et devaient avoir l'esprit rationnel, le goût du calcul et des compétences administratives et juridiques. Le pape était (ou du moins se prétendait) alors le maître absolu d'une grande partie du centre de l'Italie, de la Romagne, au Nord, jusqu'aux territoires contrôlés par la république de Venise. Nombre de villes qu'il gouvernait étaient en proie à une agitation permanente ; les États voisins menaient une politique aussi agressive, perfide et cupide que celle du pape, et les puissances étrangères étaient toujours prêtes à faire une incursion armée dans la péninsule. Pour maintenir son pouvoir, le pape devait déployer de l'habileté diplomatique, avoir de l'argent et être implacable, d'où la nécessité d'entretenir un appareil d'État imposant.

Le pape exerçait aussi un pouvoir absolu sur un royaume bien plus vaste, un royaume spirituel qui s'étendait à toute l'espèce humaine, et prétendait inscrire sa destinée aussi bien dans ce monde que dans l'autre. Certains de ceux qu'il revendiquait comme ses sujets étaient surpris par cette présomption – tels les peuples du Nouveau Monde que le pape, à la fin du XVe siècle, partagea en grande pompe entre les rois d'Espagne et du Portugal. D'autres, tels les juifs ou les chrétiens orthodoxes d'Orient, résistaient obstinément. Mais la majorité des chrétiens d'Occident, même ceux qui vivaient dans des régions lointaines, qui ignoraient le latin des affaires ou qui avaient vent des défaillances morales qui entachaient son mandat, s'en remettaient à l'autorité du pape. Ils en appelaient à la papauté pour déterminer des points de doctrine jugés cruciaux pour le destin de l'âme. Le christianisme était une religion dogmatique, prête à faire respecter ces points par le feu et l'épée. Ils sollicitaient des dispenses papales – des exceptions aux règles du droit canon – dans des cas de mariage, de dissolution d'unions et mille autres interactions sociales délicates. Ils se disputaient certains postes et l'obtention de précieux bénéfices. Ils attendaient tout ce que l'on attend de la part d'un législateur, propriétaire terrien et maître spirituel immensément riche et puissant. Au début du XVe siècle, quand le Pogge prit ses marques à Rome, deux mille dossiers à traiter arrivaient chaque semaine à la cour papale.

Une pareille activité, excédant de beaucoup celle des chancelleries européennes, nécessitait du personnel qualifié : théologiens, juristes, notaires, clercs, secrétaires. Il fallait rédiger et remplir des pétitions en bonne et due forme, dresser des procès-verbaux, enregistrer les décisions, transcrire les ordres. Les bulles papales, c'est-à-dire les décrets, les lettres patentes et les chartes étaient copiées et cachetées. Des versions abrégées de ces bulles étaient préparées et distribuées. L'évêque de Rome disposait d'un personnel nombreux, seyant à son rang princier, d'un vaste entourage de courtisans, conseillers, clercs et serviteurs, seyant à sa position politique, d'une immense chancellerie, seyant à son pouvoir juridique, et d'une lourde administration religieuse, conformément à son autorité spirituelle.

Tel était le monde dans lequel le Pogge espérait prospérer. Un poste à la curie pouvait être un tremplin vers une carrière au sein de l'Église, même si les hommes qui visaient ce genre d'avancement entraient dans les ordres. Le Pogge n'ignorait pas que l'ordination était la voie royale menant à la richesse et au pouvoir. Rien ne l'empêchait de la suivre puisqu'il était célibataire. (Il avait peut-être déjà une maîtresse et des enfants illégitimes, mais cela ne constituait pas un obstacle.) Pourtant, il s'abstint de sauter le pas.

Il se connaissait suffisamment pour savoir qu'il n'avait pas de vocation religieuse [1]. « Je vous déclare, écrivit-il au cardinal de Saint-Ange, que je suis résolu de ne jamais embrasser l'état ecclésiastique ; j'ai vu une foule de gens, d'abord très estimables, et qui, après leur ordination, sont devenus avares, paresseux et débauchés. [...] Dans la crainte de subir la même métamorphose, je finirai mon pèlerinage sur la terre avec l'habit laïque [2]. » Le Pogge tournait ainsi le dos à une existence confortable et sûre dans un monde qui ne l'était pas, car le prix de cette sécurité lui paraissait trop élevé : « Je ne vois pas la prêtrise comme synonyme de liberté, contrairement à beaucoup, confia-t-il à son ami Niccoli, mais comme la pire des servitudes [3]. » La vie qu'il choisit à la place était sans doute très contraignante, celle d'un fonctionnaire laïque au service du pape –, mais pour le Pogge, le refus d'entrer dans les ordres était une initiative libératrice, une façon de préserver un peu d'indépendance.

Et d'indépendance d'esprit, il allait en avoir besoin. D'un point de vue moral, la curie romaine était connue pour être un endroit pernicieux [4], ce que résume un proverbe latin de l'époque : *Curialis bonus, homo sceleratissimus* (« Habile homme de curie, fieffé scélérat »). Un ouvrage étonnant, écrit à la fin des années 1430, quand le Pogge était au cœur de la curie, décrit l'atmosphère qui y régnait. Intitulé *De curiæ commodis (Des avantages de la cour)*, il est signé par un jeune humaniste florentin, Lapo Da Castiglionchio. Il s'agit d'un dialogue, à la manière de Cicéron, une forme très prisée par les auteurs qui voulaient exposer des points de vue controversés, voire dangereux, sans en assumer pleinement la responsabilité. Au début de cette conversation imaginaire, un personnage nommé Angelo – non pas Lapo lui-même, Dieu l'en préserve ! – dénonce avec virulence la faillite morale de la curie, où « le crime, l'amoralité, l'imposture et la tromperie se parent du nom de vertu et sont tenus en haute estime ». Et il qualifie de grotesque l'idée que ce foyer d'hypocrisie revendique sa foi religieuse : « Qu'y a-t-il de plus étranger à la religion que la curie[5] ? »

L'auteur, affirmant cette fois parler en son propre nom, prend la défense de la cour papale. Ce lieu attire des foules de solliciteurs, admet-il, mais Dieu ne souhaite-t-il pas être adoré par la multitude ? Il doit donc être particulièrement satisfait par les magnifiques témoignages du culte organisé en Son honneur par les prêtres richement vêtus. Pour les simples mortels, la curie est le meilleur moyen d'acquérir la vertu de prudence, puisqu'on y trouve des gens venus du monde entier. Le simple fait d'observer la grande variété des costumes et des accents exotiques, les différentes manières de porter la barbe, est une leçon utile sur les coutumes humaines. La cour est aussi le meilleur endroit où étudier les humanités. Après tout, écrit Lapo, « le secrétaire particulier du pape [un personnage très influent] est le Pogge de Florence, chez qui l'on trouvera non seulement la plus grande érudition et la plus grande éloquence, mais aussi un sérieux exemplaire, relevé de beaucoup d'esprit et d'urbanité[6]. »

Il est certes regrettable, concède-t-il, que le chantage et la corruption règnent à la curie, mais ces problèmes ne sont le fait que d'un petit groupe de misérables voleurs et dépravés qui ont jeté le discrédit sur cette institution. Il faut espérer qu'un jour le pape prenne la mesure du scandale et trie le bon grain de l'ivraie. Quoi qu'il en soit, l'intention est plus importante que le résultat.

Convaincu par ces arguments, le personnage d'Angelo s'enthousiasme pour l'habileté des juristes de la curie, leur connaissance des faiblesses et des petits secrets des hommes, leur capacité à saisir toutes les occasions de gagner de l'argent. Car le moindre bout de papier portant le sceau papal peut rapporter une somme considérable. La curie est une mine d'or. Nul besoin de feindre d'imiter la pauvreté du Christ : cette attitude était nécessaire au début du christianisme, quand on ne pouvait se permettre d'être accusé d'acheter la foi des gens. Les temps avaient changé, et les richesses, si importantes pour toute entreprise, devaient être accessibles à qui pouvait les acquérir. Les prêtres avaient le droit d'amasser toute la fortune qu'ils voulaient : seule importait la pauvreté d'esprit. Attendre des prélats qu'ils soient pauvres, et non les hommes immensément riches qu'ils sont, relevait d'une certaine « stupidité [7] ».

Ainsi se poursuit le dialogue, sur un ton pince-sans-rire et faussement émerveillé. La curie, s'accordent à dire les amis d'Angelo, est un endroit formidable pour l'étude sérieuse, mais aussi pour des divertissements plus légers comme le jeu, l'équitation ou la chasse. Imaginez seulement les dîners à la cour papale – les délicieux ragots, les mets somptueux et le vin fin servis par de jeunes et beaux garçons imberbes. Pour ceux dont les goûts ne les portent pas vers Ganymède, il y a toujours les abondants plaisirs de Vénus. Car les maîtresses, femmes adultères et courtisanes en tout genre, occupent une place centrale à la curie, comme de juste, puisque les délices qu'elles offrent comptent pour beaucoup dans le bonheur humain : chansons paillardes, seins dénudés, baisers, caresses et petits chiens d'agrément dressés à vous lécher l'aine pour exciter votre désir – le tout à des prix fort raisonnables.

Cet éloge de comportements dévoyés et de la quête effrénée de la richesse relève évidemment de la satire. Mais

De curiæ commodis est une satire très particulière, et pas seulement parce que certains contemporains se sont laissé duper par l'apologie extravagante de ce que le lecteur devait mépriser[8]. Au moment où il écrivit ce dialogue, Lapo cherchait à obtenir un poste à la curie. Il est donc possible que cette ambition lui ait inspiré des sentiments mitigés : on dénigre souvent les institutions où l'on s'efforce d'entrer. Mais son inventaire des vices de la curie est peut-être davantage que le signe de cette ambivalence.

Il existe un passage où Lapo loue les commérages, les histoires scabreuses, les plaisanteries et les mensonges qui caractérisent la conversation des clercs et des secrétaires apostoliques. Peu importe, dit-il, que les choses rapportées soient vraies ou fausses. Toutes sont amusantes et, à leur manière, instructives :

> Personne n'est épargné, qu'il soit présent ou absent, et tout le monde est attaqué de la même manière, pour le plus grand amusement de tous. Les dîners, la vie dans les tavernes, la flatterie, le vol, la subornation, l'adultère, la perversion sexuelle et les actes honteux sont révélés publiquement. Tout cela ne procure pas seulement du plaisir, c'est aussi d'une grande utilité puisque la vie et le caractère de chacun sont placés en pleine lumière[9].

L'ironie est évidente, qui permet à Lapo de prouver qu'il est apte à participer aux conversations qu'il critique. C'est une façon de se présenter aux membres de la curie, et surtout au « Pogge de Florence ».

Nous sommes dans les années 1430. Lapo entre en scène alors que le Pogge est déjà secrétaire de la papauté. La cour papale comptait alors une centaine de clercs, dont six secrétaires apostoliques. Ces derniers avaient un contact direct avec le souverain pontife et jouissaient d'une influence supérieure. Une suggestion prudente, un mot opportunément glissé pouvaient faire la différence dans le dénouement d'une affaire importante ou l'attribution d'un bénéfice. Parmi les secrétaires, l'un était le *secretarius domesticus* ou *secretus*, c'est-à-dire le secrétaire particulier du pape. Une position convoitée que le Pogge – dont le père avait fui Arezzo devant ses créanciers – avait conquise après des années de manœuvres.

Mais pourquoi Lapo pensait-il s'insinuer dans les bonnes grâces du Pogge en peignant avec une ironie à peine voilée l'institution corrompue qu'il espérait rejoindre ? Parce que dès les années 1430, et probablement depuis bien longtemps, le Pogge occupait le centre de ce qu'il appelait le « Bugiale », l'officine de mensonges. C'était une salle de la cour papale où les secrétaires se réunissaient pour échanger des histoires et des plaisanteries. « On n'épargnait personne, écrit le Pogge, nous disions du mal de tout ce qui nous déplaisait, en commençant souvent par le souverain pontife lui-même [10]. » Les conversations y étaient superficielles, mensongères, sournoises, calomnieuses, souvent obscènes, oubliées sitôt prononcées. Sauf que le Pogge retenait tout. Il retournait à son bureau et, dans son plus beau latin, consignait les discussions échangées dans ce qu'il intitulera ses *Facetiæ*.

Les plaisanteries vieilles de plusieurs siècles conservent rarement leur piquant. Le fait que les traits d'humour de Shakespeare, de Rabelais ou de Cervantès continuent de nous faire sourire relève du miracle. Six cents ans après leur rédaction, les *Facéties* du Pogge nous intéressent donc avant tout en tant que symptômes, tels les restes d'insectes morts depuis longtemps, des reliques qui témoignent de ce qui bourdonnait dans l'air du Vatican. Certaines blagues ont trait à des récriminations d'ordre professionnel : le maître se plaint de trouver des fautes dans un document et exige des corrections, mais si on le lui rapporte à l'identique, en prétendant l'avoir corrigé, il y jette un simple coup d'œil et déclare : « Cette lettre va très bien, mets mon sceau et envoie-la [11]... » D'autres blagues, racontées sur un ton mi-sceptique, mi-crédule, évoquent des miracles populaires et des prodiges de la nature. D'autres encore raillent la politique de l'Église ; ainsi lorsque le Pogge compare le pape, qui oublie opportunément sa promesse de mettre un terme au schisme, à un charlatan de Bologne ayant annoncé qu'il allait voler : « Enfin au crépuscule le saltimbanque, ne voulant pas qu'on pût dire qu'il n'avait rien fait, tourna le dos aux spectateurs et leur présenta son cul [12]. »

La plupart des histoires relatées dans les *Facéties* ont une dimension sexuelle. Racontées par des hommes, elles mêlent misogynie et mépris de l'initié pour les rustres, avec à l'occasion une note anticléricale. Comme l'histoire de cette femme qui avoue à son mari qu'elle a deux cons *(duoas cunnos)*, l'un devant qu'elle veut bien partager avec lui, l'autre derrière qu'elle veut offrir, pieuse comme elle est, à l'Église ; l'arrangement fonctionne parce que le prêtre de la paroisse n'est intéressé que par le côté qui revient à l'Église. Ou encore, le prêtre ignorant qui, dans un sermon sur la lubricité *(luxuria)*, décrit les méthodes des couples cherchant à augmenter leur plaisir sexuel ; les membres de la congrégation prennent bonne note de ses suggestions et rentrent chez eux pour les mettre en pratique. Et les prêtres imbéciles qui, étonnés qu'à confesse presque toutes les femmes affirment être fidèles alors que presque tous les hommes avouent des liaisons extraconjugales, ne parviennent pas à comprendre qui sont les femmes avec lesquelles les hommes ont péché. On croise également des moines séducteurs et des ermites lubriques, des marchands florentins flairant le profit, des maladies féminines guéries grâce à des rapports sexuels, des filous, des prédicateurs braillards, des épouses volages et des maris stupides. Un humaniste, nommé Francesco Filelfo (François Philelphe), rêve qu'il enfile une bague magique qui empêchera sa femme de lui être infidèle et se réveille pour découvrir qu'il a le doigt dans son vagin. Un charlatan se vante de pouvoir produire différents types d'enfant – des marchands, des soldats, des généraux – selon la profondeur de sa pénétration. Un pauvre quidam, ayant négocié le prix d'un soldat, offre sa femme au marchand malhonnête, puis, se croyant très malin, sort de sa cachette et frappe le derrière du coquin pour qu'il la pénètre plus profondément. *Per Sancta Dei Evangelia !* s'écrit-il triomphalement, *hic erit Papa !* (« Par les saints Évangiles de Dieu, celui-là sera pape [13] ! »)

Les *Facéties* eurent un succès considérable. Si l'ouvrage, le plus célèbre recueil de farces de son temps, reflète l'atmosphère de la cour papale, on comprend donc que Lapo ait tenté d'attirer l'attention du secrétaire apostolique en affichant un mélange d'indignation morale et de cynisme. Hélas ! quelques mois après avoir rédigé son *De curiæ commodis*, Lapo mourut de la peste à l'âge de trente-trois ans.

Au XVIe siècle, la hiérarchie catholique, inquiète du succès de la Réforme protestante, essaiera de purger ses rangs de ce courant d'humour subversif. Les *Facéties* du Pogge figurent sur une liste de livres que l'Église voulait brûler, à côté des œuvres de Boccace, d'Érasme et de Machiavel [14]. Mais dans le monde du Pogge, il était permis, voire à la mode, de révéler ce qui était largement connu. Le Pogge put ainsi écrire, à propos de l'institution à laquelle il avait consacré la plus grande partie de sa vie professionnelle : « Il y a très rarement place pour la vertu et le talent. L'intrigue et l'intérêt du moment dirigent tout, à moins que ce ne soit l'argent qui est là, vraiment, le maître du monde [15]. »

Les clercs et les secrétaires du pape, jeunes intellectuels ambitieux qui vivaient de leur intelligence, étaient persuadés qu'ils étaient plus forts, plus subtils et plus dignes d'avancement que les prélats trop bien nourris qu'ils servaient. Ils péchaient souvent par le ressentiment. « Il nous arrivait de nous plaindre [...], avouait le Pogge, de l'insuffisance des hommes qui occupent dans l'Église les premières dignités ; on laisse de côté les gens pleins de savoir et de sagesse et on élève des ignorants, des individus sans la moindre valeur [16]. »

La curie vivait de coups de griffes, de compétition et de médisance (on se souvient des remarques sarcastiques sur les origines familiales du Pogge). Les « plaisanteries » lancées par ce dernier à propos de son ennemi, l'humaniste Philelphe, sont dans la même veine :

> À la réunion des secrétaires du pape, au palais apostolique, il y avait comme d'habitude beaucoup de doctes personnages, et la conversation tomba sur la vie impure et dévergondée de ce scélérat de François Philelphe. Comme on l'accusait de tous les crimes, quelqu'un demanda s'il était d'origine noble. Un de ses compatriotes, un homme charmant qui aime plaisanter, dit avec un air grave : « Certainement, et sa noblesse est même des plus illustres, car son père mettait chaque matin des vêtements de soie. »

Pour s'assurer que ses lecteurs avaient bien saisi la blague, le Pogge ajoutait une remarque explicative (qui fait toujours l'effet d'un pétard mouillé) : « Il voulait dire par là qu'il était fils de prêtre, parce que les prêtres portent généralement des vêtements de soie quand ils officient [17]. »

Avec le recul du temps, ces querelles paraissent puériles. Pourtant, il s'agissait d'adultes qui frappaient fort, et dont les coups n'étaient pas que rhétoriques. En 1452, le Pogge se disputa ainsi avec un autre secrétaire du pape, l'humaniste Georges de Trébizonde, dont le mauvais caractère était notoire, sur la question de savoir qui méritait le plus d'éloges pour diverses traductions de textes antiques. Le Pogge traita tout haut son rival de menteur, et Georges répondit en lui assenant un coup de poing. Puis le Pogge, soixante-douze ans, saisit d'une main la joue et la bouche de Georges, cinquante-sept ans, tout en essayant, de l'autre main, de lui arracher un œil. Une fois la bagarre terminée, dans une note furieuse à l'intention du Pogge, Georges se félicita pour la retenue exemplaire dont il avait fait preuve : « J'eusse été en droit de mordre les doigts que vous aviez fourrés dans ma bouche ; je ne le fis pas. Puisque j'étais assis et vous debout, j'envisageai d'écraser vos testicules à deux mains ; je ne le fis pas [18]. » L'épisode, qui avait tout d'une farce grotesque, digne des *Facéties*, eut des conséquences tangibles : le Pogge profita de ses relations plus influentes et de ses manières plus affables pour faire renvoyer Trébizonde de la curie. Le premier termina ses jours couvert d'honneurs ; le second mourut dans l'anonymat, pauvre et amer.

Dans un célèbre livre anglais du XIXe siècle consacré à la « renaissance du savoir », le critique John Addington Symonds décrira ces combats de gladiateurs entre savants humanistes, suggérant qu'on pourrait « y voir la preuve de leur enthousiasme pour leurs études [19] ». Soit. Il est vrai que les conflits avaient trait à des questions de grammaire latine, de diction et de traduction. Mais la violence et l'outrance de leurs accusations trahissent quelque chose de profondément pourri dans la vie personnelle de ces hommes de culture. Au cours d'une dispute concernant le style latin, le Pogge accusa par exemple le jeune humaniste

Lorenzo Valla d'hérésie, de vol, de mensonge, de falsification, de lâcheté, d'alcoolisme, de perversion sexuelle et de vanité.

Lapo Da Castiglionchio semble avoir parfaitement compris et analysé les maux qui affectaient la curie. Le problème ne venait pas de quelques personnalités difficiles : il était structurel. Pour répondre à ses besoins, la cour papale avait donné naissance à une classe d'intellectuels ironiques et sans racines. Désireux de satisfaire leurs maîtres, dont le patronage leur était indispensable, ces hommes étaient cyniques et malheureux. Comment le cynisme rampant, l'avarice, l'hypocrisie, la nécessité de rechercher les faveurs de satrapes pervers prêchant la moralité, les rivalités permanentes pour assurer sa position à la cour d'un monarque au pouvoir absolu n'auraient-ils pas eu raison de ce qu'il y avait d'honnêteté et d'espoir chez quiconque respirait cet air un certain temps ? Que pouvaient faire ces hommes minés par le ressentiment, hormis tenter d'assassiner, verbalement voire concrètement, quelqu'un ?

Pour lutter contre cette affection, à laquelle il succomba vite et dont il ne guérit jamais complètement, le Pogge prit le parti du rire – le rire caustique et obscène des *Facetiæ*. Ce réconfort, pourtant, ne devait pas suffire. Car il écrivit aussi une série de dialogues (sur l'avarice, contre l'hypocrisie, sur les vicissitudes de la fortune, sur le malheur de la destinée humaine ou celui des princes, notamment), dans lesquels il adopta la posture du moraliste. Il existe des liens évidents entre ses facéties et ses essais sur la morale, mais ces derniers permirent à leur auteur d'explorer des questions qu'il effleurait dans ses récits comiques.

Son essai, intitulé *Contra hypocritas (Contre les hypocrites)*, par exemple, contient des histoires de religieux séducteurs, mais celles-ci ne forment qu'une partie d'une

165

analyse beaucoup plus large et plus sérieuse du dilemme suivant : pourquoi les hommes d'Église, et tout particulièrement les moines, ont-ils une tendance prononcée à l'hypocrisie ? Existe-t-il un lien, demande le Pogge, entre la vocation religieuse et la duplicité ? Si la réponse est à chercher, en partie, du côté de la sexualité, celle-ci n'explique pas à elle seule la proportion d'hypocrites à la curie, où vivent des moines connus pour leur piété évidente et leur pâleur ascétique, recherchant avec frénésie les bénéfices, les dispenses, les faveurs, les privilèges et les positions de pouvoir. Elle n'explique pas non plus le nombre encore plus grand d'hypocrites en soutane à l'extérieur de la curie : prêcheurs charismatiques s'enrichissant, en menaçant les fidèles de damnation et des feux de l'enfer ; pères de l'observance affirmant respecter l'ordre de Saint-François, mais suivant une morale de bandits ; frères mendiants avec une petite bourse, les cheveux longs et la barbe, prétendant vivre dans une sainte pauvreté ; confesseurs qui fourrent leur nez dans la vie privée des hommes et des femmes. Pourquoi tous ces modèles de religiosité ne s'enferment-ils pas dans leur cellule pour se consacrer au jeûne et à la prière ? Parce que leur étalage de piété, d'humilité et de mépris du monde d'ici-bas masque l'avarice, la paresse et l'ambition. Certes, reconnaît l'un des personnages, il existe des moines bons et sincères, mais ils sont très rares, et même eux finissent par sombrer dans une corruption presque indissociable de leur vocation.

« Poggio », qui participe au dialogue, soutient que l'hypocrisie vaut mieux que la violence ouverte, mais son ami, l'abbé Aliotti, affirme le contraire. Car tout le monde perçoit l'abomination d'un violeur ou d'un meurtrier passé aux aveux, mais comment se prémunir contre un fourbe ? Comment, dès lors, reconnaître les hypocrites ? Après tout, s'ils ont l'art de la dissimulation, il est compliqué de distinguer les imposteurs des vrais saints. Le dialogue dresse la liste des signes révélateurs. Il faut se méfier de quiconque

- affiche une vie trop pure ;
- marche pieds nus dans les rues, le visage sale et la robe élimée ;
- affiche en public le mépris de l'argent ;
- a toujours aux lèvres le nom de Jésus-Christ ;
- veut être appelé « bon », sans rien faire qui le soit particulièrement ;
- attire à lui les femmes pour satisfaire ses désirs ;
- court ici et là, hors de son monastère, en cherchant les honneurs et la gloire ;
- observe le jeûne et d'autres pratiques ascétiques de manière ostensible ;
- incite les autres à lui obtenir des biens ;
- refuse de reconnaître ce qu'on lui a donné en toute confiance ou de le rendre [20].

Contra hypocritas n'est pas une œuvre écrite par un polémiste partisan de la Réforme dans le sillage de Martin Luther. Elle fut rédigée un siècle plus tôt, par un fonctionnaire de la papauté vivant et travaillant au cœur de la hiérarchie catholique romaine. Elle prouve que l'Église, tout en étant capable de répondre violemment à ce qu'elle percevait comme des menaces doctrinales ou institutionnelles, et en n'hésitant pas à faire, tolérait des critiques très dures quand elles étaient formulées en son sein, y compris par des laïcs comme le Pogge. Elle montre aussi que les humanistes de la curie pouvaient exprimer leur colère et leur dépit autrement que par les plaisanteries obscènes ou les querelles.

Dans cet esprit-là, l'œuvre la plus importante et la plus influente est celle de Lorenzo Valla, ennemi personnel du Pogge. Valla utilisa sa maîtrise de la philologie latine pour démontrer que la « donation de Constantin », l'acte par lequel l'empereur romain aurait donné l'empire d'Occident au pape, était un faux. En publiant son enquête, Valla courait un risque considérable. Heureusement, l'Église se montra tolérante et le pape humaniste Nicolas V finit par nommer Valla au poste de secrétaire apostolique, de sorte que cet esprit indépendant fut, tout comme le Pogge, employé à la curie qu'il avait si impitoyablement dénoncée et ridiculisée.

Le Pogge n'était ni aussi radical ni aussi original que Valla. Certes, un des personnages de *Contra hypocritas* avance brièvement un argument qui aurait pu devenir tendancieux, puisqu'il compare les prétentions de sainteté de l'Église au recours frauduleux à l'oracle de la religion païenne cherchant à manipuler le peuple. Mais le lien subversif – que Machiavel allait exploiter de manière explosive au siècle suivant en développant une analyse désenchantée de l'instrumentalisation des croyances religieuses à des fins politiques – n'est jamais clairement établi. L'ouvrage du Pogge s'achève sur le simple rêve de dépouiller les hypocrites de leurs vêtements protecteurs. Pour pénétrer dans le royaume de l'au-delà, dit-on, les morts doivent passer des portails de différents diamètres. Ceux dont le gardien sait qu'ils ont été bons ou mauvais passent par une large porte ; ceux dont on ne sait pas bien s'ils sont honnêtes ou hypocrites passent par des portes plus étroites. Les gens honnêtes les franchissent presque sans égratignures ; les hypocrites ont la peau lacérée.

Le fantasme de la lacération permet au Pogge de concilier son agressivité et son pessimisme : les hypocrites seront démasqués et punis, mais c'est après la mort qu'il sera possible de révéler leur vraie nature. La colère de l'auteur transparaît sous la surface de son rire, et son désespoir n'est jamais loin : désespoir face à l'impossibilité de réprimer les abus, à la perte de tout ce qui est précieux, à la misère de la condition humaine.

Comme la plupart de ses collègues, le Pogge était un épistolier infatigable que ses lettres montrent en train de se débattre contre le cynisme, le dégoût et l'ennui qui semblaient affecter l'entourage papal. Les monastères, écrit-il à un ami, ne sont pas « des congrégations de fidèles ou des lieux pour les hommes religieux, mais des ateliers de criminels » ; la curie est un « foyer de vices [21] ». Partout à Rome, on détruisait les temples antiques. En une génération ou deux, la plupart des vestiges du passé, plus précieux que le misérable présent, auraient disparu. Le Pogge avait l'impression de gâcher sa vie et cherchait une échappatoire : « Je dois tout tenter, afin d'accomplir quelque chose, et je dois donc cesser d'être le serviteur des hommes pour me consacrer à la littérature [22]. »

Même s'il rêve de changer de vie – « d'abandonner toutes les affaires matérielles, toutes les responsabilités creuses, les ennuis et les projets quotidiens, pour trouver refuge dans le havre de la pauvreté, qui représente la liberté, le véritable calme et la sécurité [23] » –, il reconnaît que cette voie lui est fermée. « Je ne sais pas ce que je pourrais faire en dehors de la curie, écrit-il à Niccoli, sinon enseigner à de jeunes garçons ou travailler pour quelque maître, ou plutôt quelque tyran. Si je devais faire l'une ou l'autre chose, je pense que ce serait un véritable supplice. Car si, comme tu le sais, toute servitude est chose bien morne, c'est encore pire d'être au service des désirs d'un mauvais homme. Quant à enseigner dans une école, que j'en sois épargné ! Car mieux vaut encore être soumis à un seul homme qu'à plusieurs [24]. » Aussi restera-t-il à la curie, avec l'espoir de gagner suffisamment d'argent pour prendre une retraite précoce : « Ma seule ambition : m'offrir, grâce au dur labeur de quelques années, du temps libre pour le reste de ma vie [25]. » En fait de « quelques années », il travaillera cinquante ans.

Osciller entre le rêve, les atermoiements et les compromis est le propre de quiconque a le sentiment de rater sa vie. Mais le Pogge ne tomba pas dans ce schéma même s'il avait toutes les raisons de le faire. Il vivait dans un univers miné par la corruption et la cupidité, en proie aux complots, aux émeutes, aux guerres et aux épidémies de peste. Même la curie n'offrait pas de vraie stabilité ; le pape et sa cour étaient régulièrement obligés de fuir Rome. Le Pogge devait également supporter, comme tous ses contemporains, la présence constante de la douleur – les remèdes médicaux étaient rares – et la menace de la mort. Il aurait pu se protéger en se laissant aller au cynisme, qu'il aurait compensé par des rêves de fuite inassouvis.

Une chose le sauva : sa bibliophilie.

Apprenant la mort de son mentor, Salutati, en 1406, le Pogge fut très affecté. Le grand homme avait pris sous son aile tous les jeunes gens chez qui il avait discerné « une lueur d'intelligence [26] ». Il les avait aidés en partageant son savoir avec eux, en leur donnant des conseils, des lettres de recommandation, de l'argent et, surtout, en leur donnant librement accès à ses livres. « Nous avons perdu un père, écrivit le Pogge. Nous avons perdu le havre et le refuge de tous les savants, la lumière de notre nation. » À Niccoli, il ajoutait : « Transmets ma sympathie à ses fils, et dis-leur que je suis submergé de douleur. Une autre chose qu'il me faut te demander : qu'adviendra-t-il de ses livres, d'après toi ? »

Plus tard, en juillet 1449, le Pogge écrira à Niccoli : « J'ai été bouleversé et terrifié par la mort de Bartolomé de Montepulciano [27] » ; ce dernier, on s'en souvient, était l'ami proche avec qui il avait exploré les bibliothèques monastiques de Suisse. Peu après, il évoque les découvertes qu'il vient de faire à l'abbaye du Mont-Cassin : « J'ai trouvé un livre contenant *De aquæductu urbis* de Frontin [28]. » Une autre, écrite une semaine plus tard, fait part d'une nouvelle découverte. Le Pogge mentionne deux manuscrits anciens qu'il a copiés et qu'il souhaite « faire relier [29] ». Puis il ajoute : « Je n'ai pas pu t'écrire cela de la Cité, en raison du chagrin que m'a causé la mort de mon très cher ami et de la confusion dans laquelle se trouve mon esprit, en partie par peur et en partie à cause du départ soudain du pape. J'ai dû quitter ma maison et régler toutes mes affaires ; il a fallu faire beaucoup de choses sur-le-champ, de sorte que le temps manquait pour écrire ou même pour reprendre mon souffle. Et la souffrance rend tout plus difficile. Mais revenons aux livres. »

« Revenons aux livres… » La bibliophilie était vraiment son échappatoire, sa façon de fuir la peur, la déception et la douleur. « Mon pays n'a pas encore guéri de la peste qui l'a troublé il y a cinq ans, écrit-il en septembre 1430. Une fois encore, il semble qu'il va subir une hécatombe aussi violente [30]. » Un peu plus tard : « Mais retournons à nos affaires : je comprends ce que tu dis à propos de la bibliothèque. » Quand ce n'est pas la peste qui menace, c'est la guerre : « Tout homme attend sa dernière heure ; même les villes sont condamnées à leur sort. » Puis le leitmotiv revient : « Passons notre temps de loisir avec nos livres, qui écarteront nos esprits de ces troubles et nous apprendrons à mépriser ce que tant de gens désirent [31]. » Car au Nord, les puissants Visconti de Milan étaient en train de lever une armée, tandis que les mercenaires florentins assiégeaient la ville de Lucques. Alphonse II de Naples entretenait des troubles, et l'empereur Sigismond soumettait le pape à une pression insupportable. « J'ai déjà décidé ce que je ferais si les choses tournaient comme beaucoup le craignent : c'est-à-dire que je me consacrerai à la littérature grecque [32]... »

La passion pour les livres était la clé de la liberté. « Ton Pogge, écrivait-il, se contente de peu, et tu le verras par toi-même ; parfois, je suis libre de lire, libéré de tous les soucis des affaires publiques, que je laisse à mes supérieurs. Je vis libre autant que possible [33]. » L'auteur ne parle pas de liberté politique, de droits, de la possibilité de dire ce qu'il veut ou d'aller où il veut. La liberté qu'il évoque consiste à s'abstraire mentalement du chaos du monde – dans lequel il était pourtant activement engagé – pour s'enfermer dans un espace à part : « Je suis libre de lire. »

LE POGGE SAVOURAIT CE SENTIMENT DE LIBERTÉ quand le désordre politique habituel de l'Italie s'aggravait, quand la cour papale était en pleine agitation, quand ses ambitions personnelles étaient contrecarrées ou, au contraire, quand elles étaient satisfaites. Il dut en mesurer largement le prix quand, peu après 1410 [34], il accepta le poste le plus prestigieux et le plus dangereux de sa carrière : celui de secrétaire apostolique du sinistre, du sournois et impitoyable Baldassare Cossa, qui avait été élu pape.

Chapitre VII

LA FOSSE À RENARDS

L E POSTE DE SECRÉTAIRE APOSTOLIQUE était le plus convoité de la curie : parti de rien et ayant à peine dépassé la trentaine, le Pogge avait su exploiter ses compétences pour arriver au sommet. Mais le sommet, à cette époque-là, était un antre effarant de manœuvres diplomatiques, de transactions commerciales complexes, de rumeurs d'invasion, de chasse aux hérétiques, de menaces, de feintes et de double jeu, car Baldassare Cossa – qui se faisait appeler Jean XXIII – était le roi de l'intrigue. Le rôle du Pogge était de contrôler l'accès au pontife, enregistrer et transmettre les informations clés, prendre des notes, formuler plus clairement des politiques à peine esquissées, rédiger des lettres en latin destinées aux princes et aux potentats. Il était forcément au courant des secrets et de la stratégie de son maître, pour pouvoir traiter avec les deux prétendants rivaux au trône papal [1], avec l'empereur du Saint Empire romain déterminé à mettre un terme au schisme, avec les hérétiques de Bohême, et avec les puissances voisines prêtes à s'emparer des territoires de l'Église. La charge de travail qui s'accumulait sur le bureau du secrétaire apostolique était considérable.

C'est pourtant durant ces années-là que le Pogge copia de sa belle écriture les trois volumes du *Traité des lois (De legibus)* de Cicéron, ainsi que son *Lucullus*. (Le manuscrit se trouve à la Bibliothèque vaticane : Cod. Vatican. lat. 3245.) Il parvenait donc à se ménager des moments de liberté. Cette liberté – une plongée dans le passé antique – semble avoir accentué sa désaffection pour le présent. Contrairement à ses contemporains, pourtant, il n'idéalisait pas l'histoire de la Rome antique : cette histoire-là aussi avait eu son comptant de folie et de cruauté. Il n'en reste pas moins que la ville dans laquelle il vivait n'était que l'ombre pitoyable de sa gloire passée.

La population romaine, qui ne représentait plus qu'une petite fraction de ce qu'elle avait été, habitait sur des sites très distincts : une partie sur le Capitole, où se dressait autrefois l'imposant temple de Jupiter, une autre près du Latran dont le vieux palais impérial avait été offert par Constantin à l'évêque de Rome, et une troisième autour de la basilique Saint-Pierre, construite au IVe siècle, alors en décrépitude. Entre ces sites s'étendaient des terres en friche émaillées de ruines et de masures, des champs couverts de gravats et des tombeaux de martyrs[2]. Des moutons paissaient dans le Forum. Des brutes armées, dont certaines étaient au service de grandes familles alors que d'autres agissaient pour leur propre compte, rôdaient dans les rues sombres, tandis que des bandits vagabondaient hors les murs. Il n'y avait pratiquement pas d'industrie, très peu de commerce, nulle classe prospère d'artisans qualifiés ou de bourgeois, pas de conscience civique et aucune perspective de liberté civile. L'une des seules activités un peu organisées consistait à récupérer les attaches métalliques des structures d'anciens bâtiments et les plaques de marbre afin de les réutiliser dans les églises et les palais.

Bien que la plupart des écrits du Pogge aient été rédigés plus tard dans sa carrière, rien n'indique qu'il ait ressenti autre chose qu'une espèce de vague à l'âme face à ce monde. Sa brillante ascension au cours du pontificat de Jean XXIII lui procura sans nul doute du plaisir, mais elle le noya dans cet univers, ce qui augmenta sa mélancolie et son rêve d'évasion. Comme Pétrarque avant lui, le Pogge était sensible à l'archéologie, si bien qu'à ses yeux les espaces déserts et le chaos de sa Rome étaient hantés par le passé. « La colline du Capitole sur laquelle nous sommes assis, écrit-il, était jadis la tête de l'Empire romain, la citadelle du monde et la terreur des rois, honorée par les traces de tant de triomphateurs, enrichie des dépouilles et des tributs d'un si grand nombre de nations. » En revanche, « ce spectacle qui attirait les regards du monde, combien il est déchu ! combien il est changé ! combien il s'est effacé ! Des vignes embarrassent le chemin des vainqueurs ; la fange souille l'emplacement qu'occupaient les bancs des sénateurs [...]. Le Forum, où le peuple romain faisait ses lois et nommait ses magistrats, contient aujourd'hui des enclos destinés à la culture des légumes, ou des espaces que parcourent les buffles et les pourceaux [3]. »

En compagnie de ses amis humanistes, le Pogge pouvait se représenter l'endroit tel qu'il avait été un jour : « Jetez les yeux sur le mont Palatin et parmi ses énormes et uniformes débris, cherchez le théâtre de marbre, les obélisques, les statues colossales, les portiques du palais de Néron [4]. » C'était pourtant à ce misérable présent qu'après ces brèves excursions imaginaires dans l'Antiquité le fonctionnaire papal devait retourner. Or le règne de Jean XXIII fut un règne particulièrement trouble. De dix ans l'aîné de son secrétaire apostolique, Baldassare Cossa était né sur la petite île volcanique de Procida, près de Naples. Sa famille, aristocratique, considérait l'île comme sa propriété privée. Les criques secrètes et la forteresse de l'île, bien défendue, étaient parfaitement adaptées à la principale occupation de la famille : la piraterie. C'était une activité dangereuse : deux de ses frères finirent par être capturés et condamnés à mort, mais après moult interventions, leur sentence fut commuée en peine de prison. Les ennemis du pape diront que le jeune Cossa participait aux affaires de la famille : c'est ainsi qu'il aurait pris l'habitude de rester éveillé la nuit et construit les grandes lignes de sa vision du monde.

Procida était un espace beaucoup trop étroit pour un homme comme Baldassare. Énergique et rusé, il s'intéressa très tôt à des formes plus élaborées de piraterie. Il étudia la jurisprudence à l'université de Bologne – en Italie, le droit, plus que la théologie, était la meilleure formation pour faire carrière dans l'Église –, où il obtint un doctorat en droit civil et en droit canon. Le jour de la cérémonie de remise de diplôme, une fête durant laquelle le candidat reçu était porté en triomphe à travers la ville, on lui demanda quelle était son ambition. Il répondit : « Être pape [5]. »

Comme le Pogge, Baldassare Cossa commença sa carrière à la cour de son compatriote napolitain Boniface IX, dont il fut le chambrier. À ce titre, il participa à la vente des postes ecclésiastiques et au marché florissant des indulgences. Il joua aussi un rôle dans l'organisation du jubilé, très rentable : les pèlerins qui visitaient les principales églises de Rome recevaient une indulgence plénière, c'est-à-dire une rémission des feux du purgatoire. D'immenses foules envahissaient alors les auberges de la ville, les tavernes et les bordels, encombraient les ponts étroits, priaient dans les lieux saints, allumaient des chandelles, s'ébaudissaient devant les images et les statues pourvoyeuses de miracles, puis rentraient chez elles chargées de talismans et autres souvenirs.

À l'origine, le jubilé devait avoir lieu une fois tous les cent ans, mais la demande était si forte et les profits qui en résultaient si considérables que l'intervalle avait été réduit à cinquante ans, puis à trente-cinq, et enfin à vingt-cinq. En 1400, peu de temps avant l'entrée en scène du Pogge, le nombre de pèlerins attirés à Rome par la naissance du nouveau siècle incita le pape à octroyer une indulgence plénière, alors que le dernier jubilé remontait à dix ans à peine. Pour augmenter ses profits, l'Église proposait une variété d'offres qui reflètent l'intelligence pratique de Cossa. Ainsi, les fidèles qui souhaitaient obtenir les bénéfices spirituels du pèlerinage à Rome (l'exemption de milliers d'années de tourments au purgatoire), mais voulaient éviter d'avoir à traverser les Alpes, pouvaient obtenir la même indulgence en visitant certains lieux saints d'Allemagne, sous réserve de s'acquitter du prix que le long périple leur aurait coûté[6].

Les talents de Cossa ne se limitaient pas à de brillants plans de marketing. Nommé légat de Bologne, il se révéla excellent commandant civil et militaire, et vigoureux orateur. À bien des égards, il incarnait les qualités qui formaient l'idéal de l'homme de la Renaissance : intelligence vive, éloquence, audace dans l'action, ambition, sensualité, énergie sans limites. Pourtant, même à une époque habituée au fossé entre la profession de foi religieuse et la réalité, le cardinal-diacre de Bologne, ainsi que l'on appelait Cossa, ne semblait pas taillé pour l'habit clérical. En dépit de ses talents, il était évident qu'il n'avait pas la moindre vocation spirituelle, comme le remarquait l'ami du Pogge, Bruni.

Cette appréciation explique en partie le mélange d'admiration, de peur et de suspicion qu'il inspirait, et le fait qu'on le crut capable de tout. Quand le pape Alexandre V mourut, le 4 mai 1410, juste après avoir dîné avec son ami, le cardinal-diacre, la rumeur courut qu'il avait été empoisonné. Le soupçon n'empêcha pas les cardinaux partisans de Cossa de l'élire comme successeur d'Alexandre. Est-ce parce qu'ils le craignaient ? À moins qu'ils n'aient estimé que Cossa, âgé de quarante ans à peine, possédait les compétences nécessaires pour mettre un terme au schisme et étouffer les prétentions rivales de l'inflexible Espagnol Pedro de Luna (qui se faisait appeler Benoît XIII) et de l'intransigeant Vénitien Angelo Correr (qui se faisait appeler Grégoire XII).

Si tels étaient leurs espoirs, ils furent vite déçus. Le schisme durait depuis plus de trente ans, et toutes les tentatives de résolution avaient échoué. Chacun des prétendants avait excommunié les partisans des deux autres et les avait voués à la vengeance divine. Tous trois tentaient d'occuper le terrain de la morale en usant de tactiques de voyous. Chacun disposait d'alliés puissants, mais tous avaient des faiblesses stratégiques qui empêchaient que l'unité soit imposée par une armée. De l'avis général, la situation était cependant intolérable. Les factions nationales concurrentes – les Espagnols, les Français et les Italiens soutenaient chacun un candidat différent – démentaient l'existence d'une Église catholique universelle. Le spectacle de ces trois papes en conflit remettait en question toute l'institution. La situation était détestable et dangereuse. Mais qui pouvait la résoudre ?

Quinze ans plus tôt, les théologiens de l'université de Paris avaient placé un grand coffre dans le cloître des Mathurins et demandé à quiconque avait une idée pour résoudre le schisme de la rédiger sur une feuille glissée dans la fente percée du couvercle. Plus de dix mille réponses avaient été déposées, puis dépouillées par cinquante-cinq professeurs. Trois méthodes principales se distinguaient. La première, la voie de la « cession » ou renonciation, supposait l'abdication simultanée de ceux qui se disaient papes, suivie par l'élection d'un seul candidat ; la deuxième, la voie du « compromis », envisageait une procédure d'arbitrage au terme de laquelle l'un des prétendants s'imposerait comme seul pape ; la troisième, celle du « concile général », prévoyait la convocation de tous les évêques qui, par un vote lors d'une assemblée œcuménique, auraient autorité pour résoudre le conflit.

Les deux premières méthodes avaient l'avantage d'être relativement simples, peu onéreuses et directes, mais impossibles à mettre en œuvre. L'appel à une abdication simultanée eut les résultats prévisibles, et les tentatives de fixer les préconditions d'un arbitrage s'enlisèrent inévitablement dans des chicaneries désespérantes. Il restait donc la solution du concile, fortement soutenue par le saint empereur romain, le roi Sigismond de Hongrie, qui était l'allié, du moins officiellement, de la faction de Cossa, à Rome.

Entouré de ses cardinaux et secrétaires dans l'imposant mausolée païen devenu le château fortifié Saint-Ange, le pape ne voyait aucune raison de céder à la pression et de convoquer une assemblée œcuménique. Une telle assemblée, où se déchaînerait inévitablement la vieille hostilité à l'égard de Rome, ne pourrait que menacer sa position. Si bien qu'il temporisa, s'occupant à nouer et dénouer des alliances, tout en manœuvrant contre son ambitieux ennemi au sud, le roi Ladislas de Naples, et en remplissant les coffres de la papauté. Après tout, il y avait d'innombrables requêtes à considérer, des bulles à publier, des États papaux à défendre, à administrer, à taxer, des postes et des indulgences à vendre. Le Pogge et les autres secrétaires, les clercs, les abréviateurs et les petits fonctionnaires avaient du pain sur la planche.

Le *statu quo* aurait pu durer indéfiniment – ce que le pape devait espérer – si la situation n'avait pas pris un tour inattendu. En juin 1413, l'armée de Ladislas perça brusquement les défenses de Rome et mit la Cité à sac, dévalisant les maisons, pillant les lieux saints, s'introduisant dans les palais pour les dépouiller de leurs trésors. Le pape et sa cour s'enfuirent à Florence, où ils pouvaient compter sur une certaine protection, puisque les Florentins et les Napolitains étaient ennemis. Mais pour se maintenir en place, Cossa avait besoin du soutien de Sigismond, qui résidait à Côme. Au cours de négociations pressantes, l'empereur fit savoir que ce soutien ne serait accordé que si le pape acceptait de convoquer un concile général.

Le dos au mur, Cossa proposa de réunir le concile en Italie, où il pouvait rassembler ses principaux alliés, mais l'empereur fit valoir que le long périple à travers les Alpes était trop ardu pour les évêques les plus âgés. Le concile devait se tenir à Constance, une ville située sur les rives du lac du même nom et nichée dans les montagnes entre la Suisse et l'Allemagne, sur son territoire. Même si le lieu n'était pas au goût du pape, à l'automne 1413, ses représentants – *exploratores* – se rendirent à Constance pour s'enquérir des hébergements et du ravitaillement. L'été suivant, le pontife et sa cour se mirent en route, comme le firent les puissants hommes d'Église et leur suite qui convergèrent de toute l'Europe vers la petite ville du sud de l'Allemagne.

Ulrich Richental, un citoyen de Constance, fut si fasciné qu'il écrivit une chronique circonstanciée des événements[7]. Grâce à lui, nous savons que le pape avait traversé les Alpes avec une escorte gigantesque, composée de six cents hommes. Par d'autres sources[8], nous savons que parmi ce groupe (à moins qu'ils ne l'aient rejoint un peu plus tard) se trouvaient les plus grands humanistes du temps : le Pogge, Leonardo Bruni, Pier Paolo Vergerio, Cencio Rustici, Bartolomeo Aragazzi Da Montepulciano, Zomino (Sozomeno) Da Pistoia, Benedetto Da Piglio, Biagio Guasconi, les cardinaux Francesco Zabarella, Alamano Adimari, Branda Da Castiglioni, l'archevêque de Milan, Bartolomeo Della Capra, et son futur successeur, Francesco Pizzolpasso. Le pape était une crapule, mais une crapule cultivée, qui appréciait la compagnie des érudits et qui tenait à ce que les affaires de la cour soient menées avec l'art et la manière humaniste.

La traversée des montagnes n'était pas facile, même à la fin de l'été. À un moment, le carrosse du pape se renversa et le pontife bascula dans la neige. Lorsque, en octobre 1414, il aperçut Constance et son lac entouré de montagnes, il se tourna vers sa suite, parmi laquelle se trouvait le Pogge, et déclara : « Voici la fosse où l'on piège les renards. »

S'il n'y avait eu que les factions de l'Église italienne, Cossa aurait pu espérer échapper au piège à renards : n'avait-il pas réussi à se maintenir sur le trône papal à Rome plusieurs années déjà ? Mais les autres, dont beaucoup étaient hors de portée de son influence ou de ses poisons, représentaient toute la chrétienté : trente cardinaux, trois patriarches, trente-trois archevêques, une centaine d'abbés, cinquante prévôts, trois cents docteurs en théologie, cinq mille moines et frères, et environ dix-huit mille prêtres. Outre l'empereur et sa vaste escorte, de nombreux dirigeants laïques et leurs représentants étaient également présents : les électeurs Louis de Pfalz et Rudolphe de Saxe, les ducs de Bavière, d'Autriche, de Saxe, de Schleswig, de Mecklenburg, de Lorraine, de Teck, le margrave de Brandebourg, les ambassadeurs des rois de France, d'Angleterre, d'Écosse, du Danemark, de Pologne, de Naples et des royaumes espagnols, ainsi qu'une quantité de nobles de moindre importance, de barons, de chevaliers, d'hommes de loi, de professeurs et de fonctionnaires. Chacun se présentait avec un petit bataillon de gardes, de domestiques, de cuisiniers et autres serviteurs. Cette cohorte attirait à son tour une multitude de curieux, de marchands, de charlatans, de bijoutiers, de tailleurs, de savetiers, d'apothicaires, de fourreurs, d'épiciers, de barbiers, de scribes, de jongleurs, d'acrobates, de chanteurs de rue et toutes sortes d'individus. Le chroniqueur Richental estime que plus de sept cents prostituées étaient venues à Constance où elles avaient loué des maisons, sans parler de celles qui « s'installaient dans des écuries et là où elles pouvaient, en plus des courtisanes privées que je ne pus dénombrer [9] ».

L'arrivée d'une telle foule, estimée entre cinquante mille et cent cinquante mille personnes, soumit la ville de Constance à de fortes tensions, car elle invitait à tous les abus. Les autorités tâchèrent de combattre la criminalité par leur méthode habituelle – en organisant des exécutions publiques [10] – et fixèrent des règles au sujet des services que les nouveaux arrivants pouvaient attendre. Ainsi, « tous les quatorze jours, les nappes et les draps et tout ce qui avait besoin d'être lavé devaient être changés [11] ». La nécessité de nourrir les visiteurs (et leurs trente mille chevaux) était un souci constant, mais la région était bien approvisionnée et les rivières poissonneuses. Des boulangers parcouraient les rues avec un chariot équipé de fours où ils faisaient cuire des pains, des bretzels et des tourtes fourrées au poulet épicé et d'autres viandes. Dans les auberges et les cantines de fortune installées sous des tentes ou dans des baraques, des cuisiniers préparaient les plats de viande et de volaille traditionnels, des grives, des merles, du sanglier, du chevreuil, du blaireau, de la loutre, du castor et du lièvre. Pour ceux qui préféraient le poisson, il y avait de l'anguille, du brochet, de l'esturgeon, de l'orphie, de la brème, de la bondelle, du goujon, du poisson-chat, du silure, de la vandoise, de la morue salée et du hareng. « On trouvait aussi des grenouilles et des escargots, ajoute Richental avec dégoût, que les Italiens achetaient [12]. »

Une fois Cossa et sa cour dûment installés, le pape oublia toutes ces questions pratiques. Contre sa volonté, le concile décida de s'organiser et de conduire les votes par blocs ou « nations » – les Italiens, les Français, les Allemands, les Espagnols et les Anglais –, ce qui affaiblissait sa position et l'influence de ses principaux partisans. Son pouvoir diminuant rapidement, il prit soin de cultiver son prestige. Il lui était difficile de revendiquer une quelconque supériorité morale, mais il pouvait affirmer sa prééminence pour ce qui regardait le cérémonial. Il lui fallait prouver qu'il n'était pas qu'un renard napolitain ; il était le vicaire du Christ, l'incarnation du rayonnement spirituel et de la grandeur terrestre.

Vêtu de blanc et coiffé d'une mitre de même couleur, Baldassare Cossa fit son entrée à Constance le 28 octobre 1414, sur un cheval également blanc. Quatre bourgeois de la ville tenaient un dais doré au-dessus de sa tête. Deux comtes, un Romain et un Allemand, marchaient à ses côtés, tenant la bride de l'animal. Derrière eux, un homme montait un grand cheval ; à sa selle était accrochée une longue perche terminée par un immense parapluie, que Richental prit pour un chapeau, fait de toile rouge et or. Suffisamment large pour abriter trois chevaux, le parapluie était surmonté d'une boule dorée avec un ange d'or portant une croix. Derrière chevauchaient huit cardinaux vêtus de longues capes rouges à capuche rouge et coiffés de larges chapeaux rouges. D'autres ecclésiastiques et le personnel de la curie, dont le Pogge, suivaient, ainsi que des membres de la suite et les domestiques. Une file de neuf chevaux blancs, caparaçonnés de rouge, ouvrait la procession. Huit d'entre eux étaient chargés de vêtements – la garde-robe du pape étant la preuve qu'il habitait son identité sacrée – et le neuvième, une petite cloche tintant sur la tête, portait sur son dos un coffret argenté recouvert d'une étoffe rouge à laquelle étaient attachés deux chandeliers garnis d'une bougie allumée. Le coffret, à la fois boîte à bijoux et châsse, contenait le saint sacrement, le corps et le sang du Christ. Jean XXIII était arrivé.

La résolution du schisme était le principal point de l'ordre du jour du concile, mais ce n'était pas le seul. Les deux autres points étaient la réforme du gouvernement ecclésiastique – encore une mauvaise nouvelle pour Jean XXIII – et la répression de l'hérésie. Cette dernière recelait quelque promesse pour le renard acculé : c'était presque la seule arme tactique qu'il avait à sa disposition. La correspondance que les secrétaires rédigeaient pour leur pape montre qu'il tâchait de détourner l'attention de ses pairs du schisme et de la corruption papale pour la diriger vers un homme dont le Pogge avait dû écrire souvent le nom : Jan Hus.

Jan Hus était un prêtre et réformateur tchèque de quarante-quatre ans, et une épine dans le flanc de l'Église depuis quelques années déjà. Du haut de sa chaire et dans ses écrits, il dénonçait avec virulence les abus des ecclésiastiques, condamnant leur avidité, leur hypocrisie et leur débauche. À ses yeux, la vente d'indulgences était de l'extorsion, une tentative honteuse de profiter des peurs des fidèles. Il incitait ses ouailles à ne pas se fier à la Vierge, aux saints, à l'Église ni au pape, mais à Dieu seul. Il prêchait qu'en matière de doctrine, les Saintes Écritures étaient l'autorité suprême.

Jan Hus n'hésitait pas à se mêler non seulement de doctrine, mais de politique ecclésiastique à une époque d'agitation nationale croissante. Il soutenait que l'État avait le droit, et même le devoir, de contrôler l'Église. Les laïcs pouvaient et devaient juger leurs chefs spirituels. (Mieux valait, disait-il, être un bon chrétien plutôt qu'un pape ou qu'un prélat malfaisant.) Un pape immoral ne pouvait pas prétendre à l'infaillibilité. Après tout, affirmait-il, la papauté était une institution humaine (le mot « pape » n'apparaît pas dans la Bible). On reconnaissait un véritable prêtre à sa probité morale : « S'il apparaît manifestement pécheur, on doit supposer, d'après ses actes, que ce n'est pas un juste, mais un ennemi du Christ [13]. » Et un tel ennemi devrait être privé de sa charge.

On comprend pourquoi Hus avait été excommunié à cause de son enseignement en 1410, et pourquoi les dignitaires de l'Église réunis à Constance étaient inquiets de le voir résister. Protégé par de puissants nobles de Bohême, il continuait de proférer des opinions dangereuses, qui menaçaient de se répandre. Inversement, Cossa, acculé, avait tout intérêt à attirer l'attention du concile sur Hus, pas seulement en tant que diversion. Car le Tchèque, craint et haï par le pouvoir religieux, exprimait précisément le principe que les ennemis de Cossa, au sein même de ce pouvoir, se proposaient de mettre en œuvre : désobéir et déposer un pape accusé de corruption. Cette délicate convergence explique sans doute en partie l'étrange accusation qui se mit à circuler à Constance à propos de Hus à savoir que c'était un sorcier capable de lire dans les pensées de ceux qui s'approchaient de lui [14].

Jan Hus, qui demandait à pouvoir s'expliquer devant un concile, avait été officiellement invité à exposer son point de vue aux prélats, théologiens et dirigeants assemblés à Constance. Le réformateur tchèque avait la certitude propre au visionnaire que si on lui permettait d'exprimer clairement sa vérité, celle-ci balaierait l'ignorance et la mauvaise foi.

Pour autant, ayant été accusé d'hérésie, il demeurait méfiant. Il avait vu trois jeunes gens, dont deux étaient ses élèves, se faire décapiter par les autorités. Avant de quitter la relative sécurité que lui procuraient ses protecteurs en Bohême, il avait réclamé et obtenu un certificat d'orthodoxie du grand inquisiteur du diocèse de Prague, et reçu un sauf-conduit de l'empereur Sigismond. Ce document, portant le grand sceau impérial, promettait « protection et sauvegarde », et ordonnait que Hus soit autorisé à « voyager, séjourner, s'arrêter et repartir », « librement et en toute sécurité ». Les nobles de Bohême qui l'accompagnaient partirent avant lui pour rencontrer le pape et lui demander si Hus pouvait demeurer à Constance sans risque de violence. « Même s'il avait tué mon propre frère, répondit Jean, on ne toucherait pas à un cheveu de sa tête tant qu'il resterait en ville. » Ainsi rassuré, peu de temps après l'entrée en scène grandiose du pape, le réformateur se présenta à Constance.

L'arrivée de Hus, le 3 novembre, dut apparaître comme une bénédiction à Jean XXIII. Le Tchèque était détesté par les membres de l'Église, qu'ils soient honnêtes ou malhonnêtes. Jan Hus et son principal allié, Jérôme de Prague, étaient des partisans notoires de l'hérétique anglais John Wycliffe, condamné au siècle précédent pour avoir encouragé la traduction de la Bible en langue vernaculaire, insisté sur la primauté de la foi fondée sur les Écritures et dénoncé la richesse du clergé et la vente d'indulgences. Wycliffe était mort dans son lit, au grand dam de ses ennemis du clergé, mais le concile avait exigé que sa dépouille soit exhumée de la terre consacrée. Cela ne présageait rien de bon quant à l'accueil qu'allait recevoir Jan Hus.

En dépit des garanties fournies par le pape, le concile et l'empereur, Hus fut aussitôt vilipendé, et il lui fut interdit de s'exprimer en public. Le 28 novembre, trois semaines à peine après son arrivée, il fut arrêté sur ordre des cardinaux et transporté dans un monastère dominicain au bord du Rhin. Là, il fut jeté dans une cellule souterraine où étaient déversées les ordures du monastère. Il tomba gravement malade et demanda à être défendu par un avocat, mais on lui répondit que, en vertu de la loi canon, personne ne pouvait plaider la cause d'un homme accusé d'hérésie. Face aux protestations de Hus et de ses partisans de Bohême au vu de la violation de son sauf-conduit, l'empereur décida de ne pas intervenir. Il était mal à l'aise, dit-on, à l'idée de renier sa propre parole, mais un cardinal anglais l'aurait rassuré en affirmant qu'il n'y avait « aucune parole à tenir avec les hérétiques ».

Si Cossa pensait que la persécution de Hus allait distraire le concile de sa détermination à mettre un terme au schisme et réduire au silence ses propres ennemis, il se trompait. Alors que l'humeur s'assombrissait dans son entourage, lui-même continuait ses apparitions publiques spectaculaires. Richental les décrit ainsi :

Quand le pape devait donner sa bénédiction, un évêque coiffé d'une mitre se montrait d'abord au balcon, portant une croix, suivi de deux autres en mitres blanches, tenant chacun un long cierge allumé qu'ils posaient à la fenêtre. Arrivaient ensuite quatre cardinaux, ou quelquefois six ou moins, eux aussi coiffés de mitres blanches. Notre roi sortait parfois aussi sur le balcon. Les cardinaux et le roi se tenaient aux fenêtres. Après eux venait Notre Saint-Père le Pape, paré de ses plus riches vêtements religieux et d'une mitre blanche. Sous ses vêtements de messe, il portait une aube de plus qu'un prêtre, ainsi que des gants et une bague ornée d'une grosse pierre rare au majeur de la main droite. Il apparaissait à la fenêtre centrale, afin que tout le monde puisse le voir. Puis il était rejoint par ses chanteurs, qui tous tenaient des chandelles allumées, de sorte que le balcon brillait comme s'il était en feu, et ils prenaient place derrière lui. Un évêque s'approchait et retirait la mitre. Le Pape, alors, se mettait à chanter [15]...

Pendant ce temps-là, loin du public ébahi, la situation était de plus en plus inquiétante pour Cossa. Bien qu'il continuât de présider les réunions du concile, le pape avait perdu la maîtrise de l'ordre du jour. Il était évident que l'empereur Sigismond, arrivé à Constance le 25 décembre, n'était pas décidé à le sauver.

Cossa conservait encore des alliés. Au cours d'une séance du 11 mars 1415, lors de discussions sur la résolution du schisme, l'archevêque de Mayence se leva et annonça qu'il n'obéirait qu'à Jean XXIII. Sa déclaration ne provoqua pas le concert de soutien qu'il espérait. Au contraire, le patriarche de Constantinople s'exclama : *Quis est iste ipse ? Dignus est comburendus !* (« Qui est cet individu ? Il mérite d'être brûlé vif ! ») L'archevêque quitta la salle, et la séance fut ajournée.

Le renard comprit qu'un piège allait lui être tendu. Constance, dit-il, n'était pas une ville sûre. Il ne s'y sentait plus en sécurité. Il voulut transférer le concile dans un endroit plus adapté. Le roi éleva des objections, et le conseil municipal de Constance le rassura : « Si Sa Sainteté n'était pas suffisamment en sécurité, déclarèrent les bourgeois, ils la protégeraient davantage et contre tout, même si le sort les obligeait pour ce faire à manger leurs propres enfants [16]. » Cela ne suffit pas à apaiser Cossa, qui avait fait des promesses aussi extravagantes à Jan Hus. Le 20 mars 1415, vers une heure de l'après-midi, il s'enfuit [17]. À cheval, affublé d'une cape et d'un capuchon gris cachant son visage, il passa les portes de la cité. À ses côtés chevauchaient un arbalétrier et deux autres hommes, eux aussi encapuchonnés. Ce soir-là et au cours de la nuit, tous les membres de sa suite – ses domestiques, employés et secrétaires – quittèrent la ville le plus discrètement possible. Mais la nouvelle se propagea vite : Jean XXIII était parti.

Les ennemis de Cossa, qui localisèrent le fugitif à Schaffhouse, où il s'était réfugié dans le château d'un allié, rédigèrent son acte d'accusation. Des rumeurs menaçantes couraient et ses soutiens l'abandonnaient, si bien qu'il s'enfuit de nouveau, toujours déguisé. Son entourage était aux abois : « Les membres de la curie le suivirent en toute hâte et dans le plus grand désordre », rapporte un chroniqueur de l'époque, « car le pape était en fuite, et les autres fuirent aussi, de nuit, bien qu'ils n'eussent pas de poursuivants [18]. » Finalement, sous la pression de l'empereur, le principal protecteur de Cossa livra son hôte, et l'on eut le spectacle édifiant d'un pape emprisonné comme un criminel.

Soixante-dix chefs d'accusation lui furent officiellement notifiés [19]. Craignant leurs effets sur l'opinion publique, le concile décida de supprimer les seize chefs d'accusation les plus scandaleux, qui ne furent jamais révélés, ne retenant que la simonie, la sodomie, le viol, l'inceste, la torture et le meurtre. Cossa fut accusé d'avoir empoisonné son prédécesseur, ainsi que son médecin, entre autres. La pire des accusations (du moins parmi celles qui furent rendues publiques) semblait inspirée de la vieille lutte contre l'épicurisme : le pape fut accusé d'avoir soutenu obstinément, devant des personnes honorables, qu'il n'y avait pas de résurrection ni de vie éternelle, mais que les âmes des hommes périssaient en même temps que leurs corps, telles des bêtes.

Le 29 mai 1415, il fut officiellement déposé. Rayé de la liste des papes, le nom Jean XXIII était disponible, même s'il fallut attendre plus de cinq cents ans pour qu'un autre pontife, le remarquable Angelo Roncalli, ait le courage de l'adopter en 1958.

Peu de temps après sa déposition, Cossa fut brièvement emprisonné au château de Gottlieben, sur le Rhin, où Jan Hus, proche de l'inanition, croupissait depuis plus de deux mois dans les fers. On ignore si le pape et l'hérétique, unis de manière si improbable dans le malheur, furent mis en présence l'un de l'autre par leurs geôliers. À ce moment-là, si le Pogge était encore avec son ancien maître – ce que les archives ne disent pas –, il l'aurait quitté définitivement [20]. Tous les anciens employés du pape avaient été renvoyés, et le prisonnier fut bientôt transféré dans un autre lieu de détention, entouré de gardiens germanophones avec lesquels il ne pouvait communiquer que par gestes. Ainsi coupé du monde, il se mit à écrire des vers sur la nature transitoire de toute chose terrestre.

Les hommes du pape n'avaient plus de maître. Certains tâchèrent de retrouver un employeur parmi les prélats et les princes réunis à Constance. Le Pogge, lui, demeura sans emploi, spectateur d'événements auxquels il n'avait plus part. Il resta quelque temps sur place, mais on ignore s'il était encore présent quand Hus fut amené devant le concile – ce moment que le réformateur attendait et sur lequel il jouait sa vie –, et que sa voix fut étouffée sous les moqueries et les huées. Le 6 juillet 1415, au cours d'une cérémonie solennelle dans la cathédrale de Constance, l'hérétique fut officiellement destitué. On plaça sur sa tête une couronne de papier, haute de quarante-cinq centimètres, montrant trois diables s'emparant d'une âme qu'ils dépeçaient. Il fut conduit hors de la cathédrale, passa devant un bûcher où brûlaient ses livres, puis on l'enchaîna et on le brûla. Pour s'assurer que rien ne subsistât de lui, ses bourreaux brisèrent ses os calcinés et les jetèrent dans le Rhin.

Nous n'avons pas d'archives permettant de savoir ce que le Pogge pensait de ces événements où il avait joué un certain rôle, celui du fonctionnaire qui concourt à la marche d'un système qu'il sait pernicieux et désespérément corrompu. Il était dangereux pour lui de prendre la parole ; de plus, il était au service de la papauté, dont Hus contestait le pouvoir. (Un siècle plus tard, contestant la même institution, quoique avec plus de succès, Luther fera remarquer : « Nous sommes tous des hussites qui s'ignorent. ») Pourtant, quelques mois plus tard, un proche de Hus, Jérôme de Prague, fut lui aussi jugé pour hérésie. Le Pogge ne pouvait plus rester silencieux.

Réformateur religieux actif, diplômé des universités de Paris, d'Oxford et de Heidelberg, Jérôme était un orateur célèbre, dont le témoignage, le 26 mai 1416, fit forte impression sur le Pogge. « J'avouerai, écrivait-il à son ami Leonardo Bruni, que je n'entendis jamais personne qui, en plaidant une cause, surtout une cause d'où sa vie dépendait, approchât si près des modèles de l'ancienne éloquence que nous admirons tant. » Le Pogge avait conscience d'avancer en terrain miné, mais il ne pouvait cacher son admiration passionnée d'humaniste : « On ne pouvait voir sans étonnement avec quel choix d'expressions, avec quelle force de raisonnement et avec quelle fermeté il répliqua à ses adversaires ; sa péroraison a fait une telle impression qu'on ne peut comprendre comment un si grand génie se soit laissé égarer par l'hérésie ; je ne puis cependant m'empêcher de l'en soupçonner ; au reste, dans une affaire si importante, je n'ose prendre personnellement une décision, je m'en rapporte à ceux qui sont plus instruits que moi [21]. »

Cet assentiment prudent ne fut pas pour rassurer Bruni. « Vous montrez une trop grande affection pour sa cause, répondit-il, et je dois vous engager à vous exprimer, à l'avenir, avec plus de circonspection sur de semblables matières. »

Que s'était-il passé pour que le Pogge, si attentif à ne pas s'exposer au danger, ait écrit de manière si franche à son ami ? Son imprudence était peut-être due à l'émotion : sa lettre est datée du 30 mai 1416, le jour de l'exécution de Jérôme. Le Pogge avait été le témoin d'une scène particulièrement atroce, si l'on en croit Richental, qui rapporta également l'épisode. Alors qu'on emmenait Jérôme, âgé de trente-sept ans, à l'extérieur de la ville, à l'endroit où Hus avait été brûlé vif et où lui aussi allait mourir, il récita le *Credo* et chanta des litanies. Comme avec Hus, personne n'entendit sa confession : ce sacrement était refusé aux hérétiques. Une fois le feu allumé à son bûcher, Hus avait hurlé avant de mourir rapidement, mais d'après Richental, Jérôme n'avait pas eu cette chance : « Il survécut beaucoup plus longtemps que Hus dans le feu et poussa des cris abominables, car c'était un homme plus robuste et plus fort, portant une épaisse barbe noire [22]. »

Peu de temps avant le procès et l'exécution de Jérôme, le Pogge était allé prendre les eaux à Bade, pour guérir un rhumatisme des mains (un problème grave pour un scribe). Le voyage depuis Constance n'était pas aisé : il fallait parcourir quarante kilomètres en bateau sur le Rhin jusqu'à Schaffhouse, où le pape s'était enfui, puis, parce que le fleuve passait au milieu de rochers escarpés, quinze kilomètres à pied jusqu'à un château appelé Kaiserstuhl. De là, le Rhin tombait en cascade, dans un vacarme qui évoquait les descriptions des chutes du Nil, rapporte le Pogge.

À Bade, il fut stupéfait de voir « entrer dans l'eau des vieilles décrépites en même temps que des jeunes filles, les unes et les autres entièrement nues, et montrant à tout le monde leurs hanches, leurs reins et le reste [23] ». Il y avait une cloison à claire-voie entre les bains des hommes et ceux des femmes, mais « cette séparation est criblée de petites fenêtres qui permettent aux baigneurs et aux baigneuses de prendre ensemble des rafraîchissements, de se causer et de se caresser de la main, selon leur habitude favorite ».

Le Pogge refusa de se baigner, non par pudeur mal placée, comme il l'expliquait, mais parce qu'il lui « semblait ridicule », à lui, un Italien, de se « mêler à ces sirènes, muet comme un poisson et sot comme si on [lui] avait coupé la langue ». Observant les bains depuis un promenoir, il les décrivit avec un regard aussi surpris que celui d'un Saoudien décrivant une plage de Nice.

Les baigneurs arboraient des maillots de bain qui ne cachaient pas grand-chose : « Les costumes des hommes consistent en un simple caleçon ; celui des femmes est un léger vêtement de lin ouvert sur le côté, sorte de peignoir transparent qui ne voile nullement, d'ailleurs, ni le cou, ni la poitrine, ni les bras. » Ce qui aurait causé un esclandre en Italie était accepté à Bade : « Une telle simplicité de manières, la bonne foi avec laquelle les maris laissent caresser leurs femmes aux étrangers, sont des choses vraiment prodigieuses. Rien ne les émeut, rien ne les trouble ; ils prennent tout cela du bon et du meilleur côté. » On se croyait dans la république de Platon, ajoutait-il en plaisantant, « où tout devait être en commun ».

Les rituels de la vie sociale lui paraissaient sortis d'un rêve : il avait l'impression de voir revivre le monde disparu de Zeus et de Danaé. Dans certains bassins, les baigneurs chantaient et dansaient, et les jeunes filles – aux « formes splendides sous le costume complaisant de déesses » – se mouvaient dans l'eau au son de la musique : « Avec leurs légères draperies de lin voltigeant en arrière ou flottant sur l'eau, on les prendrait toutes pour la blanche Vénus en personne. » Si des hommes les fixaient du regard, elles leur réclamaient gaiement une récompense. Les hommes leur lançaient des pièces, surtout aux plus jolies, ainsi que des couronnes de fleurs que les demoiselles attrapaient de la main, ou faisaient tomber dans leurs vêtements qu'elles déployaient largement. « Je me plais surtout à jeter aux jeunes filles des écus et des couronnes selon la mode du pays », avouait le Pogge.

« Tous ceux qui n'ont d'autre but que de passer leur vie dans les délices y viennent chercher l'accomplissement de leurs désirs. » Ils étaient environ un millier aux bains, notait le Pogge, et si beaucoup buvaient abondamment, il n'y avait pas de querelles, pas de chamailleries ni de jurons. Ce comportement simple, joyeux et naturel lui semblait proche d'un type de plaisir et de satisfaction que la culture du Sud avait perdu :

> Que j'envie la placidité de ces braves gens ! et combien je déteste l'extravagance de notre esprit toujours inquiet,

toujours dévoré de soucis ! [...] Nous nous plongeons dans les misères présentes pour éviter les misères à venir ; nous passons sottement notre vie à nous tourmenter le corps et l'âme ; nous nous condamnons à une pauvreté réelle et de tous les moments pour éviter les douteuses menaces d'une pauvreté imaginaire. Moins fous mille fois, ces bons Allemands vivent au jour le jour, contents de peu ; ils changent en fêtes tous les instants de leur vie, sans chercher l'excès des richesses.

Il décrivait ces scènes aux bains à son ami, précisait-il, « afin de [lui] faire comprendre à quel point cette petite société se rapproche de la secte d'Épicure ».

En observant le contraste entre les Italiens angoissés, obsédés par le travail et trop disciplinés, et les Allemands insouciants et heureux de vivre, le Pogge pensait avoir une illustration de la poursuite épicurienne du plaisir, considéré comme le souverain bien. Il savait que cette poursuite allait à l'encontre de l'orthodoxie chrétienne, mais à Bade, il était pour ainsi dire au seuil d'un monde où les règles chrétiennes ne s'appliquaient plus.

Le Pogge était habitué à fréquenter ce seuil. C'est ce qui l'attirait dans la lecture des textes classiques. Une remarque de Niccoli permet de penser qu'il avait passé une partie de son séjour à Constance à inspecter les collections des bibliothèques – c'est là, dans le monastère de Saint-Marc, qu'il trouva une copie d'un ancien commentaire de Virgile [24]. Au début de l'été 1415, probablement juste après la déposition de son maître, alors qu'il se trouvait sans travail, il alla jusqu'à Cluny, en France, où il découvrit un codex contenant sept oraisons de Cicéron, dont deux étaient inconnues. Il envoya le précieux manuscrit à des amis à Florence et en fit une copie, agrémentée d'un commentaire révélant son état d'esprit :

Ces sept oraisons de Marcus Tullius avaient, par la faute du temps, été perdues pour l'Italie. Grâce à d'inlassables recherches dans les bibliothèques de France et d'Allemagne, entreprises avec un soin et une diligence extrêmes, le Pogge Florentin réussit, seul, à les sortir de la misère où elles étaient cachées pour les ramener à la lumière, leur redonner leur dignité et leur place originelles, et les rendre aux muses latines [25].

Le Pogge chassait les vieux manuscrits tandis que le monde autour de lui s'effondrait. Sa réaction au chaos et à la peur avait toujours été l'immersion dans les livres. Le cercle enchanté de sa bibliomanie lui permettait de sauver l'héritage du passé menacé par les Barbares pour le rendre aux héritiers légitimes.

Un an plus tard, l'été 1416, peu après son séjour à Bade et l'exécution de Jérôme de Prague, accompagné de deux amis italiens, le Pogge repartit à la chasse aux livres au monastère de Saint-Gall, à une trentaine de kilomètres de Constance. Les trois comparses avaient eu vent de rumeurs extravagantes sur la bibliothèque de cette grande abbaye médiévale. Ils ne furent pas déçus : quelques mois plus tard, le Pogge écrivit une lettre triomphale à un ami en Italie, lui annonçant qu'il était tombé sur une mine de livres anciens. Le joyau était le texte intégral de l'*Institution oratoire* de Quintilien, le principal manuel d'éloquence et de rhétorique de l'Antiquité romaine. Le Pogge et son cercle ne le connaissaient que sous forme fragmentaire. Retrouver l'intégralité était un événement – « Ô merveilleux trésor ! Ô joie inespérée ! » s'exclama un de ses pairs –, parce qu'il ressuscitait un monde perdu, un monde où la parole avait un vrai pouvoir de persuasion.

N'était-ce pas ce qui avait attiré Jan Hus et Jérôme de Prague à Constance ? Convaincre un public grâce à l'éloquence et la force des mots. Si les huées avaient réduit Hus au silence, Jérôme, tiré du triste cachot où il était resté enchaîné trois cent cinquante jours, avait au moins pu se faire entendre. L'admiration du Pogge pour le « choix d'expressions » et l'efficacité de la « péroraison » de Jérôme peut nous paraître risible, comme si le niveau de latin du prisonnier importait, mais c'était justement l'excellence de son latin qui avait déstabilisé le Pogge et l'avait amené à douter du bien-fondé des accusations portées contre l'hérétique. Car il lui était impossible, au moins durant cette étrange période de latence, d'ignorer la contradiction entre le fonctionnaire travaillant pour le sinistre Jean XXIII et l'humaniste aspirant à l'air de l'ancienne République romaine, qu'il imaginait plus clair et plus pur. Incapable de surmonter cette contradiction, le Pogge préférait s'immerger dans la bibliothèque monastique aux trésors négligés.

« Il ne fait aucun doute que cet homme glorieux, si élégant et si pur, cet homme d'esprit et d'une haute moralité, n'aurait pas pu endurer beaucoup plus longtemps la saleté de cette prison, l'aspect sordide du lieu, et la cruauté sauvage de ses gardiens. » La réflexion du Pogge prouve son admiration imprudente pour l'éloquent Jérôme. Mais celle-ci était déjà présente dans sa description du manuscrit de Quintilien trouvé à Saint-Gall :

> Il était triste et en vêtements de deuil, comme le sont les condamnés à mort ; sa barbe était sale et ses cheveux raidis par la boue, si bien que d'après son apparence et son expression il était évident qu'il avait reçu un châtiment immérité. Il semblait tendre la main pour implorer la loyauté du peuple romain et demander d'être sauvé d'une sentence injuste [26].

La condamnation dont l'humaniste avait été témoin en mai était encore très présente à son esprit alors qu'il examinait les livres du monastère. Jérôme se plaignait d'avoir été incarcéré « dans la crasse et dans les chaînes, privé de tout confort » ; Quintilien avait été retrouvé « couvert de poussière et de moisi ». Jérôme avait été retenu « dans un cachot sombre, où il lui était impossible de lire », écrivait le Pogge à Leonardo Bruni ; Quintilien, lui, « croupissait dans une espèce de cachot fétide et lugubre […] où l'on n'eût même pas incarcéré des hommes condamnés à la peine capitale ». « Un homme digne de l'immortalité ! » concluait le Pogge à propos de l'hérétique, qu'il n'avait rien pu faire pour sauver. Au monastère de Saint-Gall, en revanche, il avait sauvé un autre homme digne de l'immortalité de la prison des Barbares.

On ignore si le Pogge a consciemment fait le lien entre l'hérétique et le livre. À la fois moralement éclairé et profondément compromis dans sa pratique professionnelle, il considérait les livres comme des êtres humains doués de vie et sensibles à la souffrance. « Par le Ciel, écrivait-il à propos du manuscrit de Quintilien, si nous ne lui avions pas porté secours, il aurait très certainement péri le jour suivant. » Afin de lui éviter la mort, le Pogge copia l'intégralité de cette longue œuvre de sa belle écriture. Il lui fallut cinquante-quatre jours pour venir à bout de la tâche. « La seule et unique gloire de Rome, sauf aux yeux de ceux pour qui n'existait que Cicéron et lui aussi découpé en morceaux et disséminé, expliquait-il à Guarino de Vérone, fut, grâce à notre labeur non seulement ramenée d'exil, mais sauvée d'une destruction presque totale[27]. »

L'expédition au monastère avait été coûteuse et le Pogge était perpétuellement à court d'argent : telle était la conséquence de sa décision de ne pas emprunter la voie lucrative de la prêtrise. De retour à Constance, ses problèmes financiers s'aggravèrent, car il était sans travail ni perspective professionnelle. Son ancien maître, Baldassare Cossa, tentait désespérément de négocier une retraite paisible. Après trois années en prison, il finira par acheter sa liberté et sera fait cardinal de Florence, où il mourra en 1419. Son élégant tombeau, signé par Donatello, sera érigé dans le baptistère du Dôme. Grégoire XII, autre pape, lui aussi déposé, pour lequel le Pogge avait travaillé, mourra à la même période. Ses dernières paroles seront : « Je n'ai pas compris le monde, et le monde ne m'a pas compris. »

À près de quarante ans, il eût été grand temps pour un fonctionnaire expérimenté et avisé de se préoccuper de son sort et trouver une source de revenu stable. Le Pogge n'en fit rien. Au contraire, quelques mois après son retour, il quitta de nouveau Constance, seul, semble-t-il, cette fois. Apparemment, son désir de découvrir et libérer tous les êtres nobles injustement emprisonnés était plus fort que jamais. Il n'avait aucune idée de ce qu'il découvrirait ; mais s'il s'agissait de pages anciennes, écrites dans un latin élégant, elles méritaient d'être sauvées. Il était convaincu que les moines, ignorants et indolents, gardaient sous clé les traces d'une civilisation bien supérieure à ce que le monde connaissait depuis mille ans.

Certes, le Pogge devait s'attendre à ne tomber que sur des morceaux de parchemin, pas toujours très anciens. À ses yeux, pourtant, ce n'étaient pas des manuscrits, mais des voix humaines. Ce qui surgissait de l'obscurité n'était pas le maillon d'une longue chaîne de textes copiés et recopiés. C'était l'objet lui-même, paré de vêtements empruntés, voire l'auteur en personne, couvert d'un suaire et renaissant à la lumière en titubant.

Après avoir eu connaissance des découvertes du Pogge, Francesco Barbaro lui écrivait ainsi : « Nous comptons Asclépios parmi les dieux parce qu'il a ramené Hippolyte, et d'autres, du monde souterrain. Si les peuples, les nations, les provinces lui consacrèrent des sanctuaires, que n'eût-il pas dû être fait pour vous, si cette coutume n'avait pas déjà été oubliée ? Vous avez fait revivre tant d'hommes illustres et des hommes si sages, qui étaient morts pour l'éternité, et grâce à leur esprit et à leur enseignement, nous-mêmes et nos descendants pourrons vivre mieux et honorablement [28]. »

Les livres qui dormaient dans les bibliothèques allemandes se métamorphosaient en hommes sages et morts, dont les âmes avaient été emprisonnées aux Enfers. Le Pogge, secrétaire apostolique cynique au service d'un pape notoirement corrompu, était considéré par ses amis comme un héros de la culture, un guérisseur qui réparait et ramenait à la vie le corps démembré et mutilé de l'Antiquité.

C'est ainsi qu'en janvier 1417 nous le retrouvons dans une bibliothèque monastique, probablement à Fulda. Là, il prit sur une étagère un long poème dont l'auteur devait être mentionné par Quintilien ou dans la chronique de saint Jérôme : T. LUCRETI CARI DE RERUM NATURA.

Chapitre VIII

DE LA NATURE

D E LA NATURE* N'EST PAS UNE LECTURE FACILE.
Le poème est composé de sept mille quatre cents
hexamètres non rimés, la forme choisie par les
poètes latins Virgile et Ovide, lesquels imitaient Homère.
Divisé en six livres dépourvus de titres, il alterne des passages d'une impressionnante beauté lyrique avec des méditations philosophiques sur la religion, le plaisir et la mort,
des réflexions complexes sur le monde physique, l'évolution des sociétés humaines, les dangers et les joies du sexe,
et la nature de la maladie. La langue est souvent difficile, la
syntaxe complexe, et l'ambition intellectuelle considérable.

Il en fallait davantage pour décourager le Pogge et ses
savants amis. Ces hommes maîtrisaient parfaitement le
latin, ils étaient prêts à résoudre toutes sortes d'énigmes
textuelles et s'aventuraient avec plaisir et curiosité dans les
arcanes plus impénétrables encore de la théologie patristique. Un unique coup d'œil aux premières pages du
manuscrit de Lucrèce suffit sûrement à convaincre le Pogge
qu'il avait découvert un ouvrage remarquable.

---

* Toutes les références à Lucrèce dans ce chapitre renvoient à la
traduction déjà citée.

Mais sans doute ne comprit-il alors que cette œuvre menaçait tout son univers mental. S'il avait perçu la menace, il aurait peut-être remis le poème en circulation malgré tout : retrouver les traces perdues du monde antique était son but suprême, le seul principe – ou presque – qui échappât à la désillusion et au rire cynique. Ce faisant, il aurait pu prononcer ces mots murmurés par Freud, dit-on, à l'oreille de Jung, alors qu'ils pénétraient dans le port de New York pour recevoir l'accolade de leurs admirateurs américains : « Ne savent-ils pas que nous leur apportons la peste ? »

Cette peste avait pour nom athéisme, une accusation souvent portée contre Lucrèce quand son poème avait été lu. Sauf que Lucrèce n'était pas athée. Il croyait en l'existence des dieux. Mais il croyait que, parce qu'ils étaient des dieux, ils ne se souciaient pas le moins du monde des êtres humains. La nature de la divinité était telle que, indifférente aux actions des hommes, elle jouissait d'une vie et d'une paix éternelles sans être affectée par la moindre souffrance ni le moindre trouble.

Libre à vous, écrit Lucrèce, d'appeler la mer Neptune, de parler de Cérès ou de Bacchus pour évoquer le blé ou le vin, ou de nommer la Terre mère des dieux. Et si, attirés par leur beauté sacrée, vous décidez de visiter des sanctuaires religieux, cela ne peut vous nuire à partir du moment où vous accueillez ces images des dieux « dans une âme apaisée » (VI, 78). En revanche, n'imaginez pas que vous pouvez courroucer ou vous concilier ces divinités. Processions, sacrifices d'animaux, danses effrénées, tambours, cymbales et pipeaux, pluies de pétales de roses, prêtres eunuques, sculptures de l'enfant dieu : toutes ces pratiques cultuelles, quoique fascinantes, sont vaines, puisque les dieux auxquels elles s'adressent appartiennent à un autre monde.

Lucrèce est une sorte d'athée dissimulé dans la mesure où, aux yeux des croyants de toutes les religions de toutes les époques, il semble inutile d'adorer un dieu sans vouloir apaiser sa colère, ou s'attirer sa protection ou ses faveurs. À quoi servirait un dieu qui ne punit ni ne récompense ? Lucrèce affirme que ce genre d'espoirs et d'angoisses sont des formes de superstition nocive, mêlant une arrogance absurde et une peur aussi absurde. C'est faire insulte aux dieux que d'imaginer qu'ils se soucient du sort des humains ou de leurs pratiques rituelles, comme si leur bonheur dépendait des litanies que nous chuchotons ou de notre bonne conduite. Mais peu importe cette insulte, puisque les dieux s'en moquent. Rien de ce que nous puissions faire (ou ne pas faire) ne les intéresse. Le problème, c'est que les fausses croyances et observances de l'homme lui font du tort à lui-même.

Ces opinions étaient contraires à la foi chrétienne du Pogge, et quiconque les eût professées en son temps risquait de graves ennuis. Mais émanant d'un texte païen, elles n'étaient pas de nature à inquiéter. Le Pogge pouvait se dire, comme plus tard d'autres lecteurs bienveillants, que le brillant poète avait perçu la vacuité des croyances païennes, donc l'absurdité des sacrifices à des dieux inexistants. Après tout, Lucrèce avait eu le malheur de vivre peu avant l'arrivée du messie. S'il était né un siècle plus tard, il aurait pu connaître la vérité. Du moins avait-il saisi l'inutilité des pratiques de ses contemporains. Notons que de nombreuses traductions anglaises modernes de Lucrèce lui font dénoncer comme « superstition » ce que le texte latin qualifie de *religio*.

L'athéisme – ou, plus précisément, l'indifférence à l'égard des dieux – n'était pas le seul problème posé par le poème de Lucrèce. Celui-ci se préoccupait avant tout du monde matériel que nous habitons, et c'est à ce sujet qu'il développait ses arguments les plus dérangeants, arguments qui inspirèrent d'étranges réflexions à ceux qui seront sensibles à son formidable pouvoir (Machiavel, Giordano Bruno ou Galilée, entre autres). Ces idées avaient été explorées dans le pays où elles revenaient grâce à la découverte du Pogge. Un millénaire de quasi-silence les avait rendues très dangereuses.

Aujourd'hui, une grande partie de ce qu'affirme *De la nature* à propos de l'Univers semble familier, du moins à ceux qui sont prêts à le lire. Nombre des raisonnements de l'œuvre sont à la base de la vie moderne telle que nous l'avons construite [1]. Mais n'oublions pas que d'autres idées développées dans l'œuvre demeurent étrangères, ou sérieusement contestées, et souvent par ceux qui invoquent les avancées scientifiques qu'elles ont permises. Enfin, pour les contemporains du Pogge, la plupart des affirmations de Lucrèce, bien que serties dans un poème d'une attrayante beauté, devaient être incompréhensibles, incroyables ou impies.

Suit ci-après une liste brève et non exhaustive des affirmations les plus subversives de Lucrèce :

. • Tout est constitué de particules invisibles. Lucrèce, que rebutait le langage technique, préfère ne pas utiliser le terme philosophique grec habituel pour désigner ces particules essentielles, les « atomes », autrement dit des objets indivisibles. Il a recours à une variété de mots latins ordinaires : « corps premiers », « commencements », « corps de matière », « semences des choses ». Tout est constitué de ces semences et finit par y retourner. Immuables, indivisibles et innombrables, ces semences sont constamment en mouvement, s'entrechoquent, se combinent pour constituer de nouvelles formes, se séparent, se recombinent et demeurent.

• Les particules élémentaires de matière – « les semences des choses » – sont éternelles. Le temps n'est pas limité, mais infini : ce n'est pas une substance distincte avec un commencement et une fin. Les particules élémentaires dont est fait l'Univers, des étoiles jusqu'à l'insecte le plus insignifiant, sont indestructibles et immortelles, même si chaque objet dans l'Univers est transitoire. Toutes les formes que nous observons, même celles qui paraissent le plus durables, sont temporaires : les composants qui les constituent se recomposeront tôt ou tard. Mais ces composants eux-mêmes sont permanents, comme l'est le processus incessant de formation, de dissolution et de redistribution.

Jamais la création ou la destruction ne prend le pas ; la somme totale de la matière reste la même, et l'équilibre entre les vivants et les morts est respecté :

> Aussi les mouvements destructeurs ne peuvent-ils
> à jamais triompher, ensevelissant toute vie,
> ni les mouvements générateurs et nourriciers
> préserver à jamais les choses qu'ils ont créées.
> Ainsi donc se poursuit à égalité la guerre
> que les atomes se livrent de toute éternité.
> Tantôt ici, tantôt là, les pouvoirs de vie sont vainqueurs
> et vaincus à leur tour ; aux funérailles se mêle
> le vagissement des nouveau-nés découvrant la lumière,
> car jamais la nuit ne succède au jour, l'aube à la nuit
> qu'elles n'entendent mêler aux plaintes vagissantes
> les pleurs, compagnons de la mort et des noires funérailles.
>
> (II, v. 569-580.)

Pour le philosophe harvardien d'origine espagnole, George Santayana, l'idée de la mutation permanente des formes, composées de substances indestructibles, est « la plus haute pensée jamais développée par l'humanité[2] ».

• Les particules élémentaires sont en nombre infini, mais de forme et de taille limitées. Elles sont comme les lettres d'un alphabet, un ensemble distinct susceptible d'être combiné en d'innombrables phrases (II, v. 688 *sq.*). Avec les semences des choses comme avec le langage, les combinaisons se forment selon un code. Si toutes les lettres et tous les mots ne peuvent pas se combiner de façon cohérente, il en va de même des particules, qui ne peuvent pas se combiner de toutes les façons possibles. Certaines ont l'habitude de s'unir plus facilement, quand d'autres se repoussent et se résistent. Lucrèce ne prétendait pas connaître le code caché de la matière. Mais il importait d'admettre l'existence de ce code, et le poète soutenait qu'il pourrait, en principe, être analysé et compris par la science.

• Toutes les particules sont en mouvement dans un vide infini. L'espace, comme le temps, n'a pas de borne. Il n'existe pas de points fixes, pas de début, de milieu ni de fin, et pas de limites. La matière n'est pas une masse solide. Elle est faite de vide, ce qui permet aux particules constitutives de se mouvoir, de s'entrechoquer, de se combiner et de se séparer. Pour preuve de l'existence de ce vide, il n'y a pas que le mouvement infini que nous observons autour de nous, il existe des phénomènes tels l'eau qui suinte des parois des grottes, la nourriture qui se disperse dans le corps, le son qui traverse les murs des pièces fermées, le froid qui pénètre jusqu'aux os.

L'Univers est donc constitué de matière – les particules élémentaires et toutes les choses formées par ces particules – et d'espace, vide et intangible. Il n'existe rien d'autre.

• L'Univers n'a pas de créateur ni de concepteur. Les particules n'ont pas été fabriquées et ne peuvent être détruites. L'ordre et le désordre du monde ne sont pas le produit d'un plan divin. La Providence est le fruit de l'imagination.

Ce qui existe n'est pas la manifestation d'un plan général ni d'un dessein intelligent inhérent à la matière. Aucun chorégraphe tout-puissant n'a conçu leurs mouvements, et les semences des choses n'ont pas tenu une conférence pour décider où irait chacune.

> Car ce n'est pas après concertation ni par sagacité
> que les atomes se sont mis chacun à sa place,
> ils n'ont point stipulé quels seraient leurs mouvements,
> mais de mille façons heurtés et projetés en foule
> par leurs chocs éternels à travers l'infini,
> à force d'essayer tous les mouvements et liaisons,
> ils en viennent enfin à des agencements
> semblables à ceux qui constituent notre monde[3].
>
> (I, v. 1021-1028.)

L'existence n'a ni fin ni but ; elle est soumise à un processus de création et de destruction, lui-même exclusivement gouverné par le hasard.

• Les choses se créent grâce à la déviation. Si toutes les particules individuelles, en nombre infini, tombaient dans le vide en ligne droite, attirées vers le bas par leurs poids, telles des gouttes de pluie, rien n'existerait. Mais les particules ne se déplacent pas dans une direction unique préétablie :

> Dans la chute qui les emporte, en vertu de leur poids,
> tout droit à travers le vide, en un temps indécis,
> en des lieux indécis, les atomes dévient un peu ;
> juste de quoi dire que le mouvement est modifié.
>
> (II, v. 217-220.)

La position des particules élémentaires est donc indéterminée [4].

Cette déviation – que Lucrèce appelle tour à tour *declinatio, inclinatio* ou *clinamen* – n'est qu'un mouvement infime, *nec plus quam minimum* (II, v. 244). Il suffit cependant à déclencher un enchaînement sans fin de collisions. Tout ce qui existe dans l'Univers n'existe qu'à cause de ces collisions fortuites de minuscules particules :

> Ainsi les fleuves comblent à grands flots la mer avide,
> la terre mûrit au soleil de nouveaux fruits,
> ainsi s'épanouissent les races animales
> et vivent les feux mobiles de l'éther.   (I, v. 1031-1035.)

• Cette déviation est l'origine du libre arbitre. Dans la vie de toutes les créatures sensibles, humaines ou animales, la déviation aléatoire des particules élémentaires est la cause de l'existence du libre arbitre. Si tout mouvement n'était qu'une longue chaîne prédéterminée, la liberté serait inconcevable [5]. Il n'y aurait qu'une suite de cause à effet, le destin. Alors qu'en réalité nous avons arraché notre libre arbitre aux Parques.

Qu'est-ce qui prouve que la liberté existe ? Pourquoi la matière qui constitue les créatures vivantes ne se déplacerait-elle pas sous la même bourrasque qui fait voler les grains de poussière ? Lucrèce utilise l'image de la fraction de seconde qui suit l'ouverture des stalles sur le champ de courses, juste avant que les chevaux tendus, avides de bouger, s'élancent. Cette fraction de seconde illustre l'acte mental qui consiste à ordonner à une masse de matière de se mettre en mouvement. Mais parce que cette image ne remplit pas entièrement son office – les chevaux étant contraints d'avancer sous les coups de leur cavalier –, Lucrèce observe que si une force extérieure pouvait frapper un homme, cet homme pourrait délibérément résister [6].

• La nature ne cesse d'expérimenter. Il n'y a pas un moment originel unique, pas de scène mythique de création. Tous les êtres vivants, des plantes aux insectes en passant par les mammifères supérieurs et l'homme, ont évolué au cours d'un processus complexe, fait de tâtonnements. Ce processus s'accompagne de faux départs et d'impasses, de monstres, de prodiges, d'erreurs, de créatures non pourvues de tous les attributs nécessaires à la lutte pour se nourrir et se reproduire. Les créatures dont la combinaison d'organes leur permet de s'adapter et de se reproduire réussissent à s'imposer, jusqu'au moment où de nouvelles circonstances rendent leur survie impossible[7].

Les adaptations réussies, comme les échecs, sont le résultat d'un nombre phénoménal de combinaisons permanentes (et reproduites ou abandonnées) dans une durée illimitée. « Lorsqu'un organe s'est formé, il crée l'usage » (IV, v. 835), affirme Lucrèce, même s'il reconnaît que l'idée est difficile à appréhender :

> Point de vision avant la naissance des yeux
> ni de parole avant la création de la langue.
>
> (IV, v. 836-837.)

Ces organes n'ont pas été créés pour remplir une fonction précise ; leur utilité a petit à petit permis aux créatures dans lesquelles ils sont apparus de survivre et de perpétuer leur espèce.

• L'Univers n'a pas été créé pour les humains ni autour d'eux. La Terre, avec ses mers et ses déserts, son climat rude, ses bêtes sauvages et ses maladies, n'a rien d'accueillant pour notre espèce. Contrairement à d'autres animaux, pourvus dès la naissance de ce dont ils ont besoin pour survivre, les petits d'hommes sont très vulnérables. Considérez un bébé, écrit Lucrèce dans un passage célèbre, tel un marin naufragé rejeté sur le rivage par des vagues violentes :

> [...] Il gît par terre, nu, incapable de parler,
> sans secours pour vivre, dès qu'aux rives du jour
> la nature en travail hors du ventre maternel l'a vomi.
>
> (V, v. 223-225.)

Le sort de l'humanité (sans parler d'un seul individu) n'est pas le pôle autour duquel tout s'organise. Il n'y a nulle raison de croire que l'être humain durera toujours. Au contraire, il est évident que, au fil du temps qui est infini, certaines espèces prospèrent tandis que d'autres disparaissent, engendrées et détruites au cours de ce processus d'évolution permanente. D'autres formes de vie existaient avant nous, qui ne sont plus ; d'autres formes de vie existeront après nous, quand nous aurons disparu.

• Les humains ne sont pas uniques. Ils font partie d'un processus matériel beaucoup plus vaste qui les relie non seulement à d'autres formes de vie, mais à la matière inorganique. Les particules invisibles qui composent les êtres vivants, y compris les hommes, ne sont pas sensibles, pas plus qu'elles ne proviennent de quelque source mystérieuse. Nous sommes faits de la même matière que toute autre chose.

Les hommes n'occupent pas la place privilégiée qu'ils imaginent : même s'ils refusent souvent de l'admettre, ils partagent beaucoup des qualités qui leur sont chères avec des animaux. Certes, tout individu est unique, mais grâce à l'abondance de la matière, on peut en dire autant de presque toutes les créatures : comment s'imagine-t-on qu'un veau reconnaît sa mère, ou la vache son veau [8] ? Il suffit d'observer le monde qui nous entoure pour se rendre compte que nombre de nos expériences les plus intenses ne sont pas propres à notre espèce.

• La société humaine n'a pas débuté par un âge d'or de paix et de prospérité, mais en un combat primitif pour la survie. Il n'y a pas eu de paradis originel, comme l'ont rêvé certains, où des hommes et des femmes heureux et paisibles, vivant dans la sécurité et l'oisiveté, jouissaient des fruits de l'abondance de la nature. Les premiers hommes, qui ne connaissaient pas le feu, ni l'agriculture, ni aucun moyen pour adoucir une vie particulièrement rude, devaient lutter pour se nourrir et pour éviter de se faire manger.

L'homme possède sans doute une disposition rudimentaire à la coopération sociale, car il lui faut survivre, mais la capacité à forger des liens et à vivre dans des communautés régies par des coutumes établies s'est développée lentement. Au début, la vie humaine se résumait à des accouplements fortuits – désir partagé, troc ou viol – à la chasse et à la recherche de nourriture. Le taux de mortalité était extrêmement élevé, mais pas autant qu'à l'époque présente, faisait remarquer Lucrèce non sans ironie, du fait de la guerre, des naufrages et de la surabondance de nourriture.

L'idée que le langage a été octroyé aux hommes comme une miraculeuse invention est absurde. Les hommes, écrit Lucrèce, qui à l'instar des animaux utilisaient des cris inarticulés et des gestes ont réussi lentement à partager des sons pour désigner des objets. De même, bien avant qu'ils ne soient capables de s'assembler pour chanter des chants mélodieux, ils ont imité le pépiement des oiseaux et le doux bruit de la brise dans les roseaux, développant petit à petit la capacité à faire de la musique.

Les arts de la civilisation – non pas donnés à l'homme par quelque législateur divin, mais élaborés par la mise en commun des talents et de la puissance intellectuelle de l'espèce – sont des prouesses dignes d'éloges, mais ce ne sont pas de purs bienfaits. Ils se sont développés en même temps que la peur des dieux, le désir de richesse, la poursuite de la gloire et du pouvoir. Tous tirent leur origine d'une recherche de sécurité qui remonte aux premières expériences de l'espèce humaine luttant pour dominer ses ennemis naturels. La guerre contre les animaux sauvages qui menaçaient la survie de l'homme a été gagnée, mais l'angoisse, l'instinct de possession et l'agressivité ont produit des métastases. En conséquence, les êtres humains continuent de concevoir des armes qu'ils retournent contre eux.

• L'âme meurt. L'âme humaine est composée du même matériau que le corps humain. Le fait que nous ne puissions pas la situer dans un organe particulier signifie qu'elle est constituée de particules infimes mêlées aux veines, à la chair et aux tendons. Nos instruments ne sont pas suffisamment précis pour peser l'âme : au moment de la mort, elle se dissout « ainsi du vin quand son bouquet s'est évanoui, / du parfum dont l'esprit suave s'est envolé » (III, v. 221-222). Nous n'imaginons pas que le vin ou le parfum puissent contenir une âme mystérieuse ; la fragrance consiste en de subtils éléments matériels, trop petits pour être mesurés. Il en va de même de l'esprit humain : il est fait de minuscules éléments cachés dans les replis les plus secrets du corps. Quand le corps meurt – c'est-à-dire quand la matière se disperse –, l'âme, qui est une partie du corps, meurt aussi.

• Il n'y a pas de vie après la mort. Les hommes se sont à la fois consolés et tourmentés par l'idée que quelque chose les attend après leur mort. Soit ils cueilleront des fleurs dans un jardin d'Éden éternel où ne souffle aucun vent glacial, soit ils seront conduits de force devant un juge sévère qui les condamnera, pour leurs péchés, au malheur éternel (malheur qui, étrangement, suppose qu'après la mort ils aient la peau sensible à la chaleur, une aversion pour le froid, des appétits et une soif charnels, etc.). Dès que nous avons admis que l'âme meurt en même temps que le corps, force est de reconnaître qu'il ne peut y avoir de récompense ni de châtiment posthumes. La vie terrestre est tout ce dont disposent les êtres humains.

• La mort n'est rien pour nous. Une fois que nous sommes morts – quand les particules qui se sont liées pour nous créer et nous faire vivre se séparent –, il n'y a plus de plaisir ni de douleur, plus de désir ni de peur. Ceux qui s'indignent à l'idée de mourir déclarent : « Plus d'épouse excellente, d'enfants chéris courant / se disputer tes baisers et touchant ton cœur / d'une douceur secrète ! » (III, v. 895-897). Ils oublient d'ajouter : « Tu ne t'en soucieras pas puisque tu n'existeras plus. »

• Toutes les religions organisées sont des illusions plus ou moins superstitieuses. Ces illusions viennent des désirs, des peurs et d'une ignorance profondément enracinés. Les hommes projettent des images de la puissance, de la beauté et de la sécurité parfaites auxquelles ils aspirent. Façonnant ainsi leurs dieux, ils deviennent esclaves de leurs propres rêves.

Nous sommes tous sujets aux sentiments qui font naître ce genre de rêves : ils nous submergent quand nous contemplons les étoiles et imaginons des êtres au pouvoir incommensurable ; ou quand nous nous demandons si l'Univers a des limites ; ou quand nous nous émerveillons devant le bel ordre des choses ; ou, moins agréable, quand nous subissons une série de malheurs inattendue et nous demandons s'il s'agit d'une punition ; ou quand la nature révèle son côté destructeur[9]. Il existe des explications naturelles pour les phénomènes tels que les éclairs ou les séismes – Lucrèce les énonce –, mais d'instinct, les humains, terrifiés, y répondent par la crainte et se mettent à prier.

• Les religions sont toujours cruelles. Elles promettent l'amour et l'espoir, mais leur nature profonde est la cruauté. C'est la raison pour laquelle elles font miroiter des illusions de rétribution et provoquent l'angoisse de leurs adeptes. L'emblème caractéristique de la religion – et la preuve la plus évidente de sa perversité intrinsèque – est le sacrifice d'un enfant par un parent.

La plupart des religions contiennent le mythe de ce sacrifice, et certaines en ont fait une réalité. Lucrèce avait en tête le sacrifice d'Iphigénie par son père, Agamemnon, mais qui sait s'il ne connaissait pas l'histoire d'Abraham et d'Isaac chez les juifs, et d'autres récits comparables, en provenance du Proche-Orient, que les Romains de son temps appréciaient de plus en plus. Écrivant en 50 avant Jésus-Christ, il ne pouvait pas anticiper le mythe du sacrifice suprême qui allait dominer le monde occidental, mais celui-ci ne l'aurait pas surpris, pas plus que les images si souvent reproduites et exhibées du fils crucifié et en sang.

• Les anges, les démons et les fantômes n'existent pas. Les esprits immatériels n'existent pas. Les créatures dont l'imagination grecque et romaine a peuplé le monde (les Parques, les harpies, les esprits, les génies, les nymphes, les satyres, les dryades, les messagers célestes et les esprits des morts) n'ont aucune réalité. Oubliez-les.

• Le principal objectif de la vie humaine est l'augmentation du plaisir et la réduction de la douleur. La vie devrait être mise au service de la poursuite du bonheur. Il n'est pas d'éthique plus digne que de faciliter cette quête, pour soi-même et ses semblables. Les autres ambitions – le service de l'État, le culte des dieux ou des dirigeants, la recherche laborieuse de la vertu par le sacrifice de soi – sont secondaires, malencontreuses et frauduleuses. Le militarisme et le goût des sports violents caractéristiques de la culture dans laquelle vivait Lucrèce lui semblaient profondément pervers et contraires à la nature. Les besoins naturels de l'homme sont simples. Les êtres humains qui n'en reconnaissent pas les limites sont entraînés dans une lutte vaine et stérile pour en avoir toujours plus.

La plupart des gens savent que les luxes qu'ils convoitent sont inutiles et ne font rien, ou si peu, pour améliorer leur bien-être.

> Et les fièvres ne quittent pas plus vite le corps
> si l'on s'agite sur de riches brocarts de pourpre
> que si l'on doit coucher sur un drap plébéien.
>
> (II, v. 34-37.)

Tout comme il est difficile de ne pas succomber à la peur des dieux et de l'au-delà, il est difficile de résister à l'idée que la sécurité, la sienne et celle de la communauté, peut être améliorée par une débauche d'acquisitions et de conquêtes. En réalité, ceux qui s'engagent dans ce type de conquêtes réduisent leurs chances de bonheur, quand ils ne courent pas à leur perte.

L'objectif, écrit Lucrèce dans un passage célèbre et troublant, doit être d'échapper à cette folle entreprise et de l'observer depuis un lieu sûr :

> Douceur, lorsque les vents soulèvent la mer immense,
> d'observer du rivage le dur effort d'autrui,
> non que le tourment soit jamais un doux plaisir,
> mais il nous plaît de voir à quoi nous échappons.
> Lors des grands combats de la guerre, il plaît aussi
> de regarder sans risque les armées dans les plaines.
> Mais rien n'est plus doux que d'habiter les hauts lieux

215

fortifiés solidement par le savoir des sages,
temples de sérénité d'où l'on peut voir les autres
errer sans trêve en bas, cherchant le chemin de la vie,
rivalisant de talent, de gloire nobiliaire,
s'efforçant nuit et jour par un labeur intense
d'atteindre à l'opulence, au faîte du pouvoir [10].

(II, v. 1-13.)

• Le plus grand obstacle au plaisir n'est pas la douleur, c'est l'illusion. Les principaux ennemis du bonheur humain sont le désir immodéré – le fantasme d'obtenir quelque chose que le monde, mortel et fini, n'est pas en mesure de donner – et la peur, dévorante. Dans le récit de Lucrèce, la peste tant redoutée – l'ouvrage s'achève sur une description crue d'une épidémie à Athènes – est jugée atroce non seulement à cause de la souffrance et de la mort qu'elle engendre, mais surtout en raison de la « perturbation et la panique » qu'elle déclenche.

Il est raisonnable de tenter d'éviter la douleur : c'est là l'un des piliers de l'éthique de Lucrèce. Mais comment empêcher cette aversion naturelle de se transformer en panique, laquelle ne peut conduire qu'au triomphe de la souffrance ? Et, de manière plus générale, pourquoi les humains sont-ils aussi malheureux ?

La réponse, pensait Lucrèce, n'est pas étrangère à la puissance de l'imagination. Bien que finis et mortels, les hommes se bercent de l'illusion de l'infini – plaisir infini, douleur infinie. Le fantasme de la douleur infinie explique en partie leur penchant pour la religion : croyant à tort que leur âme est immortelle et qu'ils risquent de connaître une souffrance éternelle, ils s'imaginent pouvoir négocier avec les dieux un sort meilleur, une éternité de plaisir au paradis. Le fantasme du plaisir infini explique en partie leur penchant pour l'amour romantique : croyant à tort que leur bonheur dépend de la possession pleine et entière d'un seul objet de désir infini, ils sont animés par une faim et par une soif fiévreuses et inextinguibles, qui ne peuvent leur apporter que de l'angoisse.

Une fois encore, il est raisonnable de vouloir le plaisir sexuel : après tout, c'est une des joies naturelles du corps. L'erreur, selon Lucrèce, est de confondre cette joie avec le désir frénétique de posséder – de pénétrer et de consommer tout à la fois –, qui n'est qu'un rêve. Bien sûr, l'être aimé et absent n'est toujours qu'une image mentale, donc semblable à un rêve. Mais Lucrèce observe, dans des passages d'une remarquable franchise, qu'au cœur de l'acte sexuel, les amants demeurent soumis à des désirs confus qu'ils ne peuvent assouvir :

> Oui ! la volupté est plus pure aux hommes sensés
> qu'à ces malheureux dont l'ardeur amoureuse
> erre et flotte indécise à l'instant de posséder,
> les yeux, les mains ne sachant de quoi d'abord jouir.
> Leur proie, ils l'étreignent à lui faire mal,
> morsures et baisers lui abîment les lèvres.
>
> (IV, v. 1076-1080.)

Ce passage – extrait de ce que Yeats a qualifié de « plus fine description des relations sexuelles qui ait jamais été écrite [11] » – ne vise pas à prôner une pratique de l'amour plus décente ou plus tiède, mais à prendre en considération la part d'appétit inassouvi qui subsiste, même dans l'accomplissement du désir [12]. Le caractère insatiable de l'appétit sexuel est, selon Lucrèce, une des ruses de Vénus, qui permet d'expliquer qu'après de brefs interludes les mêmes actes soient répétés encore et encore. Si Lucrèce comprend la profondeur du plaisir associé à ces actes répétés, il demeure troublé par cette ruse, par la souffrance qu'elle entraîne, par les élans d'agressivité et, par-dessus tout, par le sentiment que même le moment d'extase laisse quelque chose à désirer.

> Unis enfin, ils goûtent à la fleur de la vie,
> leurs corps pressentent la joie, et déjà c'est l'instant
> où Vénus ensemence le champ de la femme.
> Cupides, leurs corps se fichent, ils joignent leurs salives,
> bouche contre bouche s'entrepressent les dents, s'aspirent,
> en vain : ils ne peuvent rien arracher ici
> ni pénétrer, entièrement dans l'autre corps passer.
> Par moments on dirait que c'est le but de leur combat
> tant ils collent avidement aux attaches de Vénus
> et, leurs membres tremblant de volupté, se liquéfient.
>
> (IV, v. 1105-1114.)

• Comprendre la nature des choses est une source d'émerveillement. Admettre que l'Univers n'est constitué que d'atomes et de vide, que le monde n'a pas été créé pour nous par un créateur providentiel, que nous n'en sommes pas le centre, que nos émotions pas plus que notre vie physique ne se distinguent de celles des autres créatures, que notre âme est aussi matérielle et mortelle que notre corps : tout cela n'est pas une cause de désespoir. Au contraire, cette compréhension est une étape essentielle vers un éventuel bonheur. Pour Lucrèce, l'insignifiance de l'homme, le fait que tout ne tourne pas autour de nous ou de notre destin, est une bonne nouvelle.

Les hommes peuvent vivre heureux, non pas en se croyant le centre de l'Univers, en craignant les dieux ou en se sacrifiant pour des valeurs qui prétendent transcender leur existence mortelle. Le désir inextinguible et la peur de la mort sont les principaux obstacles au bonheur humain, mais ces obstacles peuvent être surmontés par l'exercice de la raison.

Loin d'être l'apanage des seuls spécialistes, la raison est accessible à tout le monde. Pour cela, il est nécessaire de refuser les mensonges des prêtres et autres marchands de rêves, de considérer honnêtement et calmement la véritable nature des choses. Toute spéculation intellectuelle – toute science, toute morale, toute tentative de construire une vie digne d'être vécue – doit commencer et se terminer par la compréhension des semences des choses : des atomes, du vide et rien d'autre.

Paradoxalement, cette compréhension ne s'accompagne pas d'un sentiment de perte, comme si l'Univers avait été privé de sa magie. Être libéré d'illusions néfastes n'équivaut pas à une désillusion. On a souvent dit, dans le monde antique, que l'étonnement est à l'origine de la philosophie : la surprise et la perplexité conduisent à un désir de savoir, et le savoir, à son tour, comble l'étonnement. Chez Lucrèce, le processus est comme inversé : c'est la connaissance de la vérité qui suscite le plus grand émerveillement.

DE LA NATURE EST À LA FOIS UN GRAND LIVRE philosophique et une œuvre poétique. Bien sûr, en résumant comme je l'ai fait ses propos, on passe à côté de la puissance poétique de Lucrèce, puissance dont il minimise l'importance quand il compare ses vers à du miel étalé sur le bord d'une tasse contenant un médicament et sans lequel un enfant malade refuserait de boire. Cette modestie n'est guère surprenante : son maître et son guide en philosophie, Épicure, se méfiait de l'éloquence et estimait que la vérité devait s'exprimer dans une prose simple et sans artifice.

Néanmoins, la force poétique de l'œuvre de Lucrèce n'est pas secondaire dans son projet, sa volonté d'arracher la vérité accaparée par les marchands d'illusions. Pourquoi les fabulistes auraient-ils le monopole des moyens inventés par les hommes pour exprimer le plaisir et la beauté de l'Univers ? Sans eux, le monde que nous habitons pourrait paraître inhospitalier, si bien que les gens préfèrent les fables, même si elles sont destructrices. Avec la poésie, cependant, la vraie nature des choses – un nombre infini de particules indestructibles s'entrechoquant sous l'effet d'une déviation, s'accrochant, prenant vie, se séparant, se reproduisant, mourant, se recréant, pour former un Univers étonnant, en évolution permanente – peut être décrite dans toute sa splendeur.

Les êtres humains, pensait Lucrèce, ne doivent pas se laisser empoisonner par la croyance que leur âme fait partie du monde un certain temps seulement et qu'elle est en route vers un ailleurs. Cette croyance engendre une relation destructrice avec l'environnement dans lequel ils vivent la seule vie qu'ils ont. Cette vie, comme toutes les formes existant dans l'Univers, est contingente et vulnérable ; toute chose, dont la terre elle-même, finira par se désintégrer pour retourner aux atomes dont elle est constituée, qui formeront d'autres choses à leur tour dans la danse perpétuelle de la matière. Tant que nous sommes en vie, nous devrions nous réjouir, car nous sommes une petite partie du vaste processus de création d'un monde que le poème célèbre comme fondamentalement érotique.

C'est ainsi que Lucrèce, poète et créateur de métaphores, propose une introduction qui semble contredire sa conviction selon laquelle les dieux sont sourds aux supplications humaines. *De la nature* commence donc par une prière à Vénus :

> Mère des Énéades, volupté des hommes et des dieux,
> Alme Vénus qui sous les étoiles glissantes

peuple la mer aux mille nefs, les terres fertiles,
toi par qui toute espèce vivante est conçue
puis s'éveille, jaillie de l'ombre, au clair soleil,
tu parais, Déesse, et les vents, les nuages te fuient,
pour toi la terre ingénieuse parsème le chemin
de fleurs suaves, pour toi l'océan rit en ses flots
et le ciel pacifié brille d'un fluide éclat.   (I, v. 1-9.)

L'hymne se poursuit sur le ton de l'émerveillement et de la gratitude, rayonnant de lumière. Tout se passe comme si le poète en extase voyait la déesse de l'amour, le ciel qui se dégage en sa présence, la terre qui se réveille pour la couvrir de fleurs. Elle est l'incarnation du désir, et son retour sur les fraîches rafales du vent d'ouest comble les êtres vivants de plaisir et d'un appétit sexuel ardent :

Car sitôt dévoilé le visage printanier du jour,
dès que reprend vigueur le fécondant zéphyr,
dans les airs les oiseaux te signifient, Déesse,
et ton avènement, frappés au cœur par ta puissance ;
les fauves, les troupeaux bondissent dans l'herbe épaisse,
fendent les courants rapides, tant, captif de ta grâce,
chacun brûle de te suivre où tu le mènes sans trêve.
Par les mers, les montagnes, les fleuves impétueux,
les demeures feuillues des oiseaux, les plaines reverdies,
plantant le tendre amour au cœur de tous les êtres,
tu transmets le désir de propager l'espèce.   (I, v. 9-20.)

Comment les moines allemands qui ont copié ces vers et les ont sauvés de la destruction les ont-ils accueillis ? Nous l'ignorons. Nous ne savons pas non plus comment le Pogge, qui a dû y jeter un coup d'œil au moment de les tirer de l'oubli, les a interprétés. Tous les principes fondamentaux ou presque du poème étaient une abomination au regard de l'orthodoxie chrétienne. Mais la poésie est d'une beauté époustouflante et irrésistible, et nous pouvons admirer ce qu'un peintre italien en fera au XVe siècle. Il suffit de contempler la sublime grâce de la Vénus de Botticelli émergeant de la matière agitée des flots.

Chapitre IX

LE RETOUR

« LUCRÈCE NE M'EST PAS ENCORE REVENU, bien qu'il ait été copié », écrivait le Pogge à son ami vénitien, l'humaniste patricien Francesco Barbaro. Le Pogge n'avait donc pas eu l'autorisation d'emprunter le vieux manuscrit (auquel il se réfère comme s'il s'agissait du poète lui-même) et de l'emporter à Constance. Les moines, très méfiants, avaient dû l'obliger à trouver quelqu'un pour effectuer la copie. Il ne s'attendait pas à ce que le scribe vienne lui livrer le résultat, aussi important qu'il fût, en personne. « L'endroit est assez éloigné, et peu de gens en viennent, poursuivait le Pogge. Je vais donc attendre que quelqu'un me l'amène. » Combien de temps était-il disposé à attendre ? « Si personne ne vient, assurait-il à son ami, je ne ferai pas passer les devoirs publics devant les nécessités privées » [1]. Une remarque très étrange, car ici, qu'est-ce qui ressort du privé et qu'est-ce qui ressort du public ? Le Pogge voulait peut-être rassurer Barbaro : ses devoirs officiels à Constance (quels qu'ils soient) ne l'empêcheraient pas de mettre la main sur Lucrèce.

Quoi qu'il en soit, le manuscrit de *De la nature* finit par lui parvenir, et le Pogge semble l'avoir aussitôt envoyé à

Niccolò Niccoli, à Florence[2]. Soit que la copie du scribe fût grossière, soit qu'il en voulût un exemplaire personnel, l'ami du Pogge entreprit de le transcrire. Cet exemplaire, de la main élégante de Niccoli, ainsi que celui du scribe allemand, générèrent des dizaines d'autres copies manuscrites – plus de cinquante subsistent – et furent à l'origine de toutes les éditions de Lucrèce imprimées au XVe et au début du XVIe siècle. La découverte du Pogge fut ainsi le chaînon déterminant qui permit à ce poème antique, en sommeil depuis mille ans, de recommencer à circuler dans le monde. La bibliothèque Laurentienne, dessinée par Michel-Ange pour les Médicis, conserve la copie faite par Niccoli de la copie faite par le scribe de la copie du IXe siècle du poème de Lucrèce (Codex Laurentianus 35.30). Le livre ne paie pas de mine : couverture de cuir rouge passée et usée incrustée de métal, chaînon attaché en bas de la page 4 de couverture. Bien peu le distingue, en apparence, des autres manuscrits de la collection, sauf que le lecteur a droit à une paire de gants en latex lorsqu'on le lui apporte à sa table de lecture.

La copie faite par le scribe et envoyée par le Pogge à Florence s'est perdue. On peut supposer qu'après avoir terminé sa transcription Niccoli l'a renvoyée au Pogge, qui ne semble pas l'avoir recopiée lui-même. Sûr du talent de Niccoli, le Pogge et ses héritiers n'ont peut-être pas jugé l'exemplaire du scribe digne d'être conservé. Le manuscrit à partir duquel le scribe a effectué sa transcription, qui demeurait sans doute au monastère, a lui aussi disparu. A-t-il péri dans un incendie ? L'encre a-t-elle été délicatement grattée pour laisser place à un autre texte ? A-t-il fini par pourrir, victime de négligence et de l'humidité ? Ou quelque pieux lecteur a-t-il pris la mesure de son contenu subversif et décidé de le détruire ? Aucune trace n'a été

Dernière page de la transcription faite par Niccoli, l'ami du Pogge, de
De la nature, qui s'achève par le mot habituel, *Explicit* (Fin). Niccoli
souhaite une « bonne lecture » (*Lege Feliciter*) à son lecteur et ajoute – en
contradiction avec l'esprit du poème de Lucrèce – un pieux *Amen*.

découverte. Deux manuscrits de *De la nature* datant du
IXe siècle, inconnus du Pogge et des humanistes de
l'époque, ont réussi à franchir les barrières du temps. Ces
manuscrits, baptisés d'après leur format l'Oblongus et le
Quadratus, apparaissaient au catalogue de la collection
d'Isaac Voss, grand érudit et collectionneur hollandais du
XVIIe siècle, et se trouvent à la bibliothèque de l'université
de Leyde depuis 1689. Des fragments d'un troisième
manuscrit, datant du IXe siècle et contenant environ 45 %
du poème de Lucrèce, ont également survécu et sont
aujourd'hui conservés à Copenhague et à Vienne. Quand

ces ouvrages ont refait surface, le poème de Lucrèce, grâce à la découverte du Pogge, contribuait à troubler et transformer le monde depuis longtemps.

Le jour où le Pogge avait envoyé sa copie du poème à Niccoli, il avait de graves sujets de préoccupation. Baldassare Cossa avait été déposé et se morfondait en prison. Le deuxième prétendant au trône de saint Pierre, Angelo Correr, contraint de renoncer à son titre de Grégoire XII, était mort en octobre 1417. Le troisième prétendant, Pedro de Luna, retranché dans la forteresse de Perpignan, puis sur le rocher de Peñíscola, sur la côte méditerranéenne, non loin de Valence, persistait à se faire appeler Benoît XIII, bien que personne ne prît ses revendications au sérieux. Le trône papal était vacant, et le concile, déchiré par les tensions entre les délégations anglaise, française, allemande, italienne et espagnole – comme l'Union européenne – ne parvenait pas à s'accorder sur les conditions à remplir pour élire un nouveau pape.

Avant qu'un accord ne fût trouvé, de nombreux membres de la curie avaient trouvé un nouvel emploi, et certains, tel Leonardo Bruni, étaient rentrés en Italie. Les initiatives du Pogge n'aboutissaient pas. Le secrétaire apostolique du pape disgracié avait des ennemis, mais il refusait de les apaiser en prenant ses distances avec son ancien maître. De nouveaux fonctionnaires de la cour papale avaient témoigné contre Cossa, mais le nom du Pogge n'apparaît pas sur la liste des témoins de l'accusation. Son meilleur espoir était de voir élu pape le cardinal Zabarella, l'un des principaux alliés de Cossa ; mais le cardinal mourut en 1417. Quand les électeurs se réunirent enfin dans le secret du conclave à l'automne 1418, ils choisirent quelqu'un qui ne tenait pas à s'entourer d'intellectuels humanistes, l'aristocrate romain Oddo Colonna, qui prit le nom de Martin V. Le poste de secrétaire apostolique ne fut pas offert au Pogge, qui aurait pu rester à la cour au rang inférieur de clerc. Il opta pour une évolution de carrière surprenante et risquée.

En 1419, le Pogge accepta le poste de secrétaire d'Henri Beaufort, évêque de Winchester. Oncle d'Henri V (le guerrier héroïque d'Azincourt mis en scène par Shakespeare), Beaufort était à la tête de la délégation anglaise du concile de Constance, où il avait rencontré l'humaniste italien, qui lui avait fait forte impression. Pour le riche et puissant évêque anglais, le Pogge incarnait le raffinement et l'érudition, à la fois au fait de l'administration de la curie romaine et versé dans les prestigieuses études humanistes. Inversement, pour le secrétaire italien, Beaufort était le moyen de sauver sa dignité. Le Pogge avait ainsi la satisfaction de se permettre de refuser ce qui aurait été une régression s'il était retourné à la curie romaine. Hélas ! il ne parlait pas anglais. Cela n'avait guère d'importance dans la mesure où Beaufort était de langue maternelle française, et à l'aise en latin et en italien, mais le Pogge ne se sentirait jamais vraiment chez lui en Angleterre.

Sa décision de partir, la quarantaine approchant, dans un pays où il n'avait pas de famille, pas d'alliés ni d'amis, n'était pas seulement motivée par le dépit. La perspective de séjourner dans un royaume lointain, plus distant et plus exotique que ne le serait la Tasmanie pour un Romain d'aujourd'hui, excitait le chasseur de livres qu'il était. Il avait connu des succès spectaculaires en Suisse et en Allemagne, il était célèbre dans les cercles humanistes, mais de nouvelles découvertes l'attendaient peut-être outre-Manche. Les bibliothèques monastiques anglaises n'avaient pas été entièrement explorées par des humanistes possédant sa culture, sa connaissance des indices permettant de repérer des manuscrits disparus, ni son remarquable flair de philologue. Il avait déjà été salué comme un demi-dieu pour son aptitude à ressusciter les morts, mais comment l'accueillerait-on pour ce qu'il pouvait encore mettre au jour ?

Le Pogge finit par passer près de quatre ans en Angleterre, mais son séjour fut très décevant. L'évêque de Beaufort n'était pas la mine d'or que le Pogge, toujours à court d'argent, espérait. Il était absent la plupart du temps – « aussi nomade qu'un Scythe » –, laissant son secrétaire désœuvré. Tous ses amis italiens, à l'exception de Niccoli, l'avaient oublié : « J'ai été relégué aux oubliettes, comme si j'étais mort. » Les Anglais étaient presque tous désagréables : « Un grand nombre d'hommes portés à la gloutonnerie et à la luxure, mais très peu d'amoureux de la littérature, et encore ceux-là sont-ils barbares, plus qualifiés pour les débats insignifiants et les chicaneries que pour le savoir véritable [3]. »

Les lettres qu'il envoyait étaient des litanies de plaintes. Il y avait la peste ; le temps était exécrable ; sa mère et son frère ne lui écrivaient que pour lui réclamer de l'argent qu'il n'avait pas ; il souffrait d'hémorroïdes. Pire que tout, les bibliothèques, du moins celles qu'il visitait, n'avaient aucun intérêt. Il confiait ainsi à Niccoli :

> J'ai vu de nombreux monastères, tous pleins de nouveaux docteurs, dont aucun ne t'aurait paru digne d'être écouté. Il y avait quelques volumes d'écrits anciens, dont nous avons de meilleures versions chez nous. La majorité des monastères de cette île ont été bâtis dans les quatre cents dernières années, une période qui n'a pas produit d'hommes savants ni les livres que nous cherchons ; ces textes avaient déjà sombré sans laisser de trace [4].

Le Pogge savait qu'il y avait des manuscrits intéressants à Oxford, mais Beaufort ne prévoyait pas de s'y rendre, et ses ressources ne lui permettaient pas de faire le voyage. Que ses amis humanistes oublient leurs rêves de découvertes prodigieuses : « Vous feriez mieux d'abandonner l'espoir de recevoir des livres d'Angleterre, car on se soucie très peu d'eux ici [5]. »

Le Pogge affirmait trouver du réconfort dans l'étude approfondie des Pères de l'Église – les volumes théologiques ne manquaient pas en Angleterre –, mais l'absence de textes classiques lui pesait : « Pendant mes quatre années ici, j'ai négligé l'étude des humanités, déplorait-il, et je n'ai pas lu un seul livre ayant le moindre style. Tu peux le deviner à la lecture de mes lettres, qui ne sont plus ce qu'elles étaient [6]. »

En 1422, après moult lamentations, intrigues et flatteries, il réussit à décrocher un nouveau poste de secrétaire au Vatican. Rassembler l'argent nécessaire au voyage de retour ne fut pas chose aisée – « Je cherche partout les moyens de quitter cet endroit aux frais de quelqu'un d'autre [7] », avouait-il sans fard –, mais il finit par y parvenir. Il rentra en Italie sans avoir découvert de trésor bibliographique et sans avoir eu d'influence appréciable sur la scène intellectuelle anglaise.

Le 12 mai 1425, il écrivit à Niccoli pour lui rappeler qu'il voulait voir le texte qu'il lui avait envoyé huit ans plus tôt : « Je voulais le Lucrèce pour deux semaines, pas plus, mais tu souhaites le copier ainsi que Silius Italicus, Nonius Marcellus et les *Oraisons* de Cicéron ; tu parles beaucoup et tu n'accomplis rien [8]. » Un mois plus tard, le 14 juin, il fit une nouvelle tentative, sous-entendant qu'il n'était pas le seul désireux de lire le poème : « Si tu m'envoies le Lucrèce, tu feras plaisir à bon nombre de gens. Je te promets de ne pas garder le livre plus d'un mois, puis il te reviendra [9]. » Une année passa sans résultat : le riche collectionneur estimait sans doute que la place de *De la nature* était dans sa propre bibliothèque, près de ses antiques camées, de ses fragments de statues et de sa verrerie précieuse. Il devait trôner là, non lu peut-être, tel un trophée. Comme si le poème était de nouveau enfoui, non plus dans un monastère, mais dans la riche demeure de l'humaniste.

Dans une lettre du 12 septembre 1426, le Pogge essaya de nouveau de le récupérer. « Envoie-moi aussi le Lucrèce, que j'aimerais voir pendant un petit moment. Je te le renverrai [10]. » Trois ans plus tard, la patience du Pogge était largement entamée. « Cela fait maintenant douze ans que tu as le Lucrèce, écrivait-il le 13 décembre 1429. Il me semble que ta tombe sera achevée avant que tes livres soient copiés. » Deux semaines plus tard, sa colère perçait sous l'impatience, et, erreur révélatrice, il exagérait le nombre de ses années d'attente : « Le Lucrèce est en ta possession depuis quatorze ans, de même que l'Asconius […]. Te paraît-il juste que, eussé-je parfois envie de lire ces auteurs, je ne le puisse à cause de ta négligence ? […] Je veux lire Lucrèce, mais je suis privé de sa présence ; as-tu l'intention de le garder dix ans de plus ? » Puis il ajoutait, d'un ton plus enjôleur : « Je t'exhorte à m'envoyer le Lucrèce ou l'Asconius, que je ferai copier le plus vite possible, avant de te le renvoyer, et tu le garderas aussi longtemps que tu voudras. »

Le Pogge finit par le recevoir, même si la date précise est inconnue. Nous n'avons aucun témoignage de sa réaction au poème, pas plus que de celle de son ami, mais plusieurs signes – copies manuscrites, brèves mentions, allusions, subtiles marques d'influence – indiquent que le poème recommença discrètement à circuler, d'abord à Florence, puis au-delà. Ainsi libéré de sa réclusion dans la demeure de Niccoli, *De la nature* retrouva petit à petit des lecteurs, environ mille ans après avoir disparu [11].

DE RETOUR À ROME, le Pogge reprit le cours familier de sa vie à la cour papale, traitant d'affaires souvent lucratives, échangeant des plaisanteries cyniques avec les autres secrétaires dans l'« officine de mensonges », écrivant à ses amis humanistes à propos des manuscrits qu'ils convoitaient, se querellant avec ses rivaux. Dans cette vie bien remplie – la cour restait rarement longtemps au même endroit –, il trouvait le temps de traduire des textes du grec au latin, de copier de vieux manuscrits, d'écrire des essais sur la morale, des réflexions philosophiques, des traités de rhétorique, des diatribes, des oraisons funèbres pour ses amis défunts : Niccolò Niccoli, Laurent de Médicis, le cardinal Niccolò Albergati, Leonardo Bruni, le cardinal Giuliano Cesarini.

Il eut aussi de très nombreux enfants avec sa maîtresse, Lucia Pannelli : douze fils et deux filles, d'après des témoignages de l'époque. Et il reconnut l'existence de ces enfants illégitimes. Un cardinal avec lequel il était en bons termes lui reprocha cette vie ; s'il admit sa faute, il ajouta, acerbe : « Ne rencontrons-nous pas tous les jours, et dans tous les pays, des prêtres, des moines, des abbés, des évêques et des dignitaires de rang encore plus élevé qui ont toute une ribambelle d'enfants avec des femmes mariées, des veuves et même des vierges consacrées au service de Dieu ? »

Sa fortune s'accroissait, comme le montrent ses relevés d'impôts après son retour d'Angleterre, et sa vie commençait doucement de changer. Sa passion pour la découverte de textes antiques ne se démentait pas, mais ses voyages étaient derrière lui. Il se mit alors à collectionner les antiquités, à l'image de son riche ami Niccoli : « J'ai une pièce pleine de têtes en marbre », se vante-t-il en 1427. La même année, il acheta une maison à Terranuova, sa ville natale en Toscane, où au fil des années suivantes, il augmentera sa propriété foncière. On raconte qu'il avait financé ce premier achat grâce à la copie d'un manuscrit de Tite-Live qu'il avait effectuée et vendue pour la coquette somme de cent vingt florins d'or.

Son père, couvert de dettes, avait dû fuir Terranuova ; c'est là que le Pogge, lui, envisageait de créer ce qu'il appelait son « Académie », où il rêvait de se retirer pour vivre en pur humaniste. « J'ai découvert un buste de femme en marbre, parfaitement intact, que j'aime beaucoup, écrira-t-il quelques années plus tard. Il a été retrouvé un jour que l'on creusait les fondations d'une maison. J'ai pris soin de me le faire livrer ici, puis dans mon petit jardin de Terranuova, que je décorerai d'antiquités. » À propos d'une autre série de statues, il explique : « Quand elles arriveront, je les installerai dans mon petit gymnase [12]. » Académie, jardin, gymnase : le Pogge recréait ce qu'il s'imaginait être le monde des philosophes grecs. Et il tenait à ce que ce monde ait un beau vernis esthétique. Le sculpteur Donatello, remarque-t-il, vit une de ces statues « et l'admira beaucoup ».

Pour autant, la vie du Pogge n'était pas parfaitement stable ni sûre. En 1433, alors qu'il était secrétaire apostolique du pape Eugène IV (successeur de Martin V), le peuple se souleva contre la papauté. Déguisé en moine et abandonnant ses partisans, le pape embarqua dans un petit bateau sur le Tibre pour aller au port d'Ostie, où l'attendait un navire appartenant à ses alliés florentins. Une foule rebelle le reconnut et bombarda de cailloux l'embarcation, mais le pape parvint à s'échapper. Le Pogge n'eut pas cette chance : alors qu'il fuyait la ville, il fut capturé par une troupe ennemie. Les négociations pour sa libération tournèrent court, et il dut payer de sa poche une importante rançon pour être libéré.

Les émeutes finissaient toujours par s'apaiser ; son monde rentrait dans l'ordre et, tôt ou tard, le Pogge retournait à ses livres et ses statues, ses traductions savantes et ses disputes, continuant d'accumuler les richesses. Le 19 janvier 1436, il épousa Vaggia Di Gino Buondelmonti. Il avait cinquante-six ans ; sa fiancée en avait dix-huit. Le mariage n'avait pas été contracté pour l'argent, mais pour une autre forme de capital culturel [13]. Les Buondelmonti appartenaient à la vieille noblesse féodale de Florence, ce dont se réjouissait le Pogge – lui qui avait dénoncé le fait de s'enorgueillir d'une lignée aristocratique. Contre ceux qui raillèrent cette union, il écrivit un dialogue, *Un vieux doit-il se marier ? (An seni sit uxor ducenda ?)* où il passait en revue des arguments souvent prévisibles et teintés de misogynie, apportant des réponses aussi prévisibles que douteuses. Ainsi, d'après l'interlocuteur opposé au mariage, qui n'est autre que Niccolò Niccoli, c'est folie pour un vieillard, savant de surcroît, de troquer un style de vie éprouvé pour un autre, inconnu et risqué. La fiancée peut se révéler grincheuse, morose, intempérante, souillon, paresseuse. S'il s'agit d'une veuve, elle s'appesantira sur le bonheur avec son défunt mari ; si c'est une jeune fille, elle ne saura s'adapter au sérieux de son époux âgé. Et si des enfants naissent, le vieil homme souffrira de savoir qu'il les quittera avant qu'ils ne deviennent mûrs.

Non, réplique l'interlocuteur en faveur du mariage : un homme mûr compensera l'inexpérience et l'ignorance de la jeune épouse qu'il modèlera comme de la cire. Il pourra tempérer sa sensualité fougueuse avec sa retenue et sa sagesse, et s'ils ont la chance d'avoir des enfants, il jouira du respect dû à son âge avancé. Pourquoi sa vie devrait-elle être écourtée ? Pendant les années qu'il lui reste, il connaîtra le plaisir indicible de partager sa vie avec un être aimé, un autre soi-même. Le passage le plus convaincant est celui où le Pogge prend la parole pour affirmer, avec une simplicité inhabituelle, qu'il est très heureux. Niccoli concède qu'il y a peut-être des exceptions à sa règle pessimiste.

À une époque où, selon nos critères, l'espérance de vie était très faible, le Pogge était en pleine forme, et Vaggia et lui connurent un mariage apparemment heureux, qui dura près d'un quart de siècle. Ils eurent cinq fils – Pietro Paolo, Giovanni Battista, Jacopo, Giovanni Francesco et Filippo – et une fille, Lucretia, qui tous atteignirent l'âge adulte. Quatre des cinq garçons embrassèrent une carrière ecclésiastique ; Jacopo, l'exception, devint un éminent érudit. (Il commit l'erreur de tremper dans la conjuration des Pazzi visant à assassiner Laurent et Julien de Médicis, et fut pendu à Florence en 1478.)

On ignore ce qu'il advint de la maîtresse du Pogge et de leurs quatorze enfants. Ses amis félicitaient le marié pour sa bonne fortune et sa rectitude morale ; ses ennemis faisaient circuler des histoires sur son indifférence à l'égard de ceux qu'il avait rejetés. D'après Valla, le Pogge aurait fait révoquer la procédure par laquelle il avait reconnu quatre des fils qu'il avait eus avec sa maîtresse. Cette accusation est peut-être une de ces calomnies que les humanistes rivaux prenaient plaisir à répandre, mais rien n'indique que le Pogge ait montré beaucoup de générosité ni de bonté envers ceux qu'il avait abandonnés.

Laïc, il n'était pas obligé de quitter la cour papale après son mariage. Il demeura au service du pape Eugène IV au cours de longues années émaillées de conflits entre la papauté et les conciles de l'Église, de manœuvres diplomatiques fébriles, de dénonciation d'hérétiques, d'aventures militaires, de fuites précipitées et de guerre ouverte. À la mort d'Eugène, en 1447, le Pogge devint secrétaire apostolique de son successeur, Nicolas V.

C'était le huitième pape auprès duquel il occupait ce poste. Il approchait les soixante-dix ans et sans doute ressentait-il une certaine lassitude. Il consacrait de plus en plus de temps à l'écriture et devait s'occuper de sa famille de plus en plus nombreuse. De surcroît, les fortes attaches de sa belle-famille à Florence avaient renforcé les liens qu'il avait pris soin de maintenir avec celle qu'il considérait comme sa ville natale, où il se rendait au moins une fois par an. Cependant, son poste auprès du nouveau pape devait lui apporter des satisfactions, puisque avant son élection Nicolas V, dont le nom était Thomas de Sarzana, s'était distingué comme un savant humaniste. Il incarnait ce projet d'éducation à la culture et au goût classiques auquel Pétrarque, Salutati et d'autres s'étaient consacrés.

Le Pogge, qui avait rencontré le futur pape à Bologne, lui avait dédié une de ses œuvres, en 1440, *De infelicitate principum (Du malheur des princes)*. Dans le discours de félicitations qu'il se dépêcha de lui envoyer après son élection, il l'assurait que tous les princes n'étaient pas malheureux. Certes, dans la position qui était désormais la sienne, il n'aurait plus le loisir de s'adonner aux joies de l'amitié ou de la littérature, mais il pourrait se porter « au secours de vos compagnons d'études ; tendez-leur une main secourable : vous voyez combien les lettres sont maintenant délaissées [...]. Vous pouvez seul, très Saint-Père, arracher les savants à l'obscurité et au malheur ». « Souffrez néanmoins que je vous prie d'abaisser vos regards sur d'anciens amis, ajoutait-il, parmi lesquels je m'honore d'être compté [14]. »

Même si le pontificat de Nicolas V fut satisfaisant, il ne fut peut-être pas aussi idyllique que le rêvait le secrétaire apostolique. C'est à cette époque que le Pogge eut maille à partir avec Georges de Trébizonde, jusqu'à en venir aux mains. Il ne dut pas non plus apprécier que le pape, comme s'il avait pris au sérieux son injonction à sauver les savants, choisît comme autre secrétaire apostolique son ennemi Lorenzo Valla. Tous deux se lancèrent aussitôt dans une violente querelle publique, s'accusant de fautes de latin et se lançant des quolibets plus acerbes encore sur des questions d'hygiène, de sexe et de famille.

Ces disputes durent encourager le Pogge à vouloir prendre sa retraite, rêve qu'il caressait depuis qu'il avait acheté une maison à Terranuova et commencé de collectionner les vestiges antiques. Il ne s'agissait pas que d'un fantasme personnel ; à ce stade de sa vie, il était suffisamment célèbre en tant que chasseur de manuscrits, savant, écrivain et fonctionnaire papal. Il avait pris soin de cultiver des amitiés à Florence, s'était marié dans une famille en vue et rallié aux intérêts des Médicis. Les Florentins étaient heureux de le considérer comme un des leurs et le gouvernement toscan émit un décret en sa faveur le jour où il déclara son intention de se retirer sur sa terre natale pour consacrer le temps qu'il lui restait à l'étude. Puisque ses recherches littéraires ne lui permettraient pas d'acquérir la richesse de ceux qui pratiquaient le commerce, stipulait le décret, ses enfants et lui devaient être exonérés de tout impôt.

En avril 1453, le chancelier de Florence, Carlo Marsuppini, mourut. C'était un humaniste accompli qui, au moment de sa mort, traduisait l'*Iliade* en latin. Ce poste n'était plus le vrai lieu du pouvoir de l'État, accaparé par les Médicis au détriment de la chancellerie. Le temps n'était plus où la maîtrise de la rhétorique classique de Salutati semblait essentielle à la survie de la République. L'habitude existait néanmoins à Florence de nommer à ce poste un éminent érudit, dont le brillant historien et vieil ami du Pogge, Leonardo Bruni, qui avait accompli deux mandats.

La rémunération était généreuse et le prestige considérable. À ses chanceliers humanistes, Florence témoignait tout le respect et prodiguait tous les honneurs que la ville, dynamique et narcissique, jugeait dignes d'elle. Les chanceliers qui mouraient dans l'exercice de leurs fonctions avaient droit à d'imposantes funérailles officielles, plus fastueuses que celles de tout autre citoyen de la République. Lorsque le poste lui fut offert, le Pogge, âgé de soixante-treize ans, l'accepta. Pendant plus de cinquante ans, il avait travaillé à la cour d'un souverain au pouvoir absolu ; et voilà qu'il devenait le plus haut dignitaire d'une ville qui s'enorgueillissait de sa liberté civile.

Le Pogge fut chancelier de Florence pendant cinq ans. Apparemment, la chancellerie ne fonctionna pas sans heurt sous son autorité ; il semble avoir négligé les devoirs subalternes de sa charge. Mais il joua le jeu de son rôle symbolique, et trouva le temps de se consacrer aux projets littéraires qu'il s'était engagé à mener. Le premier était un dialogue austère en deux volumes, *De la misère de la condition humaine*. À partir d'un désastre précis (la chute de Constantinople sous l'assaut des Turcs), la discussion passe en revue toutes les catastrophes subies, de tout temps, par les hommes et les femmes de toute condition et profession. L'un des interlocuteurs, Côme de Médicis, propose de faire une exception pour les papes et les princes de l'Église qui vivent dans un luxe et une aisance extraordinaires. Parlant en son nom, le Pogge répond : « Je peux témoigner (et j'ai vécu avec eux pendant cinquante ans) que je n'ai trouvé personne qui semblât le moins du monde heureux, qui ne se plaignît de vivre une vie préjudiciable, faite de misères, d'angoisses et de nombreux soucis [15]. »

Le caractère sombre du dialogue pourrait laisser penser que le Pogge succombait à la mélancolie de la fin de la vie, ce que dément son deuxième ouvrage, dédié au même Côme de Médicis. Il s'agit de la traduction du grec en latin du roman comique de Lucien de Samosate, *Lucius ou l'Âne*, un conte plein de sorcelleries et de métamorphoses. Son troisième projet l'emmena dans une direction encore différente : une ambitieuse et très partiale *Histoire de Florence*, du milieu du IVe siècle jusqu'à son époque. La variété de ces ouvrages – le premier digne d'un ascète médiéval, le deuxième d'un humaniste de la Renaissance et le troisième d'un historien patriote – témoigne de la complexité de la personnalité du Pogge et de la ville qu'il représentait. Pour les citoyens florentins du XVe siècle, ces trois registres étaient liés les uns aux autres, comme les éléments d'un tout culturel.

En avril 1458, peu après son soixante-dix-huitième anniversaire, le Pogge démissionna, annonçant qu'il voulait poursuivre ses études et ses travaux d'écriture personnels. Il mourut dix-huit mois plus tard, le 30 octobre 1459. Comme il avait quitté ses fonctions, le gouvernement florentin ne put lui organiser des funérailles nationales, mais il lui offrit une cérémonie digne de son rang en l'église de Santa Croce, et son portrait, signé Antonio Pollaiolo, fut accroché dans un bâtiment public. La ville commanda une statue de lui, qui fut érigée face à la cathédrale de Florence, Santa Maria del Fiore. Quand la façade du Dôme fut restaurée, un siècle plus tard, en 1560, la statue fut transférée dans une autre partie du bâtiment. Elle fait aujourd'hui partie d'un ensemble représentant les douze apôtres. Autant ce serait un honneur pour un chrétien pieux, autant je doute que le Pogge en eût été ravi. Il était déterminé à avoir une reconnaissance publique qui lui ressemblait davantage.

Cette reconnaissance est bien loin aujourd'hui. Sa tombe dans l'église Santa Croce a disparu, remplacée par celles d'autres personnages. Certes, sa ville natale a été rebaptisée Terranuova Bracciolini en son honneur et, en 1959, pour le cinq centième anniversaire de sa mort, on lui a élevé une statue sur la grand-place arborée. Mais rares sont ceux qui, en la traversant pour se précipiter dans les magasins de mode à proximité, savent qui est cet homme.

Peu importe. Avec ses exploits de chasseur de manuscrits du XVᵉ siècle, le Pogge a accompli une œuvre. Les textes qu'il a remis en circulation lui donnent droit d'avoir une place d'honneur parmi ses contemporains florentins plus célèbres : Filippo Brunelleschi, Lorenzo Ghiberti, Donatello, Fra Angelico, Paolo Uccello, Luca Della Robbia, Masaccio, Leon Battista Alberti, Filippo Lippi, Piero Della Francesca. Contrairement au vaste dôme de Brunelleschi, la plus grande coupole bâtie depuis l'Antiquité classique, le grand poème de Lucrèce ne se détache pas sur fond de ciel. Mais sa redécouverte a changé la physionomie du monde.

Chapitre X

DÉVIATIONS

PLUS DE CINQUANTE MANUSCRITS de *De rerum natura*, datant du XVe siècle, existent aujourd'hui, un nombre impressionnant, même s'il dut y en avoir nombre d'autres. Une fois que l'invention géniale de Gutenberg fut commercialement développée, des éditions imprimées suivirent assez vite. Ces livres étaient accompagnés d'une préface en forme d'avertissement ou de condamnation.

C'était à la fin du XVe siècle. Le frère dominicain Jérôme Savonarole dirigeait Florence comme une « république chrétienne » austère. Ses prêches passionnés et charismatiques avaient déclenché chez beaucoup de Florentins, parmi les élites et dans le peuple, une brève mais intense fièvre expiatoire. La sodomie était punie de mort ; les banquiers et les marchands étaient fustigés pour le luxe extravagant dans lequel ils vivaient et pour leur indifférence à l'égard des pauvres ; les jeux avaient été interdits, de même que la danse, le chant et d'autres formes de plaisirs temporels.

L'événement le plus mémorable des années de Savonarole est le fameux « bûcher des vanités » qui vit les adeptes du moine parcourir les rues pour ramasser les objets du péché – miroirs, produits cosmétiques, vêtements aguicheurs, livres de chansons, instruments de musique, cartes à jouer et autres accessoires de jeu, sculptures et peintures aux sujets païens, œuvres des poètes antiques – avant de les jeter dans un gigantesque brasier sur la Piazza della Signoria. Mais la ville finit par se lasser de cette frénésie puritaine et, le 23 mai 1498, Savonarole fut pendu, avec deux de ses principaux alliés, puis brûlé là où il avait dressé son feu de joie culturel.

À l'époque où il était au faîte de son pouvoir, Savonarole avait consacré une série de ses sermons de carême à attaquer les philosophes antiques, concentrant ses moqueries sur quelques-uns. « Écoutez, femmes ! lança-t-il un jour à la foule. Ils prétendent que ce monde a été fait d'atomes, c'est-à-dire de minuscules particules qui volent dans l'air. » Goûtant sûrement l'absurdité de cette idée, il encourageait ses auditeurs à la railler bien haut : « Maintenant, riez, femmes, des études de ces hommes très savants [1]. »

Dans les années 1490, soixante ou soixante-dix ans environ après la remise en circulation du poème de Lucrèce, l'atomisme était donc suffisamment connu à Florence pour mériter d'être tourné en ridicule. Cette connaissance ne signifie pas que ses positions étaient ouvertement considérées comme vraies. Personne n'aurait jamais osé déclarer : « Je crois que le monde n'est fait que d'atomes et de vide ; que, par le corps et par l'âme, nous ne sommes que des structures extrêmement complexes d'atomes reliés les uns aux autres pour une période et voués un jour à se séparer. » Nul citoyen respectable n'aurait osé affirmer : « L'âme meurt en même temps que le corps. Il n'y a pas de jugement après la mort. L'Univers n'a pas été créé pour nous par une puissance divine, et l'idée d'une vie après la mort n'est qu'une superstition. » Quiconque souhaitant vivre en paix n'aurait jamais pris la parole en public pour déclarer :

« Les prédicateurs qui nous incitent à vivre dans la peur et en tremblant sont des menteurs. Dieu ne s'intéresse pas à ce que nous faisons, et bien que la nature soit belle et complexe, il n'y a aucune preuve de l'existence d'un dessein intelligent. Seule devrait nous importer la recherche du plaisir, car le plaisir est le but suprême de la vie. » Personne n'aurait osé soutenir : « La mort n'est rien pour nous et ne nous inquiète pas. » Pourtant ces idées subversives filtraient et réapparaissaient chaque fois que l'imagination de la Renaissance se déployait dans toute sa splendeur.

Au moment même où Savonarole exhortait son auditoire à se moquer des atomistes, un jeune Florentin était en train de recopier discrètement l'intégralité de *De la nature* pour son usage personnel. L'influence du poème dans les livres célèbres qu'il écrira plus tard est visible, mais pas une fois il ne le mentionne. Il était trop habile pour cela. Son écriture ne sera formellement identifiée qu'en 1961 : la copie était de Nicolas Machiavel. Elle est aujourd'hui conservée à la Bibliothèque vaticane – MS Rossi 884 [2]. Quel lieu plus sûr pour l'héritier d'un secrétaire apostolique ? Grâce à l'ami du Pogge, le pape humaniste Nicolas V, les textes classiques figuraient en bonne place à la bibliothèque du Vatican.

Les remontrances de Savonarole n'étaient pas complètement infondées : l'ensemble des convictions exprimées de façon si sublime par le poème de Lucrèce était un bréviaire d'athéisme – ou, mieux, la définition qu'en aurait donnée un inquisiteur. Son irruption dans la vie intellectuelle de la Renaissance suscita une grande variété de réponses angoissées, précisément de la part de ceux qui y étaient le plus réceptifs. Ainsi de celle du poète et philosophe florentin du milieu du XVe siècle, Marsile Ficin.

À vingt ans, Ficin fut profondément ébranlé par *De la nature* et entreprit d'écrire un commentaire savant sur l'œuvre du poète qu'il appelait « notre brillant Lucrèce [3] ». Revenant à la raison – c'est-à-dire à sa foi –, Ficin brûla son texte. Il attaqua les « Lucretiani » et passa une partie de sa vie à exploiter Platon pour construire une ingénieuse défense philosophique du christianisme.

Un deuxième type de réaction consistait à distinguer la poésie de Lucrèce de ses idées. Cette dissociation était plutôt la tactique du Pogge : il s'enorgueillissait de sa découverte, comme de ses autres trouvailles, mais jamais il ne s'associa à la pensée lucrétienne, s'interdisant même de l'attaquer ouvertement. Dans leurs compositions latines, le Pogge et ses amis empruntaient à une foultitude de textes païens des tournures de phrase ou l'élégance d'un style, mais ils gardaient leurs distances avec leurs idées les plus dangereuses. Plus tard dans sa carrière, le Pogge n'hésita pas à accuser son rival, Lorenzo Valla, d'adhérer au maître de Lucrèce, Épicure [4]. C'est une chose d'apprécier le vin, écrivait le Pogge, c'en est une autre de chanter ses louanges au service de l'épicurisme [5]. Valla allait même plus loin qu'Épicure, ajoutait le Pogge, en critiquant la virginité et en louant la prostitution. « Les taches qui souillent votre discours sacrilège ne seront pas lavées par des mots, prévenait le secrétaire apostolique, mais par le feu, auquel j'espère que vous n'échapperez pas. »

Valla aurait pu retourner l'accusation en rappelant qui avait remis Lucrèce en circulation. Il ne le fit pas, ce qui laisse penser que le Pogge avait su se démarquer des implications de sa propre découverte. Et que *De la nature* commença par avoir une très faible diffusion. Au début des années 1430, dans un ouvrage intitulé *Sur le plaisir (De voluptate)*, Valla faisait l'éloge de l'alcool et du sexe que le

Pogge prétendit trouver choquant ; le manuscrit du poème de Lucrèce était alors entre les mains de Niccoli. L'annonce de son existence, qui avait circulé dans les lettres entre humanistes, avait peut-être suscité un regain d'intérêt pour l'épicurisme, mais Valla avait dû exploiter d'autres sources, et sa propre imagination pour composer son apologie du plaisir[6].

La réponse de Valla aux attaques du Pogge permet de distinguer un troisième type de réaction au ferment épicurien du XVe siècle. Cette stratégie prenait la forme de ce qu'on pourrait appeler un « désaveu dialogique ». Les idées condamnées par le Pogge figuraient dans *Sur le plaisir*, admettait Valla, mais elles n'étaient pas de lui. Elles émanaient d'un porte-parole de l'épicurisme au sein d'un dialogue littéraire[7]. À la fin de ce dialogue, ce n'était pas l'épicurisme, mais l'orthodoxie chrétienne, représentée par Antonio Raudense, qui était déclarée victorieuse : « Comme Niccolò Niccoli avait fini son exposé, nous ne quittâmes pas tout de suite cet endroit. Nous étions retenus par une immense admiration pour un discours si pieux et si religieux[8]. »

Et pourtant... Au cœur de son dialogue, Valla propose une défense remarquablement vigoureuse et argumentée des principes clés de l'épicurisme : la sagesse qui consiste à abandonner la compétition pour se retirer dans le jardin de la philosophie, la primauté du plaisir charnel, les avantages de la modération, le caractère pervers et contraire à la nature de l'abstinence sexuelle, le refus de croire à une vie après la mort. « Car il est évident, affirme l'Épicurien, que comme il n'y a aucune récompense pour les morts, il n'y a aucun châtiment[9]. »

Pour lever toute ambiguïté de cette phrase, qui distingue les hommes des autres êtres de la création, il revient sur l'idée quelques pages plus loin : « Or, mon Épicure veut qu'après la dissolution des êtres vivants il ne reste rien. Il appelle être animé aussi bien l'homme que le lion, le loup que le chien, et les autres espèces qui respirent. En cela, je suis d'accord. Ils mangent, nous mangeons, ils boivent, nous buvons, ils dorment et nous aussi. Ils engendrent, conçoivent, donnent la vie et nourrissent leurs petits de la même manière que nous. Ils possèdent une partie de la raison et de la mémoire, plus que d'autres espèces, et nous, un peu plus qu'eux. Nous sommes presque entièrement semblables à eux ; enfin, ils meurent et nous mourons tout entiers [10]. »

Si nous saisissions le sens profond de cette fin – « ils meurent et nous mourons tout entiers » –, notre détermination serait aussi claire : « Donc, ces biens du corps qui incontestablement existent et qui jamais ne peuvent être retrouvés dans l'autre vie, aussi longtemps que nous le pouvons, n'acceptons pas d'en être soustraits (puisse cela durer assez longtemps !) [11]. »

Certes, Valla n'a peut-être écrit ces mots que pour mieux les voir réfutés par les sobres admonestations de Niccolò Niccoli :

> Si tu regardais la figure d'un seul ange à côté de ta bien-aimée, celle-ci semblerait alors si laide et si repoussante que tu t'éloignerais d'elle comme d'un visage cadavéreux et tu te retournerais sur toute la beauté de l'ange, beauté, dis-je, non qui enflamme le désir, mais qui l'éteint et répand un sentiment religieux très saint [12].

Si cette interprétation est vraie, *Sur le plaisir* est une tentative d'endiguer la subversion [13]. Conscient que ses contemporains et lui étaient exposés au charme délétère de Lucrèce, Valla aurait décidé non pas d'empêcher la contamination, comme Ficin, mais de percer l'abcès en exposant les théories de Lucrèce à l'air purificateur de la foi chrétienne.

Sauf que l'ennemi de Valla arriva à la conclusion opposée. Pour le Pogge, le cadre chrétien et la forme dialoguée de *Sur le plaisir* n'étaient qu'une couverture permettant à Valla de publier ses attaques scandaleuses et subversives contre la doctrine chrétienne. Et si la haine virulente du Pogge jette le doute sur la sincérité de son interprétation, le fait que Valla ait apporté la preuve que la « donation de Constantin » était apocryphe laisse à penser qu'il n'était pas parfaitement orthodoxe. De ce point de vue, *Sur le plaisir* serait un texte tout aussi radical et subversif, avec une feuille de vigne censée protéger son auteur, un prêtre toujours en compétition pour un poste de secrétaire apostolique qu'il finit par obtenir.

Comment résoudre l'opposition entre ces deux interprétations radicalement différentes ? Subversion ou endiguement ? Il est peu probable que l'on découvre un jour une preuve permettant de trancher, si tant est qu'une telle preuve ait jamais existé. La question elle-même implique une certitude et une clarté programmatiques sans doute très éloignées de la situation réelle des intellectuels aux XVe et XVIe siècles [14]. Seul un petit nombre de gens embrassèrent pleinement un épicurisme radical, tel qu'ils le comprenaient, dans son intégralité. C'est ainsi qu'en 1484 le poète florentin Luigi Pulci se vit refuser des obsèques chrétiennes pour avoir nié la réalité des miracles et décrit l'âme comme n'étant « rien de plus qu'un pignon de pin dans un pain blanc et chaud [15] ». Pour la plupart des esprits critiques et audacieux de la Renaissance, les idées qui jaillirent en 1417, avec la découverte du poème de Lucrèce et le regain d'intérêt pour l'épicurisme, ne constituaient pas un système philosophique ou idéologique pleinement abouti. Exprimée dans une poésie séduisante, la vision lucrétienne était un formidable défi intellectuel et créatif.

Ce n'est pas l'adhésion qui importait, mais la circulation – circulation d'un poème demeuré intouché dans une ou, au mieux, deux bibliothèques monastiques pendant des siècles, circulation des thèses épicuriennes réduites au silence par des païens hostiles, puis par des chrétiens qui ne l'étaient pas moins, circulation de rêveries, d'hypothèses esquissées, de doutes chuchotés, de pensées dangereuses.

Le Pogge prit ses distances par rapport au contenu de *De la nature*, mais c'est lui qui fit le premier pas décisif en sortant l'ouvrage de son rayonnage, en le faisant copier et en envoyant la copie à ses amis florentins. Une fois le poème remis en circulation, la difficulté n'était pas de le lire (si l'on maîtrisait suffisamment le latin), mais de discuter ouvertement de son contenu ou de prendre au sérieux ses idées. Valla avait trouvé le moyen d'isoler un argument central de l'épicurisme (l'éloge du plaisir, considéré comme le souverain bien) et de l'exprimer de manière atténuée dans un dialogue en le détachant de la structure philosophique qui lui donnait son poids originel, pour finir par le rejeter. Mais l'épicurien du dialogue prend la défense du plaisir avec une fougue, une subtilité et une force persuasive inconnues depuis plus d'un millénaire.

En décembre 1516, près d'un siècle après la découverte du Pogge, le synode florentin, un groupe influent de hauts responsables du clergé, interdit la lecture de Lucrèce dans les écoles. Les professeurs étaient peut-être tentés de faire étudier ce latin raffiné à leurs élèves, mais, disaient les ecclésiastiques, c'était « un ouvrage obscène et malfaisant, dans lequel tout est mis en œuvre pour démontrer la mortalité de l'âme ». Quiconque contrevenait à l'édit encourait la damnation éternelle et une amende de dix ducats.

Si cette interdiction limita la circulation de l'œuvre, qui cessa d'être imprimée en Italie, il était déjà trop tard. Une édition était parue à Bologne, une autre à Paris, une autre à Venise, chez le grand imprimeur Alde Manuce. À Florence, le prestigieux éditeur Filippo Giunti avait publié une édition dirigée par l'humaniste Pier Candido Decembrio, que le Pogge avait bien connu à la cour de Nicolas V.

L'édition de Giunti intégrait des corrections de Michel Marulle, grand soldat, savant et poète d'origine grecque. Marulle, dont Botticelli peignit le portrait, était célèbre dans les cercles humanistes italiens. Au fil d'une carrière agitée, il écrivit de magnifiques hymnes païens inspirés de Lucrèce, dont il avait remarquablement analysé l'œuvre. En 1500, il réfléchissait aux complexités stylistiques de *De la nature* quand, revêtu de son armure, il partit de Volterra combattre les troupes de César Borgia, massées sur la côte près de Piombino. Il pleuvait fort, et les paysans lui conseillèrent de ne pas tenter de traverser la rivière Cecina, en crue. Il aurait répondu qu'alors qu'il était enfant une bohémienne lui avait prédit qu'il ne devait pas craindre Neptune, mais Mars. Au milieu de la rivière, son cheval glissa et s'écroula sur lui. On raconte qu'il mourut en maudissant les dieux. Une copie du poème de Lucrèce fut retrouvée dans sa poche.

La mort de Marulle pouvait être interprétée comme une parabole à valeur d'avertissement – même Érasme, qui était ouvert d'esprit, fit remarquer que Marulle écrivait comme s'il était païen –, mais elle ne pouvait pas étouffer l'intérêt pour Lucrèce. Les autorités religieuses, dont beaucoup avaient des sympathies humanistes, n'étaient pas unanimes sur les dangers que représentait son poème. En 1549, il fut proposé de mettre *De la nature* à l'index des livres interdits – la liste, abolie en 1966, des œuvres que les catholiques n'étaient pas autorisés à lire. La proposition fut abandonnée à la demande du puissant cardinal Marcello Cervini, qui fut élu pape quelques années plus tard. (Il occupa la fonction moins d'un mois, du 9 avril au 1er mai 1555.) Le commissaire général de l'Inquisition, Michel Ghislieri, s'y opposa également. Il classait Lucrèce parmi les auteurs dont les livres païens pouvaient être lus, mais comme des fables. Élu pape à son tour en 1566, Ghislieri consacra son pontificat à la lutte contre les hérétiques et les juifs, abandonnant la menace païenne.

Les intellectuels catholiques s'intéressèrent aux idées lucrétiennes par le biais de fables. Bien qu'il eût dénoncé Marulle parce qu'il écrivait « comme un païen », Érasme publia un dialogue imaginaire, intitulé *L'Épicurien*, dans lequel l'un des personnages, Hédone, entreprend de montrer que « les plus grands épicuriens sont les chrétiens qui vivent pieusement [16] ». Les chrétiens qui pratiquent le jeûne, pleurent sur leurs péchés et mortifient leur chair semblent loin d'être hédonistes, mais ils s'efforcent de vivre vertueusement et « il n'y a rien de plus heureux qu'une bonne conscience ».

Si le paradoxe ressemble assez à un tour de passe-passe, l'ami d'Érasme, Thomas More, poussa l'analyse de l'épicurisme bien plus loin dans son œuvre la plus célèbre, *L'Utopie* (1516). Érudit, profondément imprégné des textes païens grecs et latins que le Pogge et ses contemporains avaient remis en circulation, Thomas More était lui aussi un chrétien pieux et ascète, qui portait la haire sous ses vêtements et se flagellait jusqu'au sang. Son audace théorique et son intelligence implacable lui permirent de saisir la force des idées du monde antique, alors que ses convictions catholiques l'incitaient à poser des limites au-delà desquelles il lui semblait dangereux, pour lui et autrui, de s'aventurer. Il explora brillamment les tensions sous-jacentes de l'identité qu'il faisait sienne, celle d'« humaniste chrétien ».

L'Utopie commence par une critique virulente de l'Angleterre, un pays où les nobles, oisifs, vivent aux crochets du labeur d'autrui, saignent à blanc leurs métayers en augmentant les baux, où la clôture des terres pour l'élevage des moutons oblige des milliers de pauvres gens à la misère et au crime, et où les villes sont parsemées de gibets et les voleurs pendus à foison sans qu'on ait la moindre preuve que ces châtiments empêchent quiconque de commettre les mêmes crimes.

À cette description d'une réalité abominable – au XVIe siècle, le chroniqueur Raphael Holinshed rapporta que sous le règne d'Henri VIII, soixante-douze mille voleurs avaient été pendus – s'oppose celle d'une île imaginaire, Utopie (le nom signifie « nulle part », en grec), dont les habitants voient dans le plaisir « sinon la totalité du bonheur, du moins son élément essentiel ». L'épicurisme est au cœur de l'opposition entre la société bienveillante des utopiens et celle, violente et corrompue, de son Angleterre natale. Thomas More avait parfaitement compris que le principe du plaisir n'est pas qu'une manière d'embellir le quotidien : c'est une idée radicale qui, si on la prend au sérieux, change tout.

Il situe Utopie aux confins de la terre. L'homme qui l'a découverte, écrit-il au début de l'ouvrage, « s'est joint à Améric Vespuce pour les trois derniers de ses quatre voyages, dont on lit aujourd'hui la relation un peu partout. Il l'accompagna continuellement, si ce n'est qu'à la fin il ne revint pas avec lui [17]. » Il fut de ceux qui restèrent là-bas, de son propre chef.

En lisant Amerigo Vespucci et en réfléchissant au Nouveau Monde dénommé « Amérique » en son honneur, More avait été frappé par les observations du navigateur à propos des peuples qu'il avait rencontrés : « Leur vie est si complètement orientée vers le plaisir, écrivit Vespucci, que je la qualifierais d'épicurienne [18]. » More avait compris qu'il pouvait utiliser ces extraordinaires découvertes pour approfondir certaines des idées dérangeantes de Lucrèce. Le lien n'est pas entièrement surprenant : le Florentin Vespucci faisait partie du cercle d'humanistes parmi lequel circulait *De la nature*. Les utopiens, écrit More, « sont assez enclins à penser qu'aucun plaisir n'est répréhensible pourvu qu'il ne cause de peine à personne [19] ». Leur comportement n'est pas qu'une affaire de coutume ; c'est une position philosophique : « Ils me paraissent accorder un peu trop à la secte qui se fait l'avocate du plaisir et qui voit en lui, sinon la totalité du bonheur, du moins son élément essentiel [20]. » Cette « secte » est celle d'Épicure et de Lucrèce.

Le fait d'avoir situé son île dans la partie la plus reculée du monde permettait à More de faire passer une idée extrêmement difficile à formuler pour ses contemporains [21] : les textes païens mis au jour par les humanistes étaient à la fois fondamentaux et étrangers. Ils avaient été réinjectés dans le sang intellectuel de l'Europe après avoir été oubliés pendant des siècles et représentaient non pas une continuité ou une redécouverte, mais une profonde perturbation. Ces voix venaient d'un autre monde, un monde aussi différent que le Brésil de Vespucci pour l'Angleterre. Leur pouvoir était lié à cette distance autant qu'à leur expressivité.

L'évocation du Nouveau Monde autorisait More à exprimer une deuxième réaction essentielle aux textes qui fascinaient les humanistes. Il importait que ces textes soient compris non pas comme des idées philosophiques isolées, mais comme l'expression d'un mode de vie propre à des conditions physiques, historiques, culturelles et sociales particulières. La description de l'épicurisme des utopiens n'avait de sens que dans le contexte plus large d'une existence entière.

Pour More, cette existence concernait tout un chacun. Le philosophe prenait au sérieux l'idée, affirmée si passionnément dans *De la nature*, que la philosophie d'Épicure libérerait l'humanité de sa misère. Ou plutôt il prenait au sérieux l'universalité que signifie en grec le mot « catholique ». L'épicurisme ne devait pas se contenter d'éclairer une petite élite, mais s'appliquer à la société dans son ensemble. *L'Utopie* propose un plan détaillé et visionnaire de cette idée, envisageant le logement public et la santé universelle, les crèches pour les enfants et la tolérance religieuse, jusqu'à la journée de travail de six heures. L'objectif de la fable de More est d'imaginer les conditions qui permettraient à une société de faire de la poursuite du plaisir un objectif collectif.

La première des conditions serait l'abolition de la propriété privée. Sans cela, l'avidité des êtres humains, leur soif de tout ce qui est « brillant, magnifique, grandiose, majestueux » conduit inévitablement à la répartition inéquitable des richesses et plonge une grande partie de la population dans la misère, le ressentiment et la criminalité. Mais le communisme ne suffit pas. Certaines idées doivent être condamnées. Les utopiens imposent des châtiments sévères, allant jusqu'à la forme la plus dure de l'esclavage, pour quiconque nie l'existence de la divine providence ou de la vie après la mort, les deux piliers du poème de Lucrèce.

Si Thomas More embrassait l'épicurisme – de la manière la plus intelligente et la plus nourrie depuis la redécouverte de l'œuvre –, il l'attaquait du même coup dans ce qu'il avait de plus fondamental. Tous les citoyens de son Utopie sont encouragés à rechercher le plaisir ; mais quiconque pense que l'âme meurt avec le corps et que l'Univers est régi par le hasard est arrêté et réduit en esclavage.

C'était le seul moyen pour Thomas More de faire en sorte que la poursuite du plaisir ne soit pas l'apanage d'un petit groupe de philosophes retirés de la vie publique. Les gens devaient croire, au minimum, qu'il existe un dessein providentiel plus vaste – pas seulement dans l'État, mais dans la structure même de l'Univers – étayant les règles selon lesquelles ils devaient moduler leur recherche du plaisir et se discipliner. Cela ne pouvait fonctionner que par la croyance en des récompenses et des châtiments dans l'au-delà. Sans cela, il était impossible de réduire de manière significative, comme More le souhaitait, à la fois les sanctions terribles et les récompenses extravagantes qui maintenaient l'ordre dans la société injuste où il vivait [22].

Les utopiens sont étonnamment tolérants : ils n'imposent aucune doctrine religieuse officielle unique. Les citoyens d'Utopie ont le droit d'adorer le dieu de leur choix et même de partager leur foi avec d'autres, sous réserve qu'ils le fassent dans le calme et avec raison. Mais en Utopie, il n'existe aucune tolérance envers quiconque croit que son âme se désintégrera à sa mort en même temps que son corps, ou quiconque doute que les dieux, si tant est qu'ils existent, se soucient des agissements de l'humanité. Ces personnes représentent une menace, car qu'est-ce qui les empêche de faire ce qui leur plaît ? Un athée ne mérite pas le qualificatif d'être humain et n'a pas sa place en Utopie, « car sans la crainte qui le retient il ne ferait aucun cas des lois et des coutumes de l'État [23] ».

« Sans la crainte qui le retient » : cette peur peut être éliminée dans le jardin du philosophe, chez une infime élite éclairée, mais pas dans une société entière que l'on suppose constituée des types existant dans le monde tel qu'il a toujours été. Même soumise au conditionnement social utopien, la nature humaine est telle que les hommes recourent à la force et à la malhonnêteté pour obtenir ce qu'ils désirent. La croyance de More était sûrement influencée par son catholicisme fervent, mais à la même époque, Machiavel, qui était beaucoup moins pieux, en arrivait à la même conclusion. Les lois et les usages, pensait l'auteur du *Prince*, étaient inutiles sans la peur.

More imaginait les conditions nécessaires pour qu'une communauté se libère de la cruauté et du désordre, partage équitablement les biens terrestres, s'organise autour de la poursuite du plaisir et mette à bas les gibets. Nous pourrions nous passer de presque toutes les potences, concluait-il, si et seulement si nous pouvions convaincre les gens d'imaginer des gibets (et des récompenses) dans une autre vie. Sinon l'ordre social s'effondrerait, puisque tous les individus tenteraient de satisfaire leurs désirs : « Un homme hésitera-t-il en effet à tourner subrepticement les lois ou à les ruiner par la violence s'il ne redoute rien qui les dépasse, s'il n'a aucune espérance qui aille au-delà de son propre corps [24] ? » More était prêt à admettre l'exécution publique de quiconque pensait ou enseignait l'inverse.

En tant que croyant, More avait une autre raison de vouloir imposer cette foi – les paroles du Christ : « Ne vend-on pas deux moineaux pour un as ? Cependant il n'en tombe pas un seul à terre indépendamment de votre

Père. Quant à vous, même les cheveux de votre tête sont tous comptés » (Matthieu, X, 29-30) [25]. Il existe, pour reprendre les mots de Hamlet paraphrasant ces versets, « une Providence particulière dans la chute d'un moineau » [26]. Qui, dans la chrétienté, aurait osé le contester ?

Au XVIe siècle, un petit moine dominicain, Giordano Bruno, le fit. Au milieu des années 1580, après avoir fui son monastère napolitain et parcouru l'Italie et la France, Bruno, âgé de trente-six ans, se retrouva à Londres. Brillant, téméraire, à la fois charmeur, charismatique et insupportable chicanier, il avait survécu grâce à quelques protecteurs, en enseignant la mnémotechnique, en donnant des cours sur différents aspects de ce qu'il appelait la philosophie nolaine, référence à la petite ville de Nola où il était né, non loin de Naples. Cette philosophie puisait à différentes sources qui formaient un mélange exubérant et déconcertant, dont l'une était l'épicurisme. Plusieurs signes montrent que *De la nature* avait troublé et transformé l'univers entier de Bruno.

Durant son séjour en Angleterre, Giordano Bruno avait écrit et publié de nombreuses œuvres étranges. On peut mesurer leur extraordinaire audace à la lecture d'un passage de *L'Expulsion de la bête triomphante*, parue en 1584. Il s'agit d'un long passage, dont la longueur est justement révélatrice. Mercure, le héraut des dieux, raconte à Sophie tout ce que Jupiter lui a demandé de provoquer :

> Il a ordonné qu'aujourd'hui à midi deux melons, parmi d'autres, de chez Franzino le marchand soient parfaitement mûrs ; mais qu'ils ne soient pas cueillis avant trois jours, quand ils ne seront plus bons à manger. Il veut qu'au même moment du jujubier qui se trouve au pied du mont Cicala, sur la propriété de Gioan Bruno, trente jujubes mûrs soient cueillis, dix-sept pas assez faits tombent à terre et quinze

soient rongés par les vers. Que Vasta, la femme d'Albenzio, quand elle voudra se friser les cheveux au-dessus des tempes, s'en brûle cinquante-sept, pour avoir trop chauffé son fer ; mais qu'elle ne se brûle pas la tête et que cette fois elle ne jure pas quand elle sentira le roussi, mais qu'elle prenne son mal en patience. Que de la bouse de son bœuf naissent deux cent cinquante-deux cafards, que quatorze d'entre eux soient écrasés et tués par le pied d'Albenzio, vingt-six meurent sous l'effet du vinaigre, vingt-deux vivent à la cave, quatre-vingts s'acheminent dans la cour, quarante-deux se retirent pour vivre sous la souche près de la porte, seize fassent rouler leurs boules par où ils veulent et que le reste coure au hasard.

Les tâches de Mercure ne s'arrêtent pas là. Il devait faire en sorte que :

> [...] dix-sept cheveux tombent de la tête de Laurenza quand elle se peignera, que treize se cassent et que dix d'entre eux repoussent en l'espace de trois jours et que les sept autres ne reviennent jamais plus. Que la chienne d'Antonio Savolino fasse cinq chiots, que trois d'entre eux survivent et qu'on se débarrasse des deux autres ; que parmi les trois restants, le premier ressemble à sa mère, le deuxième en diffère et le troisième ressemble en partie à son père et en partie à celui de Polidoro. Qu'à ce moment-là on entende le coucou chanter depuis Starza, et qu'on entende ni plus ni moins que dix coucous ; et puis qu'il s'en aille rejoindre les ruines du château Cicala pendant onze minutes, et que depuis cet endroit il vole jusqu'à Scarvaita ; et quant à ce qui doit s'ensuivre, nous y pourvoirons plus tard.

Le travail de Mercure dans ce petit coin perdu de Campanie n'est pas encore achevé :

> Que la jupe que maître Danese taille sur son établi soit fichue. Que douze punaises quittent les tables de chevet de Costantino pour s'en aller gagner la tête du lit : qu'il y en ait sept grandes, quatre petites et une moyenne ; et quant à ce qu'il doit leur arriver ce soir à la lumière de la chandelle,

nous y pourvoirons. Qu'à la même heure, quinze minutes après, d'un coup de langue, laquelle passera pour la quatrième fois sur le palais, la vieille de Fiurulo perde la troisième molaire du côté droit de la mâchoire inférieure ; que cette perte se fasse sans effusion de sang ni douleur, car cette molaire sera parvenue au terme de sa trépidation qui aura duré exactement dix-sept révolutions annuelles de la lune. Qu'Ambroggio, au cent douzième coup, ait achevé et expédié sa besogne avec sa femme et qu'il ne l'engrosse pas cette fois, mais cette autre avec cette semence en laquelle se changera le poireau cuit qu'il mange à présent avec du vin doux et du pain de millet. Que les poils de la puberté commencent à pousser au pubis du fils de Martinello et que tout à la fois sa voix se mette à muer. Qu'à la faveur de l'effort la corde rouge du pantalon de Paulino se casse, quand il voudra ramasser à terre une aiguille brisée [27].

Décrivant avec un luxe de détails inouï le hameau où il est né, Bruno rédigeait une fable philosophique visant à montrer que la providence divine, du moins sa vision populaire, était une bêtise. Si tous les détails étaient délibérément insignifiants, les enjeux étaient de taille. Se moquer de l'affirmation de Jésus selon laquelle tous les cheveux sur la tête de chacun étaient dénombrés pouvait lui valoir une visite désagréable de la police de la pensée. La religion n'était pas un sujet de plaisanterie, du moins pour les autorités chargées de faire respecter l'orthodoxie. En France, un villageois nommé Isambard avait été arrêté pour avoir répondu « le moins possible [28] » alors qu'un frère annonçait qu'il dirait quelques mots à propos de Dieu après la messe. En Espagne, un tailleur nommé Garcia Lopez, sortant de l'église juste après que le prêtre eut annoncé le long programme des services hebdomadaires, lança : « Quand on était juifs, on s'ennuyait ferme le temps d'une Pâque tous les ans, et maintenant on dirait que c'est la

Pâque et le jeûne tous les jours [29]. » Garcia Lopez fut dénoncé à l'Inquisition.

Mais Bruno était en Angleterre, où il n'y avait pas d'Inquisition, malgré les efforts vigoureux entrepris par Thomas More, quand il était chancelier, pour l'établir. Un discours imprudent pouvait vous attirer de gros ennuis, mais Bruno se sentait plus libre d'exprimer ses idées ou, du moins, de se laisser aller à un humour tapageur et violemment subversif. Cet humour avait une visée philosophique : à partir du moment où l'on prend au pied de la lettre l'affirmation selon laquelle la providence divine s'étend à la chute d'un moineau, il n'y a plus de limites – des grains de poussière dans un rayon de soleil aux conjonctions des planètes dans le ciel. « Tu as beaucoup à faire, ô Mercure », déclare Sophie, pleine de commisération.

Sophie prend conscience qu'il faudrait des milliards de langues pour décrire tout ce qui se passe au même moment dans un petit village de Campanie. À ce compte-là, personne ne peut envier le pauvre Jupiter. Mercure reconnaît alors que cela ne fonctionne pas ainsi : aucun dieu artisan n'existe à l'extérieur de l'Univers, d'où il hurlerait des ordres, infligerait des châtiments ou décernerait des récompenses, décidant de tout. L'idée est aberrante. Il existe bien un ordre de l'Univers, mais il fait partie de la nature des choses, il est intégré à la matière qui compose tout, des étoiles aux punaises en passant par les hommes. La nature n'est pas un contenant abstrait, mais une mère féconde, qui engendre tout ce qui existe. En d'autres termes, nous sommes entrés dans l'univers lucrétien.

Cet Univers n'était pas le lieu d'un désenchantement mélancolique. Au contraire, Bruno trouvait passionnante l'idée que le monde n'a pas de limites dans le temps ni dans l'espace, que les choses les plus grandioses sont faites des plus minuscules, que les atomes, les composants de toute chose existante, relient l'unité et l'infini. « Le monde est bien tel qu'il est », fait-il dire à un personnage du *Chandelier*, balayant ainsi, comme autant de toiles d'araignée, les innombrables sermons sur l'angoisse, la culpabilité et le repentir. Il est vain de rechercher la divinité dans le corps supplicié du Fils ou de rêver de découvrir le Père dans un paradis distant. Bruno écrit dans *Le Souper des cendres* : « Ainsi sommes-nous conduits à [...] professer que ce n'est pas hors de nous qu'il faut chercher la divinité, puisqu'elle est à nos côtés, ou plutôt en notre for intérieur, plus intimement en nous que nous ne sommes en nous-mêmes [30]. » Son enthousiasme philosophique s'étendait à sa vie de tous les jours. Bruno était, d'après un contemporain florentin, « un agréable compagnon de table, très porté sur la vie épicurienne [31] ».

Comme Lucrèce, Bruno déconseillait de concentrer son amour et son désir sur un seul objet de convoitise. Il était tout à fait acceptable de satisfaire les besoins sexuels du corps, mais absurde de confondre ces besoins avec la recherche des vérités suprêmes que seule la philosophie (la philosophie nolaine, bien sûr) pouvait dévoiler. Non pas que ces vérités fussent abstraites ou immatérielles. Au contraire, Bruno fut peut-être le premier, en un millénaire, à mesurer la puissance à la fois philosophique et érotique de l'hymne à Vénus de Lucrèce. L'Univers, dans son processus sans fin de création, de destruction et de régénération, est par essence sexuel.

Bruno jugeait le protestantisme militant qu'il avait découvert en Angleterre et ailleurs aussi fanatique et obtus que la Contre-Réforme catholique qu'il avait fuie. Tout ce qui ressemblait à de la haine sectaire lui inspirait du mépris. Il valorisait le courage et la défense de la vérité contre les idiots agressifs prêts à refuser à grands cris ce qu'ils ne comprennent pas. Ainsi le courage de l'astronome Copernic « désigné par les dieux comme une aurore annonçant l'apparition du soleil de l'antique et vraie philosophie, pendant tant de siècles ensevelie dans les ténébreuses cavernes de l'aveugle, de la maligne, de l'arrogante, de l'envieuse ignorance [32] ».

L'affirmation de Copernic selon laquelle la Terre n'est pas un point fixe au centre de l'Univers, mais une planète en orbite autour du Soleil, demeurait, à l'époque où Bruno la défendait, une idée scandaleuse, condamnée à la fois par l'Église et les autorités académiques. Bruno poussa plus loin le scandale copernicien en arguant que l'Univers n'a pas de centre, pas plus la Terre que le Soleil. Citant Lucrèce, il affirmait qu'il y a une multitude de mondes, où les semences des choses, dans leur infinité, pourraient se combiner pour former d'autres races d'hommes, d'autres créatures [33]. Chaque étoile fixe que l'on observe dans le ciel est un soleil, et toutes sont dispersées dans un espace infini. Beaucoup sont accompagnées de satellites qui tournent autour d'elles comme la Terre tourne autour de notre Soleil. L'univers ne se limite pas à nous, notre comportement ni notre destinée ; nous ne sommes qu'une toute petite partie d'un ensemble incommensurablement plus grand. L'idée ne devrait pas nous paralyser de peur. Au contraire, nous devrions embrasser le monde, remplis d'émerveillement, de gratitude et d'admiration respectueuse.

Ces affirmations étaient extrêmement dangereuses, et Bruno prit davantage de risques encore quand, sommé de concilier sa cosmologie et les Écritures, il écrivit que la Bible était plus un manuel de morale qu'un guide pour dresser la carte des cieux. Beaucoup de gens partageaient sans doute ses idées, mais il n'était guère prudent de les exprimer en public, encore moins par écrit.

Bruno n'était pas, loin de là, le seul brillant esprit scientifique en Europe cherchant à repenser la nature des choses : à Londres, il avait dû rencontrer Thomas Harriot[34], qui construisit la plus grande lunette astronomique d'Angleterre, repéra les taches solaires, dessina la surface de la Lune, observa les satellites des planètes, émit l'hypothèse que celles-ci ne tournaient pas en cercles parfaits mais selon des orbites elliptiques, travailla sur la cartographie mathématique, découvrit la loi des sinus en optique et réalisa de nombreuses avancées en algèbre. Nombre de ces découvertes annonçaient celles qui allaient rendre célèbres Galilée, Descartes et d'autres. Mais aucune n'a été attribuée à Harriot : elles n'ont été retrouvées que récemment dans les amas de papiers inédits qu'il avait laissés à sa mort. Parmi ces documents figurait une liste précise, conservée par Harriot l'atomiste, de toutes les attaques portées contre lui à cause de son athéisme supposé. Il savait que ces attaques redoubleraient s'il publiait ses découvertes, et il tenait plus à la vie qu'à la renommée. Qui pourrait le lui reprocher ?

Bruno, lui, ne put demeurer silencieux. Parlant de lui-même, il expliquait : « En pleine conformité avec les sens et la raison, c'est lui qui avec les clés de sa compétence a ouvert par ses recherches ceux des cloîtres de la vérité auxquels nous pouvions avoir accès. Il a mis à nu la nature, que des voiles enveloppaient ; il a donné des yeux aux taupes et rendu la lumière aux aveugles incapables de regarder en face, pour y contempler leur propre image, la multitude des miroirs qui les environnaient de toute part ; il a dénoué la langue des muets, qui ne savaient ni n'osaient dénouer l'écheveau de leurs pensées[35]. » Enfant, se souvient-il dans *De immenso et innumerabilis*, un poème en latin inspiré par Lucrèce, il pensait qu'il n'y avait rien derrière le Vésuve, puisque ses yeux ne pouvaient voir au-delà du volcan. Il savait à présent que le Vésuve faisait partie d'un monde infini, et il ne pouvait plus se laisser enfermer dans l'étroite cellule mentale où sa culture voulait le confiner.

S'il était resté en Angleterre (ou à Francfort, Zurich, Prague ou Wittenberg, où il était également allé), peut-être aurait-il pu trouver, malgré les difficultés, une manière de demeurer libre. Mais en 1591, il prit la funeste décision de retourner en Italie, croyant être en sécurité à Padoue et à Venise, deux villes notoirement indépendantes. Cette sécurité se révéla illusoire : dénoncé à l'Inquisition par son protecteur, Bruno fut arrêté à Venise, puis extradé à Rome, où il fut incarcéré dans une cellule du Saint-Office, près de la basilique Saint-Pierre.

L'interrogatoire et le procès de Bruno durèrent huit ans, au cours desquels il répondit sans relâche aux accusations d'hérésie, réaffirma sa vision philosophique, réfuta des accusations violentes et utilisa sa prodigieuse mémoire pour énoncer ce en quoi il croyait. Menacé de torture, il nia le droit des inquisiteurs de définir ce qu'étaient l'hérésie et la croyance orthodoxe. Pour ses accusateurs, la coupe était pleine. Le Saint-Office ne reconnaissait aucune limite à sa juridiction suprême – aucune limite territoriale et, le pape et les cardinaux mis à part, aucune limite en ce qui concernait les personnes. Il affirmait son droit de juger et, si nécessaire, de persécuter quiconque, n'importe où. Il était l'arbitre suprême de l'orthodoxie.

En public, l'accusé fut mis à genoux et condamné en tant qu'« hérétique impénitent, pernicieux et obstiné ». Bruno n'était pas un stoïcien ; le sort épouvantable qui l'attendait le terrifiait. Un des spectateurs, un catholique allemand, consigna les étranges paroles prononcées par l'hérétique au moment de sa condamnation et de son excommunication : « Il ne fit d'autre réponse que celle-ci, proférée d'un ton menaçant : "Vous avez peut-être plus peur de prononcer cette sentence contre moi que moi de l'accepter." »

Le 17 février 1600, le dominicain défroqué, le crâne rasé, fut hissé sur un âne et conduit au bûcher érigé sur la place Campo dei Fiori. Il avait obstinément refusé de se repentir au cours de longues heures où il avait été harcelé par des frères. La fin venue, il refusa de se repentir ou de se taire. Ses mots n'ont pas été consignés, mais ils devaient être insupportables aux oreilles des autorités puisque celles-ci ordonnèrent qu'on lui fasse « tenir sa langue », au sens propre du terme. D'après un témoignage, on lui planta une broche dans la joue, qui traversa la langue pour ressortir de l'autre côté. Une autre broche lui fermait les lèvres, formant une croix. Lorsqu'on lui présenta un crucifix, il détourna la tête. On alluma le feu, qui remplit son office. Une fois brûlés, ses os furent brisés et ses cendres – les minuscules particules qui, croyait-il, allaient rejoindre la grande, joyeuse et éternelle circulation de la matière – furent dispersées.

Chapitre XI

POSTÉRITÉ

I
L FUT BEAUCOUP PLUS FACILE DE RÉDUIRE BRUNO au
silence que de renvoyer *De la nature* dans les ténèbres.
Une fois le poème de Lucrèce revenu à la lumière, les
vers de ce poète visionnaire, si près de l'expérience
humaine, se mirent à résonner dans les œuvres des artistes
et des écrivains de la Renaissance, dont beaucoup se considéraient comme des fidèles chrétiens. Pour les autorités, les
échos de cette rencontre étaient beaucoup moins inquiétants quand ils apparaissaient dans la peinture ou dans le
roman épique, plutôt que dans les écrits scientifiques ou
philosophiques. La police ecclésiastique de la pensée était
rarement sollicitée pour examiner des œuvres d'art soup-
çonnées de véhiculer des idées hérétiques [1]. De même que
le talent poétique de Lucrèce avait permis la diffusion
d'idées radicales, celles-ci étaient transmises, d'une façon
très difficile à contrôler, par des artistes qui étaient en
contact direct ou indirect avec les cercles humanistes italiens : des peintres comme Sandro Botticelli, Piero Di
Cosimo et Léonard de Vinci ; des poètes comme Matteo
Boiardo, l'Arioste ou le Tasse. En peu de temps, ces idées
avaient largement dépassé le cadre de Florence et de Rome.

Ainsi à Londres, au milieu des années 1590, lorsque Mercutio taquine Roméo en proposant une description fantastique de la reine Mab :

> Parmi les fées, c'est l'accoucheuse, et elle vient,
> Pas plus grosse qu'une pierre d'agate
> À l'index d'un échevin,
> Traînée par un attelage de petits atomes,
> Se poser sur le nez des hommes quand ils dorment [2].

« Un attelage de petits atomes » : Shakespeare supposait que son public, populaire, comprendrait immédiatement que Mercutio évoquait un objet infiniment petit. La référence est d'autant plus intéressante qu'elle a lieu dans le contexte d'une tragédie qui met en scène le pouvoir coercitif du désir dans un monde où les principaux personnages ont abjuré toute perspective de vie après la mort :

> Ici, ici je veux demeurer
> Avec les vers qui sont tes caméristes. Oh ! ici
> Je veux gagner mon repos éternel [3]…

Les années que Giordano Bruno avait passées en Angleterre avaient porté leurs fruits. L'intérêt de Shakespeare pour le matérialisme lucrétien était partagé par Edmund Spenser, John Donne, Francis Bacon et d'autres. L'auteur de *Roméo et Juliette* n'avait été ni à Oxford ni à Cambridge, mais il maîtrisait suffisamment le latin pour lire Lucrèce. Et il semble avoir personnellement connu John Florio, un ami de Bruno. Peut-être s'est-il également entretenu de Lucrèce avec le dramaturge Ben Jonson, dont l'exemplaire signé du *De la nature* se trouve aujourd'hui à la bibliothèque Houghton de Harvard [4].

Shakespeare a sûrement croisé Lucrèce dans un de ses livres préférés : les *Essais* de Montaigne. Publiés en français en 1580 et traduits en anglais par Florio en 1603, les *Essais* contiennent une centaine de citations du *De la nature*. Plus généralement, il existe une affinité profonde entre les œuvres des deux auteurs.

Montaigne partageait le mépris de Lucrèce pour une morale fondée sur une vision infernale de la vie après la mort ; il se fiait à l'expérience de ses sens et aux preuves fournies par le monde matériel ; il détestait l'autopunition ascétique et la mortification de la chair ; il chérissait la liberté intérieure et le plaisir. En s'attaquant à la peur de la mort, il s'inscrivait dans la droite ligne des matérialismes stoïcien et lucrétien, dont le dernier aura une influence particulièrement forte, qui l'amènera à célébrer la jouissance charnelle.

Cependant, le poème épique de Lucrèce, impersonnel, n'offrait aucun guide pour le grand projet de Montaigne de représenter tous les méandres de son être physique et mental :

> Je ne suis excessivement désireux ny de salades ny de fruits, sauf les melons. Mon père haïssoit toute sorte de sauces ; je les aime toutes. [...] Il y a des mouvements en nous, inconstans et incogneus ; car des refors pour exemple, je les ay trouvez premièrement commodes, depuis fâcheux, à présent de rechef commodes [5].

La volonté de Montaigne, d'une excentricité sublime, de circonscrire toute sa personnalité dans son texte est bâtie sur une vision du cosmos matériel que le Pogge avait réveillée de son sommeil en 1417.

« Le monde n'est qu'une branloire pérenne, écrit Montaigne dans *Du repentir*. Toutes choses y branlent sans cesse : la terre, les rochers du Caucase, les pyramides d'Ægypte, et du branle public et du leur. La constance même n'est autre chose qu'un branle plus languissant [6]. »

Les hommes ne font pas exception, quand bien même ils s'imaginent choisir de bouger ou de rester immobiles. Dans l'essai intitulé « De l'inconstance de nos actions », Montaigne remarque : « Nostre façon ordinaire, c'est d'aller apres les inclinations de nostre appétit, à gauche, à dextre, contre-mont, contre-bas, selon que le vent des occasions nous emporte [7]. »

Comme si cette façon d'exprimer les choses accordait encore trop de pouvoir aux hommes, il poursuit en soulignant, avec une citation de Lucrèce, la nature aléatoire des mouvements humains : « Nous n'allons pas ; on nous emporte, comme les choses qui flottent, ores doucement, ores avecques violence, selon que l'eau est ireuse ou bonasse : *nonne videmus/ Quid sibi quisque velit nescire, et quærere semper,/ Commutare locum, quasi onus deponere possit* [8] ? » La vie intellectuelle volatile dont ses essais participent n'est pas différente : « D'un subjet nous en faisons mille, et retombons, en multipliant et subdivisant, à l'infinité des atomes d'Épicurus [9]. » Mieux que quiconque, mieux que Lucrèce lui-même, Montaigne a su exprimer ce que nous ressentons en nous, nous qui pensons, écrivons et vivons dans un univers épicurien.

Ce faisant, Montaigne découvrait qu'il lui fallait renoncer à l'un des rêves les plus chers à Lucrèce : celui d'être en sécurité sur une terre ferme, regardant d'en haut les autres faire naufrage. Il avait compris qu'il n'existait pas de falaise stable : il était déjà à bord du bateau. Montaigne partageait le scepticisme épicurien de Lucrèce à l'égard de la poursuite effrénée de la gloire, de la puissance et de la richesse, appréciant sa retraite à l'écart du monde, protégé par l'intimité de son bureau garni de livres dans la tour de son château. Mais cet isolement semble avoir créé chez lui une conscience plus aiguë encore du mouvement perpétuel, de l'instabilité des formes, de la pluralité des mondes, des déviations aléatoires, dont lui-même, et quiconque, était la proie.

Le caractère sceptique de Montaigne le préserva néanmoins de la certitude dogmatique de l'épicurisme. Mais sa plongée dans *De la nature*, dans le style autant que les idées du poème, lui permit de rendre compte de l'expérience de sa vie telle qu'il la vivait et de la décrire, ainsi que ses lectures et ses réflexions. Elle lui permit de dire son rejet de la crainte religieuse, son intérêt exclusif pour ce monde et non pour la vie après la mort, son mépris pour le fanatisme, sa fascination pour les sociétés prétendues primitives, son admiration pour les choses simples et naturelles, son aversion pour la cruauté, sa profonde compréhension de la nature animale des hommes, et sa sympathie tout aussi profonde pour les autres espèces d'animaux.

L'esprit de Lucrèce est également perceptible dans « De la cruauté », lorsque Montaigne avoue qu'il renoncerait volontiers à « cette royauté imaginaire qu'on nous donne sur les autres créatures », admet ne pas supporter de voir tordre le cou d'un poulet, et dit qu'il ne saurait « refuser à [son] chien la feste qu'il [lui] offre hors de saison ou qu'il [lui] demande[10] ». Il se moque ainsi de l'idée que les hommes seraient le centre de l'univers dans l'« Apologie de Raimond Sebond » :

> Car pourquoy ne dira un oison ainsi : Toutes les pièces de l'univers me regardent ; la terre me sert à marcher, le soleil à m'esclairer, les estoilles à m'inspirer leurs influances ; j'ay telle commodité des vents, telles des eaux ; il n'est rien que cette voute regarde si favorablement que moy ; je suis le mignon de nature[11].

Toujours dans « De la cruauté », il évoque la noble mort de Socrate, et dans un esprit très proche de celui de

Lucrèce se concentre sur le détail le plus improbable (et le plus épicurien) : le « plaisir qu'il sent à gratter sa jambe apres que les fers en furent hors [12] ».

Les empreintes de Lucrèce apparaissent dans toutes les réflexions de Montaigne sur ses deux sujets de prédilection : le sexe et la mort. Rappelant que « la courtisane Flora disoit n'avoir jamais couché avecques Pompeius, qu'elle ne luy eust faict porter les merques de ses morsures », Montaigne cite les vers de Lucrèce : *Quod petiere premunt arctè, faciútque dolorem/ Corporis, et dentes inlidunt sæpe labellis* (« Leur proie, ils l'étreignent à lui faire mal, / morsures et baisers lui abîment les lèvres »). Puis il conclut : « Il en va ainsi par tout ; la difficulté donne pris aux choses [13]. » Incitant ceux chez qui la passion charnelle est trop puissante à « la dissiper », Montaigne rappelle, dans « De la diversion », le conseil scabreux de Lucrèce – *Conjicito humorem collectum in copora quæque* (« et de jeter / en toute autre personne le liquide amassé ») –, précisant : « Je l'ay souvent essayé avec utilité [14]. » Enfin, tâchant de vaincre toute timidité et de capter l'expérience même du rapport sexuel, il estime que la description la plus sublime est celle de Lucrèce évoquant Mars et Vénus, citant le poète, dans « Sur des vers de Virgile » :

> *[...] belli fera mœnera Mavors*
> *Armipotens regit, in gremium qui sæpe tuum se*
> *Rejicit, æterno devinctus vulnere amoris :*
> *Pascit amore avidos inhians in te, Dea, visus,*
> *Eque tuo pendet resupini spiritus ore :*
> *Hunc tu, diva, tuo recubantem corpore sancto*
> *Circunfusa super, suaveis ex ore loquelas*
> *Funde* [15].

Citant les vers en latin, Montaigne n'en donne pas de version française ; il s'y arrête pour savourer la perfection de ces formes « si vifves, si profondes ».

Il est des moments, rares et intenses, où un auteur, depuis longtemps disparu de la surface de la terre semble soudain présent et nous parle directement, comme s'il portait un message destiné à nous seuls. Montaigne semble avoir ressenti ce lien intime avec Lucrèce, un lien qui l'aidait à accepter la perspective de sa propre disparition. Un jour, se remémore-t-il dans « Que philosopher c'est apprendre à mourir », il avait vu mourir un homme qui se plaignait beaucoup, sa dernière heure venue, que le destin l'empêchât de finir le livre qu'il était en train d'écrire. Montaigne explique que Lucrèce lui évoque parfaitement l'absurdité de ce regret : *Ilud in his rebus non addunt, nec tibi earum / Jam desiderium rerum super insidet una* (« Mais à ces paroles ils oublient d'ajouter : / "Nul regret de ces choses ne pèsera sur toi." ») Et lui-même ajoute : « Et que la mort me treuve plantant mes chous, mais nonchalant d'elle, et encore plus de mon jardin imparfait [16]. »

Mourir « nonchalamment » était un but plus difficile à atteindre qu'il n'y paraissait : Montaigne devait faire appel à toutes les ressources de son esprit pour pouvoir entendre ce qu'il considérait comme la voix de la nature et lui obéir. Et cette voix était celle de Lucrèce. « Sortez de ce monde, comme vous y estes entrez, fait dire Montaigne à la nature. Le mesme passage que vous fîtes de la mort à la vie, sans passion et sans frayeur, refaites le de la vie à la mort. Vostre mort est une des pièces de l'ordre de l'univers. C'est une pièce de la vie du monde : *Inter se mortales mutua vivunt/ Et quasi cursores vitaï lampada tradunt* [17]. »

Lucrèce est un guide idéal pour comprendre la nature des choses et façonner l'être afin que celui-ci vive sa vie avec plaisir et accueille la mort avec dignité.

En 1989, Paul Quarrie, à l'époque bibliothécaire à Eton College, acheta aux enchères, pour deux cent cinquante livres sterling, un exemplaire de la splendide édition de *De rerum natura* de 1563, due à Denis Lambin. La notice du catalogue de la vente précisait que les pages de garde étaient couvertes de notes, qu'il y avait beaucoup de commentaires dans les marges, à la fois en latin et en français, mais qu'on ignorait le nom du propriétaire. Les spécialistes ne tardèrent pas à confirmer ce que Quarrie soupçonnait [18] : il s'agissait de l'exemplaire personnel de Montaigne, qui gardait les traces de la lecture passionnée de l'humaniste. La signature de Montaigne était cachée par une autre, c'est pourquoi il avait fallu si longtemps pour l'identifier. Dans un commentaire très hétérodoxe rédigé en latin au verso du troisième feuillet de garde, Montaigne avait laissé une preuve que le livre était bien le sien. « Puisque les mouvements des atomes sont tellement variés, était-il écrit, il n'est pas inconcevable que les atomes se soient un jour assemblés d'une façon, ou que dans l'avenir ils s'assemblent encore de la même façon, donnant naissance à un autre Montaigne [19]. »

Montaigne avait pris la peine de marquer les nombreux passages du poème qui lui semblaient « contre la religion », en ce sens qu'ils réfutaient les principes chrétiens de création *ex nihilo*, de providence divine et de jugement dernier. La peur de la mort, écrivait-il dans la marge, est la cause de tous nos vices. Surtout, notait-il à plusieurs reprises, l'âme est corporelle : « l'âme est physique » (p. 296) ; « l'âme et le corps sont intimement mêlés » (p. 302) ; « l'âme est mortelle » (p. 306) ; « l'âme, comme le pied, est une partie du corps » (p. 310) ; « le corps et l'âme sont indissociablement liés » (p. 311). Il s'agit là de notes de lecture, pas d'idées proprement dites. Mais elles suggèrent sa fascination pour les conclusions les plus radicales à tirer du matérialisme lucrétien. Et même s'il était plus prudent

La signature de Montaigne sur la page de titre d'un exemplaire de Lucrèce – dans l'édition de Denis Lambin datant de 1563 –, recouverte par celle d'un propriétaire ultérieur, « Despagnet », n'a été identifiée qu'au XXᵉ siècle.

de dissimuler cette fascination, il est clair que la réaction de Montaigne n'était pas unique en son genre.

Même en Espagne, où l'Inquisition veillait, le poème de Lucrèce était lu. Des exemplaires imprimés traversaient la frontière d'Italie et de France, et des manuscrits passaient discrètement de main en main. Au début du XVIIᵉ siècle, Alonso de Olivera, médecin de la princesse Élisabeth de France (reine d'Espagne), possédait une édition française de 1565. Lors d'une vente de livres, en 1625, le poète Francisco de Quevedo acheta une copie manuscrite de l'ouvrage pour un réal[20]. L'écrivain et historien Rodrigo Caro, de Séville, en possédait deux exemplaires, imprimés à Anvers en 1566, dans sa bibliothèque inventoriée en 1647 ; et au monastère de Guadalupe, Padre Zamora conservait apparemment un exemplaire de Lucrèce imprimé à Amsterdam en 1663. Comme l'avait découvert Thomas More quand il avait essayé d'acheter et de brûler les traductions protestantes de la Bible, l'imprimerie rendait follement difficile d'éliminer un livre. Étouffer un ensemble d'idées décisives pour les nouvelles avancées scientifiques en physique et en astronomie était plus difficile encore.

Les tentatives furent pourtant nombreuses, telle la suivante, datée du XVIIe siècle, qui voulait accomplir ce que l'exécution de Bruno n'avait pas accompli :

> Rien ne provient des atomes
> Tous les corps du monde resplendissent de la beauté de leurs formes.
> Sans elles le globe ne serait qu'un immense chaos.
> Au début Dieu fit toutes les choses, pour que celles-ci engendrent quelque chose.
> Considère comme rien ce dont rien ne peut venir.
> Toi, ô Démocrite, tu ne formes rien de différent à partir des atomes.
> Rien n'est produit par les atomes : donc les atomes ne sont rien [21].

Telles sont les paroles d'une prière en latin que les jeunes jésuites de l'université de Pise avaient l'obligation de réciter tous les jours pour se protéger de ce que leurs supérieurs considéraient comme une tentation particulièrement nocive. Cette prière avait pour but d'exorciser l'atomisme et d'attribuer la forme, la structure et la beauté des choses à l'œuvre de Dieu. Les atomistes se réjouissaient et s'émerveillaient du spectacle de la nature : Lucrèce interprétait l'Univers comme un hymne permanent et intensément érotique à Vénus. Le jeune jésuite docile, lui, devait se répéter chaque jour que la seule proposition alternative à l'ordre divin qu'il voyait célébré autour de lui dans l'exubérance de l'art baroque n'était qu'un monde froid, stérile et chaotique d'atomes dépourvu de sens.

En quoi était-ce fondamental ? Comme *L'Utopie* de Thomas More l'avait montré, la providence divine et les récompenses et châtiments *post mortem* étaient des croyances non négociables, même dans des œuvres de fiction mettant en scène un peuple non chrétien vivant aux confins du monde connu. Mais la doctrine des utopiens n'était pas fondée sur leur compréhension de la physique. Pourquoi les jésuites, dont l'ordre était à la fois le plus intellectuel et le plus militant de l'époque, s'attelèrent-ils à la tâche ingrate d'essayer d'éradiquer les atomes ? Après tout, la notion de « semences invisibles » des choses n'avait jamais complètement disparu au Moyen Âge. L'idée-force selon laquelle l'Univers est composé de particules matérielles élémentaires (les atomes) avait survécu à la disparition des textes antiques. On pouvait parler des atomes sans risque, tant qu'on les disait animés et ordonnés par la divine providence. Dans les plus hautes sphères de l'Église catholique, il existait des esprits curieux et audacieux désireux d'en découdre avec la nouvelle science. Pourquoi, durant la haute Renaissance, les atomes étaient-ils devenus aussi menaçants, du moins dans certains cercles ?

La découverte et la remise en circulation du *De la nature* de Lucrèce reliaient le concept d'atomes, en tant que substrat fondamental de tout ce qui existe, à une série d'affirmations jugées dangereuses. Hors de tout contexte, l'idée que toute chose puisse être constituée d'innombrables particules invisibles ne semblait pas particulièrement inquiétante. Il fallait bien que le monde soit constitué de quelque chose. Mais le poème de Lucrèce replaçait les atomes dans un contexte manquant, et les conséquences, dans l'ordre moral, politique, éthique et théologique, étaient profondément déstabilisantes.

Ces conséquences ne furent pas immédiatement visibles aux yeux de tous. Savonarole se moquait des intellectuels pédants qui pensaient que le monde était fait de particules invisibles, mais, sur cette question du moins, il cherchait à se rallier les rieurs et n'appelait pas encore à l'autodafé. Des catholiques comme Érasme ou Thomas More avaient pu réfléchir à la façon d'intégrer des éléments de l'épicurisme à la foi chrétienne. Et en 1509, quand Raphaël avait représenté sa magnifique vision de la philosophie grecque sous la forme d'une fresque, *L'École d'Athènes*, peinte au Vatican, il semblait convaincu que l'héritage classique, et non seulement l'œuvre de quelques-uns, pouvait vivre en harmonie avec la doctrine chrétienne dont débattaient avec ardeur les théologiens représentés sur le mur. Platon et Aristote y occupent la place d'honneur, mais la grande arche est suffisamment spacieuse pour accueillir tous les grands penseurs, dont (si l'identification acceptée d'ordinaire est exacte), Hypatie d'Alexandrie et Épicure.

Mais dès le milieu du siècle, cette conviction n'était plus possible. En 1551, les théologiens du concile de Trente réglèrent une bonne fois pour toutes (du moins de leur point de vue) la question du principal mystère de la foi chrétienne. Ils confirmèrent, en tant que dogme de l'Église, les arguments subtils qui avaient permis, au XIIIe siècle, à Thomas d'Aquin, s'inspirant d'Aristote, de concilier la transsubstantiation – la métamorphose du pain et du vin consacrés en corps et en sang du Christ – avec les lois de la physique. La distinction faite par Aristote entre les « accidents » et la « substance » de la matière permettait d'expliquer comment une chose qui avait l'apparence, l'odeur et le goût du pain pouvait en réalité (et pas seulement symboliquement) être le corps du Christ. Leurs sens révélaient aux hommes les accidents du pain ; la substance de l'hostie consacrée était Dieu.

Les théologiens du concile de Trente présentaient ces arguments ingénieux non pas comme une théorie, mais comme la vérité, une vérité totalement incompatible avec Épicure et Lucrèce. Le problème n'était pas leur paganisme – Aristote était païen –, mais leur conception de la physique. L'atomisme rejetait la distinction fondamentale entre la substance et l'accident, menaçant le magnifique édifice intellectuel bâti sur des fondations aristotéliciennes. Cette menace survenait au moment précis où les protestants lançaient leur attaque la plus sérieuse contre la doctrine catholique. Cette attaque n'avait rien à voir avec l'atomisme – Luther, Zwingli et Calvin n'étaient pas des épicuriens, pas plus que ne l'avaient été Wycliffe ou Hus –, mais pour les forces militantes de la Contre-Réforme catholique, rangées en ordre de bataille, la résurgence du matérialisme antique ouvrait un second front dangereux. L'atomisme offrait aux réformateurs l'accès à une arme intellectuelle de destruction massive. L'Église était déterminée à empêcher quiconque de mettre la main dessus, et l'Inquisition, son bras idéologique, guettait tout signe de prolifération.

« La foi doit avoir la première place entre toutes les autres lois de la philosophie, déclarait un porte-parole des jésuites en 1624, car ce qui est par autorité établie parole de Dieu ne doit pas être exposé à la fausseté [22]. » L'avertissement était clair : toute spéculation inacceptable serait jugulée. « La seule chose nécessaire au philosophe, pour connaître la vérité, laquelle est une et simple, est de s'opposer à ce qui est contraire à la foi et d'accepter ce que

contient la foi. » Le jésuite ne précisait pas de cible spécifique, mais les contemporains avaient – certainement –
compris qu'il visait l'auteur d'un ouvrage scientifique
récemment paru et intitulé *L'Essayeur*. Cet auteur était
Galilée.

Galilée s'était déjà attiré des ennuis après avoir exploité
ses observations astronomiques pour soutenir l'affirmation
de Copernic selon laquelle la Terre était en orbite autour
du Soleil. Sous la pression de l'Inquisition, il avait promis
de ne plus soutenir une telle théorie. Toutefois, la publication de *L'Essayeur*, en 1623, prouvait que le scientifique
continuait de s'aventurer sur un terrain extrêmement dangereux. Comme Lucrèce, Galilée défendait l'idée de l'unité
des mondes céleste et terrestre : il ne faisait pas de différence fondamentale entre la nature du Soleil et des planètes, et celle de la Terre et de ses habitants. Comme Lucrèce,
il croyait que grâce à l'observation et à un usage rigoureux
de la raison, l'homme pouvait comprendre l'Univers.
Comme Lucrèce, il faisait confiance à l'expérience senso-
rielle, quitte à braver les affirmations des autorités. Comme
Lucrèce, il avait recours à cette expérience pour tenter de
parvenir à une compréhension rationnelle des structures
cachées des choses. Et comme Lucrèce, il était convaincu
que ces structures étaient par nature constituées de ce qu'il
appelait des « minimes » ou particules minimes, un
ensemble limité d'atomes combinés de manière illimitée.

Galilée avait des amis dans les plus hautes sphères :
L'Essayeur était dédié au nouveau pape, Urbain VIII, un
homme éclairé qui, lorsqu'il n'était que le cardinal Maffeo
Barberini, avait chaudement encouragé les recherches du
grand savant. Tant qu'il jouissait de la protection papale,
Galilée pouvait espérer exprimer librement ses opinions et
poursuivre ses travaux scientifiques. Mais le pontife subis-

sait lui-même une pression croissante pour étouffer ce que beaucoup dans l'Église, à commencer par les jésuites, considéraient comme des hérésies particulièrement délétères. Le 1ᵉʳ août 1632, la Compagnie de Jésus interdit et condamna la doctrine de l'atome. Cette interdiction ne pouvait entraîner un procès contre Galilée, puisque la publication de *L'Essayeur* avait été autorisée huit ans plus tôt. Mais la parution, en 1632, du *Dialogue sur les deux grands systèmes du monde* fournit aux ennemis de Galilée l'occasion qu'ils attendaient : ils le dénoncèrent aussitôt à la congrégation du Saint-Office, nom officiel de l'Inquisition.

Le 22 juin 1633, l'Inquisition délivra son verdict : « Nous disons, jugeons et prononçons que toi, Galilée, par les éléments révélés par le procès et confessés par toi, tu t'es rendu pour ce Saint-Office très fortement suspect d'hérésie [23]. » Toujours protégé par des amis puissants, échappant ainsi à la torture et à l'exécution, le scientifique fut condamné à l'incarcération à vie, commuée en assignation à résidence [24]. L'hérésie officiellement énoncée dans le verdict était que Galilée avait « accordé soutien et créance à une doctrine fausse et contraire aux Écritures sacrées et divines, à savoir que le Soleil soit le centre pour la Terre, et qu'il ne se déplace pas d'est en ouest, et que ce soit la Terre qui se déplace et qu'elle ne soit pas le centre du monde ». En 1982, cependant, l'historien des sciences italien, Pietro Redondi, retrouva un document dans les archives du Saint-Office qui modifia les perspectives. Il s'agit d'un mémorandum qui recensait les hérésies figurant dans *L'Essayeur*. L'inquisiteur y avait trouvé des preuves d'atomisme, incompatibles avec le deuxième canon de la treizième séance du concile de Trente, qui avait énoncé le dogme de l'eucharistie. Si l'on suit la théorie du sieur Galilée, fait remarquer le document, puisque le saint sacrement comporte « les termes et les objets du toucher, de la vue, du goût, etc. » du pain et du vin, « il faut selon cette doctrine dire qu'il s'y trouve aussi les particules minimales grâce auxquelles la substance du pain ébranlait auparavant nos sens ». De là, nous devons conclure « que dans le saint sacrement se trouvent des parties substantielles de pain ou de vin [25]. » Une conclusion qui relève de la pure hérésie. Trente-trois ans après l'exécution de Giordano Bruno, l'atomisme demeurait une croyance que les forces vigilantes de l'orthodoxie étaient résolues à détruire.

Si l'éradication complète semblait impossible, les ennemis de Lucrèce trouvaient une consolation dans les désaveux accompagnant la plupart des éditions. L'un des plus intéressants figure dans le texte utilisé par Montaigne, l'édition de 1563 annotée par Denis Lambin [26]. Il est vrai, admet Lambin, que Lucrèce nie l'immortalité de l'âme, rejette la divine providence et affirme que le plaisir est le souverain bien. « Même si le poème lui-même est étranger à notre religion en raison de ses croyances, écrit Lambin, il n'en reste pas moins un poème. » Une fois établie la distinction entre les idées avancées dans l'œuvre et sa qualité artistique, la grandeur de ce talent peut être reconnue en toute sécurité. « Rien qu'un poème ? Plutôt un élégant poème, un magnifique poème, un poème distingué, reconnu et loué par tous les hommes sensés », poursuit Lambin. Mais qu'en était-il du contenu du poème, « ces idées d'Épicure, démentes et frénétiques, ces absurdités à propos d'une conjonction fortuite d'atomes, de mondes innombrables, et ainsi de suite ? » Sûrs de leur foi, les bons chrétiens n'ont pas à s'inquiéter : « Non seulement il ne leur est pas difficile de les réfuter, mais ils n'ont pas à le faire, vu qu'il est si simple de démontrer leur fausseté par la voie même de la vérité ou en faisant en sorte que personne n'en parle.» Le désaveu se fond en une reconnaissance doublée d'une subtile mise en garde : chanter les louanges du poème, mais passer ses idées sous silence.

Pour apprécier la valeur esthétique de Lucrèce, il fallait posséder un très bon niveau de latin, de sorte que la circulation du poème était limitée à une petite élite. Toute tentative de le rendre accessible à un public plus large aurait provoqué le soupçon et l'hostilité des autorités. Plus de deux cents ans passèrent, après la découverte faite par le Pogge en 1417, avant que le risque ne soit pris.

Au XVIIe siècle, la pression de la science moderne et du bouillonnement intellectuel et l'attrait du grand poème étaient devenus trop difficiles à contenir. Le brillant astronome, philosophe et prêtre français Pierre Gassendi (1592-1655), se consacra au projet ambitieux de réconcilier épicurisme et christianisme, et l'un de ses plus remarquables élèves, Molière (1622-1673), effectua une traduction en vers de *De rerum natura* (qui n'a malheureusement pas survécu). Le poème de Lucrèce était déjà paru dans une traduction française en prose signée par l'abbé Michel de Marolles (1600-1681). Peu après, une traduction italienne réalisée par le mathématicien Alessandro Marchetti (1633-1714) commença à circuler sous forme de manuscrit, au grand regret de l'Église romaine, qui réussit à en interdire l'édition imprimée pendant des décennies. En Angleterre, le riche mémorialiste John Evelyn (1620-1706) traduisit le premier livre du poème de Lucrèce ; une version intégrale en « distiques héroïques » fut publiée en 1682 par le jeune érudit formé à Oxford, Thomas Creech.

Le Lucrèce de Creech fut acclamé lors de sa publication, mais une traduction anglaise presque complète était déjà en circulation limitée, issue d'une source inattendue. Cette traduction, qui ne fut pas imprimée avant le XXe siècle, est due à la puritaine Lucy Hutchinson, la femme du colonel John Hutchinson, parlementaire et régicide. Plus frappant encore : lorsque la savante traductrice présenta son texte à Arthur Annesley, premier comte d'Anglesey, le 11 juin 1675, elle en était arrivée à détester ses principes essentiels (du moins le prétendait-elle) et à espérer qu'ils disparaissent de la surface de la Terre.

Elle eût certainement jeté ces vers au feu, écrit-elle dans son épître dédicataire autographe, « si, par malheur, une copie égarée ne [lui] avait pas échappé[27] ». Bien sûr, cela ressemble fort à la posture d'une femme prude. Une posture qu'elle renforça en refusant de traduire plusieurs centaines de vers à caractère explicitement sexuel du livre IV, qu'elle « laissait à une sage-femme dont l'art obscène conviendrait mieux qu'une plus belle plume ». En réalité, Hutchinson ne s'excusait pas pour ce qu'elle appelait sa « Muse en herbe[28] ». Plutôt, elle abhorrait « tout l'athéisme et l'impiété » de l'œuvre de Lucrèce.

Lucrèce « l'aliéné », selon l'expression de Hutchinson, ne valait pas mieux que les philosophes et poètes païens recommandés par les professeurs à leurs élèves, une méthode d'éducation qui était « un des grands moyens de dévoyer le monde savant, ou du moins de les conforter dans cette débauche de l'âme, à laquelle leur premier péché les a conduits, et d'empêcher leur guérison, tandis qu'ils pataugent dans tous les ruisseaux de la Vérité coulant vers eux par la grâce divine au milieu de cette boue païenne ». Il était affreux et lamentable, écrit Hutchinson, qu'en cette époque éclairée par l'Évangile, des hommes étudient Lucrèce et adhèrent à ses « doctrines ridicules, impies et exécrables, ranimant la danse idiote et hasardeuse des atomes[29] ».

Pourquoi avait-elle donc pris la peine de rédiger une traduction en vers, de payer un secrétaire professionnel pour calligraphier les cinq premiers livres, et de recopier avec soin, de sa propre main, le livre VI, ainsi que les arguments et les notes ?

La réponse qu'elle donne est instructive. Au départ, avoue-t-elle, elle ne mesurait pas à quel point Lucrèce était dangereux. Elle avait entrepris la traduction, animée par « une curiosité juvénile, afin de comprendre des choses dont [elle avait] tant entendu discourir [30] ». On imagine, à travers cette remarque, ces conversations discrètes, non pas dans une salle d'étude ou en chaire, mais à l'abri des oreilles indiscrètes des autorités. Cette femme lettrée et brillante voulait comprendre ce dont les hommes de son monde débattaient.

Quand ses convictions religieuses eurent mûri, écrit-elle, et qu'elle eut « grandi en Lumière et en Amour », cette curiosité et la fierté qu'elle avait ressentie (et ressentait encore, d'une certaine façon) pour son travail avait commencé de tourner à l'aigre :

> La petite gloire que m'avait value, parmi un cercle d'amis intimes, le fait d'avoir compris ce poète abscons devint ma honte, et je me rendis compte que je ne l'avais pas compris avant d'apprendre à le haïr et à craindre un badinage licencieux avec les livres impies [31].

Alors pourquoi souhaiter mettre ce badinage licencieux à la portée d'autrui ?

Hutchinson répondit qu'elle obéissait à Anglesey, qui avait demandé à voir le livre qu'elle l'implorait à présent de dissimuler. De dissimuler, pas de détruire. Quelque chose la retenait de réclamer qu'il soit jeté au feu, quelque chose de plus que la copie qui lui avait déjà échappé – car pourquoi cela aurait-il dû la retenir ? – et que la fierté que lui inspirait son travail. En vraie puritaine, elle partageait l'opposition de principe de Milton à la censure. Après tout, elle en avait « retiré un certain profit, car [le poème] avait montré que des superstitions irraisonnées conduisent la raison matérielle à l'athéisme [32] ». Lucrèce lui avait permis de comprendre que des « fables » puériles destinées à renforcer la piété menaient l'intelligence rationnelle à la non-croyance.

Sans doute Hutchinson avait-elle du mal à imaginer l'idée de détruire son travail. « Je l'ai traduit en anglais, écrivait-elle, dans la pièce où mes enfants pratiquaient ce que leur enseignaient leurs tuteurs, je comptais le nombre de syllabes de ma traduction sur les fils de ma broderie et les couchais sur le papier avec une plume et de l'encre posées à côté de moi [33]. »

Lucrèce pensait que les objets qui semblent détachés du monde matériel – les pensées, les idées, les fantasmes, l'âme – n'en sont pas moins inséparables des atomes qui les constituent, autrement dit, ici, la plume, l'encre, les fils du travail d'aiguille utilisés par Hutchinson pour compter les pieds de ses vers. Même la vue, apparemment immatérielle, dépend de petites pellicules d'atomes (le poète utilise le mot *simulacra*) qui émanent en permanence de toute chose et qui, telles des images ou des reflets, flottent dans le vide jusqu'à ce qu'elles frappent l'œil. C'est ainsi, expliquait Lucrèce, que les gens qui voient ce qu'ils pensent être des fantômes se persuadent à tort de l'existence de la vie après la mort. En réalité, ces apparitions ne sont pas les âmes des morts, mais des « simulacres d'atomes » flottant dans le monde après la mort et la dissolution de la personne dont ils procèdent. Les atomes de ces pellicules finissent par se disperser, mais celles-ci peuvent étonner et effrayer les vivants tant qu'elles subsistent.

Cette théorie a beau nous faire sourire aujourd'hui, nous pouvons y voir une image de l'étonnante postérité du poème de Lucrèce, un poème presque disparu, dispersé en atomes au hasard, qui pourtant réussit à survivre. L'œuvre doit cette survie à une série d'hommes et de femmes qui, à des époques différentes, dans des lieux différents et pour des raisons largement contingentes, sont tombés sur l'objet matériel – le papyrus, le parchemin ou le papier, avec ses inscriptions à l'encre attribuées à Titus Lucretius Carus – et en ont fait leur propre copie.

Installée dans une pièce avec ses enfants, comptant les syllabes sur les fils de sa broderie, la puritaine Lucy Hutchinson fut un des passeurs des particules atomiques que Lucrèce avait mis en mouvement des siècles plus tôt. Quand elle eut fini, à contrecœur, par envoyer sa traduction à Anglesey, l'idée de ce qu'elle appelait « la danse idiote et aléatoire des atomes » avait depuis longtemps pénétré l'imagination intellectuelle anglaise. Edmund Spenser avait écrit un hymne exalté à Vénus, d'inspiration manifestement lucrétienne. Francis Bacon avait écrit : « Dans la nature, il n'existe véritablement rien que des corps individuels[34]. » Thomas Hobbes avait livré ses réflexions caustiques sur la relation entre la peur et les illusions religieuses.

En Angleterre, comme ailleurs en Europe, il se révélait possible, quoique difficile, de garder la foi en un Dieu créateur originel des atomes[35]. C'est ainsi qu'Isaac Newton, dans ce qui passe pour l'un des écrits les plus influents de l'histoire des sciences, se déclarait être atomiste, faisant ce qui ressemblait à une allusion directe au titre du poème de Lucrèce : « Tant que ces particules restent entières, elles peuvent former des corps de même essence et de même contexture. Si elles venaient à s'user ou à se briser, l'essence des choses *, qui dépend de la structure primitive de ces particules, changerait infailliblement. » En même temps, Newton prenait soin d'invoquer un créateur divin :

> Tout cela bien considéré, il me paraît très probable que Dieu forma au commencement la matière de particules solides, pesantes, dures, impénétrables, mobiles, de telles grosseurs, figures et autres propriétés, en tel nombre et en telle proportion à l'espace qui convenait le mieux à la fin qu'il se proposait ; par cela même que ces particules primitives sont solides, et incomparablement plus dures qu'aucun des corps qui en sont composés, et si dures qu'elles ne s'usent et ne se rompent jamais, rien n'étant capable (suivant le cours ordinaire de la Nature) de diviser ce qui a été primitivement uni par Dieu même [36].

Pour Newton, comme pour d'autres scientifiques, du XVIIe siècle à nos jours, il demeurait donc possible de concilier atomisme et foi chrétienne. Cependant, les peurs de Lucy Hutchinson étaient fondées. Le matérialisme de Lucrèce contribua à faire naître et à étayer le scepticisme d'un Dryden ou d'un Voltaire, et l'athéisme programmatique et ravageur de Diderot, Hume et d'autres représentants des Lumières.

Plus tard, et bien au-delà de l'horizon de ces personnalités visionnaires, viendront les observations empiriques et les preuves expérimentales qui donneront aux principes de l'atomisme antique une dimension tout à fait différente. Ainsi, au XIXe siècle, quand Charles Darwin entreprendra

---

* N.d.T. : Newton écrit « *the nature of things* », la « nature des choses ».

de résoudre le mystère de l'origine de l'espèce humaine, il n'aura pas besoin de s'inspirer de la conception lucrétienne d'un processus naturel et non planifié de création et de destruction, constamment renouvelé par la reproduction sexuelle. Cette conception avait eu une influence directe sur les théories évolutionnistes de son grand-père, Erasmus Darwin, mais, Charles, lui, le petit-fils, pouvait fonder ses arguments sur ses travaux pratiques aux Galápagos et ailleurs. De la même façon, lorsque Einstein écrira sur les atomes, sa pensée s'appuiera sur la science expérimentale et mathématique, non pas sur des hypothèses héritées de la philosophie antique. Pourtant, ces hypothèses, comme le savait et le reconnaissait Einstein, avaient préparé le terrain aux preuves empiriques sur lesquelles repose l'atomisme moderne. Le fait que le poème antique ait cessé d'être lu, que l'histoire de sa perte et de sa redécouverte soit tombée dans l'oubli, que le Pogge Florentin ait été presque oublié montre que Lucrèce a été assimilé par la pensée dominante moderne.

Lucrèce avait néanmoins été une référence essentielle pour quelques-uns, dont, avant l'assimilation complète, un riche planteur de Virginie à l'intelligence et à l'esprit critique acérés, et très féru de science. Thomas Jefferson possédait au moins cinq éditions latines du *De rerum natura*, ainsi que des traductions du poème en anglais, en italien et en français. Le poème de Lucrèce était un de ses livres préférés, qui confirmait sa conviction que le monde n'était que nature et que la nature n'était faite que de matière. De même Lucrèce avait-il contribué à forger la certitude de Jefferson que l'ignorance et la peur n'étaient pas des composantes obligées de l'existence humaine.

Jefferson entraîna cet héritage antique dans une direction que Lucrèce n'aurait pu prévoir, mais dont Thomas

More avait rêvé au XVIᵉ siècle. Contrairement aux recommandations de l'auteur de *De la nature*, Jefferson ne se tint pas à l'écart des violents conflits de la vie publique. Mais, au moment de la création d'une nouvelle république, il donna à un document politique essentiel une tournure nettement lucrétienne. Il s'agissait de fonder un régime dont la fin n'était pas seulement de protéger la vie et les libertés de ses citoyens, mais de favoriser la « poursuite du bonheur ». Les atomes de Lucrèce ont ainsi laissé leur empreinte sur la Déclaration d'indépendance américaine.

Le 15 août 1820, à soixante-dix-sept ans, Jefferson écrivait à un autre ancien président, son ami John Adams. Ce dernier avait quatre-vingt-cinq ans, et les deux hommes avaient l'habitude d'échanger leurs points de vue sur le sens de la vie qu'ils sentaient leur échapper. « Je suis obligé de recourir finalement à mon baume habituel », écrivait Jefferson.

> « Je sens, donc je suis. » Je sens d'autres corps qui ne sont pas les miens : il y a donc d'autres existences que la mienne. Je les appelle la *matière*. Je les sens se mouvoir. Cela me donne le *mouvement*. Là où il y a une absence de matière, je parle de *vide*, ou de *rien*, ou d'*espace immatériel*. Sur la base des sensations, de la matière et du mouvement, nous pouvons ériger la structure de toutes les certitudes qu'on peut avoir ou dont on peut avoir besoin [37].

C'étaient là les sentiments que Lucrèce espérait avant tout inspirer à ses lecteurs. À un correspondant qui voulait connaître sa philosophie de la vie, Jefferson ne répondait-il pas : « Je suis un épicurien [38] » ?

NOTES

1. Lucrèce, *De la nature*, I, 10-20, éd. bilingue et trad. José Kany-Turpin, Aubier, 1993, et, pour la présente édition, GF-Flammarion, 1997, p. 53.

2. *Ibid.*, p. 55.

3. William Shakespeare, *Roméo et Juliette*, dans *Tragédies I*, trad. Jean-Michel Déprats et collab., Gallimard, « Bibliothèque de la Pléiade », 2002, p. 339.

4. *De la nature*, V, v. 737-740, *op. cit.*, p. 355. Le « messager ailé » de Vénus est Cupidon, que Botticelli représente les yeux bandés, et pointant sa flèche ailée ; Flore, la déesse romaine des fleurs, sème des pétales rassemblés dans les plis de sa robe exquise ; et Zéphyr, le dieu du vent d'ouest fertile, étreint la nymphe Chloris. Concernant l'influence de Lucrèce sur Botticelli, par l'intermédiaire de l'humaniste Poliziano, voir Charles Dempsey, *The Portrayal of Love : Botticelli's « Primavera » and Humanist Culture at the Time of Lorenzo the Magnificent*, Princeton, Princeton University Press, 1992, en particulier p. 36-49 ; Horst Bredekamp, *Botticelli : Primavera. Florenz als Garten der Venus*, Francfort, Fischer Verlag, 1988 ; et l'essai fondateur d'Aby Warburg, de 1893, « *La Naissance de Vénus* » et « *Le Printemps* » *de Sandro Botticelli. Étude des représentations de l'Antiquité dans la première Renaissance italienne*, trad. Laure Cahen-Maurel, Allia, 2007.

5. Au total, cinq cent cinquante-huit lettres du Pogge, adressées à cent soixante-douze correspondants différents, ont survécu. Dans une

missive datée de juillet 1417, le félicitant pour ses découvertes, Francesco Barbaro fait référence à une lettre que le Pogge avait envoyée à « notre bon et savant ami Guarin de Vérone », à propos de son voyage de recherche : *Two Renaissance Book Hunters : The Letters of Poggius Bracciolini to Nicolaus de Niccolis*, trad. anglaise Phyllis Walter Goodhart Gordan, New York, Columbia University Press, 1974, p. 201. Pour les lettres du Pogge, voir Poggio Bracciolini, *Lettere*, éd. Helene Harth, Florence, Olschki, 1984, 3 vol.

Chapitre premier – UN CHASSEUR DE MANUSCRITS

1. Sur le physique du Pogge, voir : *Poggio Bracciolini 1380-1980 : Nel VI centenario della nascita*, Instituto Nazionale di Studi Sul Rinascimento, vol. 7, Florence, Sansoni, 1982, et *Un Toscano del '400 Poggio Braccioloni, 1380-1459*, Patrizia Castelli (dir.), Terranuova Bracciolini, Administrazione Comunale, 1980. La principale source biographique est : Ernst Walser, *Poggius Florentinus : Leben und Werke*, Hildesheim, George Olms, 1974.

2. À propos de la curiosité considérée comme un péché et du processus complexe de sa réhabilitation, voir Hans Blumenberg, *La Légitimité des temps modernes*, trad. Marc Sagnol, Jean-Louis Schlegel et Denis Trierweiler, Gallimard, 1999.

3. Eustace J. Kitts, *In the Days of the Councils : A Sketch of the Life and Times of Baldassare Cossa (Afterward Pope John the Twenty-Third)*, Londres, Archibald Constable & Co., 1908, p. 359.

4. Peter Partner, *The Pope's Men : The Papal Civil Service in the Renaissance*, Oxford, Clarendon Press, 1990, p. 54.

5. Lauro Martines, *The Social World of the Florentine Humanists (1390-1460)*, Princeton, Princeton University Press, 1963, p. 123-127.

6. En 1416, il tenta manifestement, avec d'autres à la curie, de s'assurer un bénéfice, mais la concession était controversée et, finalement, ne fut pas accordée. Apparemment, il aurait aussi pu reprendre un poste de *scriptor*, dans la nouvelle administration papale de Martin V, mais il refusa, le jugeant inférieur à son poste de secrétaire : Ernst Walser, *Poggius Florentinus : Leben und Werke, op. cit.*, p. 42 *sq.*

NOTES

Chapitre II – LE MOMENT DE LA DÉCOUVERTE

1. Nicholas Mann, « The Origins of Humanism », dans *The Cambridge Companion to Renaissance Humanism*, dir. Jill Kraye, Cambridge, Cambridge University Press, 1996, p. 11. Sur la réponse du Pogge à Pétrarque, voir Riccardo Fubini, *Humanism and Secularization : From Petrarch to Valla*, Duke Monographs in Medieval and Renaissance Studies, n° 18, Durham (NC), et Londres, Duke University Press, 2003. Sur le développement de l'humanisme italien, voir John A. Symonds, *The Revival of Learning*, New York, H. Holt, 1908, rééd. C.P. Putman's Sons, 1960 ; Wallace K. Ferguson, *La Renaissance dans la pensée historique*, trad. Jacques Marty, Payot Rivages, 2008 ; Paul Oskar Kristeller, « The Impact of Early Italian Humanism on Thought and Learning », dans *Developments in the Early Renaissance*, dir. Bernard S. Levy, Albany, State University of New York Press, 1972, p. 120-157 ; Charles Trinkaus, *The Scope of Renaissance Humanism*, Ann Arbour, University of Michigan Press, 1983 ; Anthony Grafton et Lisa Jardine, *From Humanism to the Humanities : Education and the Liberal Arts in Fifteenth and Sixteenth Century Europe*, Cambridge (Mass.), Harvard University Press, 1986 ; Peter Burke, « The Spread of Italian Humanism », dans *The Impact of Humanism on Western Europe*, dir. Anthony Goodman et Angus Mackay, Londres, Longman, 1990, p. 1-22 ; Ronald G. Witt, « *In the Footsteps of the Ancients* » *: The Origins of Humanism from Lovato to Bruni*, Studies in Medieval and Reformation Thought, dir. Heiko A. Oberman, vol. 74, Leyde, Brill, 2000 ; Riccardo Fubini, *L'Umanesimo italiano e i suoi storici*, Milan, Franco Angeli Storia, 2001.

2. Quintilien, *Institution oratoire*, X, trad. C.-V. Ouizille, Paris, C.L.F. Panckoucke, 1809-1835, t. V, p. 49. Bien qu'une copie complète (ou presque complète) de l'ouvrage de Quintilien ait été découverte – par le Pogge – en 1516, le livre X, avec sa liste d'auteurs grecs et romains, avait circulé durant tout le Moyen Âge. Quintilien disait de Macer et Lucrèce : « Chacun d'eux a traité assez élégamment sa matière ; mais l'un est sans élévation, l'autre est obscur et difficile » (*ibid.*, p. 49).

3. Robert A. Kaster, *Guardians of Language : The Grammarian and Society in Late Antiquity*, Berkeley et Londres, University of California Press, 1988. Les estimations des taux d'alphabétisation dans les

sociétés anciennes ne sont pas fiables, on le sait. Kaster, citant les recherches de Richard Duncan-Jones, conclut : « La grande majorité des habitants de l'empire ne savaient pas lire les langues classiques. » On estime à 70 % le taux d'analphabétisme pour les trois premiers siècles apr. J.-C., quoique avec de grandes disparités régionales. On trouve des chiffres similaires chez Kim Haines-Eitzen (*Guardians of Letters : Literacy, Power, and the Transmitters of Early Christian Literature*, Oxford, Oxford University Press, 2000), même si Haines-Eitzen donne des niveaux d'alphabétisation encore plus faibles (environ 10 %). Voir aussi Robin Lane Fox, « Literacy and Power in Early Christianity », dans *Literacy and Power in the Ancient World*, dir. Alan K. Bowman et Greg Woolf, Cambridge, Cambridge University Press, 1994.

4. Cité dans Robin Lane Fox, « Literacy and Power in Early Christianity », art. cité, p. 147.

5. La règle inclut une dispense pour ceux qui ne supportent pas la lecture. « Si quelqu'un était si négligent qu'il ne voulût ou ne pût pas lire ou méditer, on lui assignera un ouvrage qu'il puisse faire, afin qu'il ne soit pas oisif » (48 : 23), « Règle de saint Benoît », trad. dom Prosper Guéranger, dans *Règles des moines. Pacôme, Augustin, Benoît, François d'Assise, Carmel*, éd. Jean-Pie Lapierre, Seuil, « Points Sagesses », 1982, p. 112-113.

6. Jean Cassien, *Les Institutions*, X-2, trad. M. de Saligny, Paris, C. Savreux, 1667, p. 245.

7. « Règle de saint Benoît », 48 : 19-20, *op. cit.*, p. 113.

8. *Ibid.*, p. 103.

9. *Ibid.*

10. Leila Avrin, *Scribes, Script and Books : The Book Arts from Antiquity to the Renaissance*, Chicago et Londres, American Library Association and the British Library, 1991, p. 324. Le manuscrit se trouve à Barcelone.

11. À propos de l'écriture du Pogge, replacée dans un contexte plus vaste, voir Berthold L. Ullman, *The Origin and Development of Humanistic Script*, Rome, Edizioni di Storia e Letteratura, 1960. On trouvera une bonne introduction de Martin Davies, « Humanism in Script and Print in the Fifteenth Century », dans *The Cambridge Companion to Renaissance Humanism*, *op. cit.*, p. 47-62.

12. Bartolomeo fut secrétaire en 1414, le Pogge l'année suivante. Voir Peter Partner, *The Pope's Men : The Papal Civil Service in the Renaissance, op. cit.,* p. 218 et 222.

13. Lettre à Ambroise Traversari, dans *Two Renaissance Book Hunters : The Letters of Poggius Bracciolini to Nicolaus de Niccolis, op. cit.,* p. 208-209.

14. *Ibid.,* p. 210.

15. Eustace J. Kits, *In the Days of the Councils : A Sketch of the Life and Times of Baldassare Cossa, op. cit.,* p. 69.

16. Cités dans William Shepherd, *Vie de Poggio Bracciolini,* trad. Emmanuel de Laubertin d'après Quérard, Paris, Verdière, 1819, p 169.

17. Leila Avrin, *Scribes, Script and Books : The Book Arts from Antiquity to the Renaissance, op. cit.,* p. 224. Le scribe en question utilisait en fait le mot « vélin » et non « parchemin », mais ce devait être un vélin de très mauvaise qualité.

18. Cité dans George Haven Putman, *Books and their Makers During the Middle Ages* [1896-1898], New York, Hillary House, 1962, t. I, p. 61.

19. Le grand monastère de Bobbio, dans le nord de l'Italie, possédait une bibliothèque renommée : un catalogue dressé à la fin du IXe siècle inclut de nombreux textes antiques rares, dont une copie de Lucrèce. Mais la plupart ont disparu, probablement grattés pour faire de la place aux Évangiles et aux psautiers qui servaient à la communauté. Bernhard Bischoff écrit : « À Bobbio, qui avait abandonné la règle de Colomban pour celle de Benoît, de nombreux textes antiques furent recouverts quand leurs codex furent grattés pour être réutilisés. Un catalogue de la fin du IXe siècle nous apprend que Bobbio possédait à l'époque l'une des bibliothèques les plus fournies d'Occident, dans laquelle figuraient de nombreux traités grammaticaux ainsi que des œuvres poétiques rares. L'unique copie de *De ruralibus* de Septimius Serenus, un poème raffiné de l'époque d'Hadrien, fut perdue. Des copies de Lucrèce et de Valerius Flaccus semblent avoir disparu sans que des copies en italien aient été faites. Le Pogge finit par retrouver ces œuvres en Allemagne » (*Manuscripts and Libraries in the Age of Charlemagne,* trad. anglaise Michael Gorman, Cambridge et New York, Cambridge University Press, 1994, p. 151 ; et pour l'original

allemand : *Mittelalterliche Studien ausgewählte zur Schriftkunde und Literaturgeschichte I-III*, Stuttgart, Hiesemann, 1966-1981).

20. Une autre destination crédible serait l'abbaye de Murbach, dans le sud de l'Alsace. Vers le milieu du IXe siècle, Murbach, fondée en 727, était devenue un important centre de savoir, et l'on sait qu'elle possédait une copie de Lucrèce. Le défi qui attendait le Pogge aurait été à peu près équivalent dans n'importe quelle bibliothèque monastique.

21. Dans le cadre de ce livre, le commentaire le plus intrigant apparaît dans la préface en prose rédigée par Raban pour son étonnant recueil de poèmes acrostiches, éloge de la Croix, composé en 810. Raban écrit qu'il utilise dans ses poèmes la figure rhétorique de la synalèphe, contraction de deux syllabes en une. C'est une figure, explique-t-il, *quod et Titus Lucretius non raro fecisse invenitur* (« que l'on trouve fréquemment chez Lucrèce »). Cité dans David Ganz, « Lucretius in the Carolingian Age : The Leiden Manuscripts and their Carolingian Readers », dans *Medieval Manuscripts of the Latin Classics : Production and Use*, dir. Claudine A. Chavannes-Mazel et Margaret M. Smith, actes du séminaire sur l'histoire du livre jusqu'à 1500, Leyde, 1993, Los Altos Hills (Calif.), Anderson-Lovelace, 1996, p. 99.

22. Pline le Jeune, *Lettres*, III-7, trad. Annette Flobert, GF-Flammarion, p. 120.

23. Les humanistes avaient peut-être relevé des traces de l'existence du poème. Macrobe, au début du Ve siècle apr. J.-C., en cite quelques vers dans ses *Saturnales* (voir George D. Hadzsits, *Lucretius and His Influence*, New York, Longmans, Green & Co., 1935), de même qu'Isidore de Séville dans ses *Étymologies* au début du VIIe siècle. On mentionnera plus loin d'autres moments où l'œuvre refit surface, mais il aurait été difficile à quiconque au début du XVe siècle de croire que le poème entier allait être retrouvé.

Chapitre III – À LA RECHERCHE DE LUCRÈCE

1. « Envoyez-moi quelque ouvrage de Lucrèce ou d'Ennius, écrivit le très cultivé empereur Antonin le Pieux (86-161 apr. J.-C.) à un

ami. Quelque chose d'harmonieux, de puissant et qui révèle l'état de l'esprit. » (À l'exception de fragments, aucune œuvre d'Ennius, le plus grand des premiers poètes romains, n'a jamais été retrouvée.)

2. *Lucreti poemata, ut scribis, ita sunt, multis luminibus ingenii, multæ tamen artis* (Cicéron, *Correspondance*, t. III, trad. L.-A. Constans, Les Belles Lettres, 2002, p. 53).

3. Virgile, *Géorgiques*, II, v. 490-493, trad. Maurice Rat, GF-Flammarion 1967.

> Felix, qui potuit rerum cognoscere causas,
> atque metus omnis et inexorabile fatum
> subiecit pedibus strepitumque Acherontis avari.

L'Achéron, une rivière du monde souterrain, est utilisé par Virgile et Lucrèce comme symbole du royaume de l'au-delà. Pour ce qui est de la présence de Lucrèce dans *Les Géorgiques*, voir en particulier Monica Gale, *Virgil on the Nature of Things : The Georgics, Lucretius, and the Didactic tradition*, Cambridge et New York, Cambridge University Press, 2000.

4. L'auteur de l'*Énéide*, qui avait une conscience aiguë du poids du pouvoir impérial et de la stricte nécessité de renoncer aux plaisirs, s'y montrait plus sceptique qu'il ne l'avait été dans les *Géorgiques* quant à la capacité de quiconque à comprendre les forces cachées de l'Univers. Mais la vision de Lucrèce et l'élégance de sa poésie sont présentes dans toute l'épopée de Virgile, ne serait-ce que dans les références à une sécurité qui échappe désormais et pour toujours au poète et à son héros. Sur la présence imposante de Lucrèce dans l'*Énéide* (et dans d'autres œuvres de Virgile, ainsi que dans celles d'Ovide et d'Horace), voir Philip Hardie, *Lucretian Receptions : History, the Sublime, Knowledge*, Cambridge et New York, Cambridge University Press, 2009.

5. Ovide, *Amours*, I, 15, v. 23-24, trad. Henri Bornecque, Les Belles Lettres, 1968, p. 38. Voir Philip Hardie, *Ovid's Poetics of Illusion*, Cambridge et New York, Cambridge University Press, 2002, en particulier p. 143-163 et 173-207.

6. Gendre de l'impitoyable dictateur patricien Sylla, Memmius vit sa carrière politique brisée en 54 av. J.-C. : candidat au poste de consul, il fut contraint de révéler son implication dans un scandale financier qui lui coûta le soutien crucial de Jules César. D'après Cicéron, Memmius était un orateur paresseux. Il admet cependant qu'il était extrêmement

cultivé, quoique davantage en littérature grecque que romaine. Cette immersion dans la culture grecque explique peut-être pourquoi, après ses revers de fortune politique, Memmius partit s'installer à Athènes. Il semble qu'il y acheta des terres où se trouvaient les ruines de la maison du philosophe Épicure, mort plus de deux siècles plus tôt. En 51 av. J.-C., Cicéron écrivit à Memmius pour lui demander, à titre de faveur personnelle, de donner ces ruines à « Patron l'Épicurien ». (Les ruines étaient apparemment menacées par un projet de construction auquel songeait Memmius.) Patron, signale Cicéron, « dit qu'il ne s'agit rien de moins que de l'honneur, du devoir, du respect dû au droit des testateurs, puis rien de moins que d'un vœu sacré d'Épicure [...], enfin de l'habitation, du séjour et du souvenir d'un grand homme » (Cicéron, *Œuvres complètes*, trad. Désiré Nisard, Paris, Firmin Didot, 1869, t. V, p. 191). Épicure boucle la boucle, puisque Lucrèce était son disciple le plus passionné, le plus intelligent et le plus créatif.

7. Sur la création de la légende, voir en particulier Luciano Canfora, *Vita di Lucrezio*, Palerme, Sellerio, 1993. La plus belle évocation de cette légende se trouve dans le poème « Lucretius », de Tennyson.

8. L'ouvrage passionnant de Luciano Canfora, *Vita di Lucrezio*, n'est pas une biographie au sens conventionnel du terme, mais plutôt un brillant exercice visant à invalider le récit mythique de Jérôme. Dans une étude en cours, Ada Palmer montre que les érudits de la Renaissance rassemblèrent ce qu'ils pensaient être des indices éclairant la vie de Lucrèce. La plupart se révélèrent être des commentaires se rapportant à d'autres.

9. Johann Joachim Winkelmann, cité dans David Sider, *The Library of the Villa dei Papiri at Herculaneum*, Los Angeles, J. Paul Getty Museum, 2005. L'expression imagée de Winkelmann est un proverbe italien.

10. Camillo Paderni, directeur du Museum Herculanense au palais royal de Portici, dans une lettre datée du 25 février 1755, cité par David Sider, *The Library of the Villa dei Papiri at Herculaneum*, *op. cit.*, p. 22.

11. Leila Avrin, *Scribes, Script and Books : The Book Arts from Antiquity to the Renaissance*, *op. cit.*, p. 83 *sq.*

12. À ce moment-là, par un heureux hasard, l'exploitation du site se trouvait sous la supervision d'un ingénieur de l'armée suisse, Karl

Weber, qui eut une attitude plus responsable et témoignait d'un intérêt plus profond pour ce qui se trouvait sous terre.

13. Cette image d'eux-mêmes dura. Quand Scipion dévasta Carthage en 146 av. J.-C., les collections de la bibliothèque de la grande
cité nord-africaine tombèrent entre ses mains, entre autres butins. Il
écrivit au Sénat pour demander ce qu'il devait faire des livres en sa
possession. On lui répondit qu'un seul livre, un traité sur l'agriculture,
était digne d'être rapporté pour être traduit en latin. Les autres
devaient être offerts en cadeaux aux petits rois d'Afrique (voir Pline
l'Ancien, *Histoire naturelle*, 18-5).

14. La prise des bibliothèques grecques comme butin de guerre
devint une pratique assez courante, même si celles-ci étaient rarement
le seul trophée du vainqueur. En 67 av. J.-C., Lucullus, un allié de
Sylla, rapporta de ses conquêtes orientales une bibliothèque de grande
valeur, ainsi que d'autres richesses, et durant sa retraite se consacra à
l'étude de la littérature et de la philosophie grecques. Dans sa villa et
ses jardins à Rome et à Tusculum, près de Naples, Lucullus fut le
généreux protecteur d'intellectuels et de poètes grecs, et il apparaît
comme un des principaux interlocuteurs du dialogue des *Académiques*
de Cicéron.

15. Nommé administrateur de l'Italie du Nord (Gaule cisalpine),
Pollion usa de son influence pour éviter à Virgile la confiscation de
son domaine.

16. Les deux bibliothèques d'Auguste s'appelaient bibliothèques
d'Octavie et du Palatin. La première, créée en l'honneur de sa sœur
(33 av. J.-C.) se situait dans le portique d'Octavie et alliait une magnifique promenade à l'étage inférieur à une salle de lecture et à la collection de livres au-dessus. La seconde, rattachée au temple d'Apollon
sur le Palatin, semble avoir eu deux départements, un grec et un latin,
administrés séparément. Ces deux bibliothèques furent détruites par
le feu. Les successeurs d'Auguste poursuivirent la tradition. Tibère
créa la bibliothèque tibérienne dans sa maison sur le Palatin (d'après
Suétone, il aurait fait placer les écrits et images de ses poètes grecs
préférés dans les bibliothèques publiques). Vespasien installa une
bibliothèque dans le temple de la Paix érigé après l'incendie de la
cité sous Néron. Domitien restaura les bibliothèques après ce même
incendie, envoyant même faire des copies à Alexandrie. La plus importante bibliothèque impériale fut la bibliothèque Ulpia, créée par

Trajan – d'abord établie au forum de Trajan, elle fut ensuite transférée aux thermes de Dioclétien. Voir Lionel Casson, *Libraries in the Ancient World*, New Haven, Yale University Press, 2002.

17. Parmi ces villes, Athènes, Côme, Milan, Smyrne, Patras, Tibur (Tivoli) – d'où l'on pouvait même emprunter des livres. Mais l'inscription trouvée dans l'Agora d'Athènes, sur le mur de la bibliothèque de Pantène (200 av. J.-C.) disait : « Aucun livre ne doit être sorti, puisque nous l'avons juré. Ouvert de six heures à midi » (voir David Sider, *The Library of the Villa dei Papiri at Herculaneum*, *op. cit.*, p. 43).

18. Clarence E. Boyd, *Public Libraries and Literary Culture in Ancient Rome*, Chicago, Chicago University Press, 1915, p. 23-24.

19. Voir Arnaldo Momigliano, *Alien Wisdom : The Limits of Hellenization*, Cambridge, Cambridge University Press, 1975.

20. Erich Auerbach, *Literary Language and Its Public in Late Latin Antiquity and in the Middle Ages*, trad. anglaise Ralph Manheim, Princeton, Princeton University Press, 1965, p. 237 (et pour l'original : *Literatursprache und Publikum in der lateinische Spätantike und im Mittelalter*, Bern, Francke, 1958).

21. Knut Kleve, « Lucretius in Herculaneum », *Cronache Ercolanesi*, vol. 19 (1989), p. 5.

22. Cicéron, « Contre Pison », dans *Discours*, trad. Pierre Grimal, Les Belles Lettres, 1966, t. XVI, p. 105 *(in suorum Gæcorum fœtore atque vino).*

23. « Épigramme de Philodème », dans Simon Chardon de La Rochette, *Mélanges de critique et de philologie*, Paris, D'Hautel, 1812, t. I, p. 200-201.

24. Bien qu'un grave séisme ait eu lieu peu de temps plus tôt, la dernière grande éruption datait des alentours de 1200 av. J.-C., de sorte que la source de ce malaise, si malaise il y avait, ne venait pas du volcan.

25. Cicéron, *De la nature des dieux*, I, 6, trad. Charles Appuhn, Garnier frères, 1935, p. 23.

26. *Ibid.*, p. 337.

27. Cicéron, *Devoirs*, I, trad. Maurice Testard, Les Belles Lettres, 1965, p. 175.

28. Lucrèce, *De la nature*, I, v. 62-63, 66-67, « Éloge d'Épicure », *op. cit.*, p. 57.

29. Diogène Laërce, *Vies, doctrines et sentences des philosophes illustres*, trad. Robert Genaille, GF-Flammarion, 1965, t. II, p. 215-217.

30. L'*epilogismos* d'Épicure était un terme fréquemment employé pour qualifier un « raisonnement basé sur des faits empiriques », mais d'après Michael Schofield, il évoque « nos procédures quotidiennes d'évaluation et de jugement » ; voir Michael Schofield, *Rationality in Greek Thought*, dir. Michael Frede et Gisele Striker, Oxford, Clarendon Press, 1996. Schofield soutient que ces procédures sont liées à un célèbre passage d'Épicure sur le temps : « Nous ne devons pas adopter des expressions particulières pour le qualifier, en pensant que ce serait un progrès ; nous devons utiliser les expressions existantes » (p. 222). La réflexion, qu'Épicure incitait ses disciples à poursuivre, était « un genre d'activité parfaitement ordinaire et accessible à tous, et non pas un travail intellectuel réservé, par exemple, aux seuls mathématiciens et dialecticiens » (p. 235).

31. William Shakespeare, *Hamlet*, acte III, scène I, *op. cit.*, p. 809.

32. Cicéron, *Tusculanes*, I, VI, 10-11, trad. Jules Humbert, Les Belles Lettres, 1970, p. 10.

33. *Ibid.*, I, XXI, 48-89, p. 32.

34. L'accusation a été portée par « Timocrate (des Joies), le frère de Métrodore, qui quitta son école après avoir été un moment son disciple » (Diogène Laërce, *Vies, doctrines et sentences des philosophes illustres*, *op. cit.*, t. II, p. 216-217).

35. Sénèque, *Lettres à Lucilius*, XXI, trad. Marie-Ange Jourdan-Gueyer, GF-Flammarion, 1992, p. 123.

36. Épicure, « Lettre à Ménécée », dans Diogène Laërce, *Vies, doctrines et sentences des philosophes illustres*, *op. cit.*, t. II, p. 262.

37. Philodème, « Les Choix et les Rejets », dans *Les Épicuriens*, dir. Daniel Delattre et Jackie Pigeaud, Gallimard, « Bibliothèque de la Pléiade », 2010, p. 564-567.

38. Ben Jonson, *L'Alchimiste*, trad. Marcel Joussy, L'Arche, 1957, p. 20. Jonson participe d'une tradition représentant Épicure comme le saint patron de l'auberge et du bordel, une tradition qui inclut le Franklin bien nourri décrit par Chaucer dans *Les Contes de Canterbury* comme « le vrai fils d'Épicure ».

39. Épicure, « Maxime VII », dans *Lettres, maximes, sentences*, trad. Jean-François Balaudé, LGF, « Le Livre de Poche », 1994, p. 200.

40. Épicure, « Sentences vaticanes », *ibid.*, p. 213.

Chapitre IV – LES DENTS DU TEMPS

1. Voir Moritz W. Schmidt, *De Didymo Chalcentero*, Oels, A. Ludwig, 1851, et *Didymi Chalcenteri fragmenta*, Leipzig, Teubner, 1854.

2. Voir David Diringer, *The Book Before Printing*, New York, Dover Books, 1982, p. 241 *sq.*

3. Diogène Laërce : « Épicure a beaucoup écrit et dépassé tous les autres philosophes par le nombre de ses ouvrages. Ses volumes atteignent le nombre de trois cents environ. Il n'y a dans le texte aucune citation d'autres auteurs, tout est l'expression de la pensée d'Épicure » (*Vies, doctrines et sentences des philosophes illustres, op. cit.*, p. 223). Diogène Laërce donne les titres de trente-sept livres d'Épicure, qui tous sont perdus.

4. Andrew M.T. Moore, « Diogenes's Inscription at Œnoanda », dans *Epicurus : His Continuing Influence and Contemporary Relevance*, dir. Dane Gordon et David Suits, Rochester (NY), Rochester Institute of Technology Cary Graphic Arts Press, 2003, p. 209-214. Pour les inscriptions sur le mur, voir *Les Épicuriens, op. cit.*, p. 1029.

5. Aristote, *Histoire des animaux*, V, 32, trad. Janine Bertier, Gallimard, « Folio », 1994, p. 309.

6. Cité dans William Blades, *The Enemies of Books*, Londres, Elliot Stock, 1896, p. 66-67.

7. Ovide, *Pontiques*, I, 1-73, trad. Jacques André, Les Belles Lettres, 1977, p. 5.

8. Horace, « Épître XX », dans *Œuvres*, trad. François Richard, GF-Flammarion, 1967, p. 242.

9. Euénos le Grammairien, *Anthologie grecque*, première partie, IX, trad. Guy Souris, Les Belles Lettres, 1957, t. VII, p. 100.

10. Kim Haines-Eitzen, *Guardians of Letters : Literacy, Power, and the Transmitters of Early Christian Literature, op. cit.*, p. 4.

11. Cité dans Lionel Casson, *Libraries in the Ancient World, op. cit.*, p. 77.

12. Leila Avrin, *Scribes, Script and Books : The Book Arts from Antiquity to the Renaissance, op. cit.*, p. 171, voir aussi p. 149-153.

13. À propos des femmes copistes, voir Kim Haines-Eitzen, *Guardians of Letters : Literacy, Power, and the Transmitters of Early Christian Literature, op. cit.*

14. On estime que le nombre de livres produits dans l'histoire du monde avant 1450 est équivalent au nombre produit entre 1450 et 1500 ; autant furent produits entre 1500 et 1510, et deux fois plus au cours de la décennie suivante.

15. Sur les scribes, voir Leighton D. Reynolds et Nigel G. Wilson, *D'Homère à Érasme. La transmission des classiques grecs et latins*, trad. Claude Bertrand, CNRS, 1984 ; Leila Avrin, *Scribes, Script and Books*, *op. cit.* ; Rosamond McKitterick, *Books, Scribes and Learning in the Frankish Kingdoms, 6th-9th Centuries*, Aldershot (UK), Variorum, 1994 ; Malcolm B. Parkes, *Scribes, Scripts, and Readers*, Londres et Rio Grande (Ohio), Hambledon Press, 1991. Sur la signification symbolique du scribe, voir Giorgio Agamben, *Potentialities : Collected Essays in Philosophy*, dir. Daniel Heller-Roazen, Stanford, Stanford University Press, 200, p. 246 *sq.* La « puissance parfaite » d'Avicenne, par exemple, est illustrée par le scribe au moment où il n'écrit pas.

16. D'immenses silos à grains, au sud d'Alexandrie, recevaient d'inlassables cargaisons de blé, récolté dans les riches plaines inondables bordant le fleuve. Ces cargaisons étaient examinées par des fonctionnaires aux yeux de lynx, chargés de s'assurer que les céréales étaient « pures, non mélangées à de la terre ou de l'orge, et tamisées ». Voir Christopher Haas, *Alexandria in Late Antiquity : Topography and Social Conflict*, Baltimore, Johns Hopkins University Press, 1997, p. 42. Les milliers de sacs étaient ensuite transportés par des canaux jusqu'au port, où la flotte les attendait. De là, les navires lourdement chargés rejoignaient des villes aux populations croissantes, que les campagnes environnantes ne parvenaient plus à approvisionner. Alexandrie était un des points clés du monde antique pour ce qui était du pain, et donc de la stabilité, et donc du pouvoir. Mais le blé n'était pas le seul produit que contrôlait la cité : les marchands de la ville étaient célèbres pour le commerce du vin, du linge, des tapisseries, du verre et – le plus intéressant dans notre perspective – du papyrus. Les vastes marécages près de la ville étaient propices à la culture du roseau dont on faisait le meilleur papier. Pendant toute l'Antiquité, de l'époque des Césars à celle des rois francs, le « papyrus d'Alexandrie » était le support privilégié sur lequel les fonctionnaires, les philosophes, les poètes, les prêtres, les marchands, les empereurs et les savants donnaient des ordres, tenaient le registre des dettes et consignaient leurs pensées.

17. On dit que Ptolémée III (vers 284-222 av. J.-C.) avait envoyé des messages à tous les souverains du monde connu, en leur demandant des livres à copier. Les fonctionnaires avaient l'ordre de confisquer tous les livres que contenaient les navires faisant escale à Alexandrie. Des copies de ces livres étaient effectuées, puis rendues, mais les originaux allaient à la grande bibliothèque (où, dans le catalogue, ils étaient signalés par la formule « des navires »). Les messagers royaux se déployaient dans toute la Méditerranée pour acheter ou emprunter des livres en nombre croissant. Les prêteurs devinrent de plus en plus méfiants (les livres empruntés avaient tendance à ne pas revenir) et exigeaient d'importantes cautions. Quand, à force d'insistance, Alexandrie réussit à convaincre Athènes de lui prêter les textes d'Eschyle, de Sophocle et d'Euripide, qui étaient jalousement gardés aux Archives de la ville, la cité grecque exigea la somme gigantesque de quinze talents d'or. Ptolémée envoya la caution, reçut les livres, les fit copier, renvoya les copies à Athènes et, violant l'accord, déposa les originaux au Muséum.

18. Ammien Marcellin, *Histoires*, trad. Jacques Fontaine, Les Belles Lettres, 1968, t. III, p. 144. Voir Rufin d'Aquilée : « Tout l'édifice est fait d'arches surmontées d'énormes fenêtres. Les cabinets intérieurs cachés sont séparés les uns des autres et servent à la pratique de certains actes rituels et observances secrètes. Des cours où s'asseoir et de petites chapelles ornées d'images des dieux occupent l'extrémité de l'étage supérieur. De hautes maisons s'élèvent ici, dans lesquelles les moines [...] ont coutume de vivre. Derrière ces bâtiments, un portique dressé sur des colonnes et tourné vers l'intérieur fait le tour du site. Au milieu se trouve le temple, aux vastes et magnifiques proportions, avec un extérieur de marbre et des colonnes précieuses. À l'intérieur, il y a une statue de Sérapis, si grande que la main droite touche un mur et la gauche un autre » (cité dans Christopher Haas, *Alexandria in Late Antiquity : Topography and Social Conflict, op. cit.*, p. 148).

19. Comme nous l'avons vu, Alexandrie était une ville importante d'un point de vue stratégique, qui ne put échapper aux conflits déchirant la société romaine. En 48 av. J.-C., Jules César poursuivit son rival, Pompée, à Alexandrie. Sur ordre du roi égyptien, Pompée fut vite assassiné – et sa tête fut présentée à César, qui fit mine d'être submergé par la douleur. Bien qu'il n'eût probablement pas plus de quatre mille hommes de troupe, César décida de rester et de prendre

le contrôle de la cité. Durant les neuf mois de lutte qui s'ensuivirent, les Romains, en nombre très inférieur, furent menacés par la flotte royale qui avait pénétré dans le port. Utilisant des torches en pin couvertes d'une couche de soufre et de résine, les hommes de César réussirent à mettre le feu aux navires. La conflagration fut énorme, car les coques étaient jointoyées avec de la poix très inflammable et les ponts, calfatés à la cire. (Les détails sur la destruction par le feu des flottes antiques sont empruntés à Lucain, *Pharsale*, III, trad. Philarète Chasles, Paris, Panckoucke, 1835, t. I, p. 165.) Le feu se propagea des navires au rivage, puis des quais à la bibliothèque, ou du moins à des entrepôts qui contenaient une partie des collections. Les livres eux-mêmes n'étaient pas l'objet de l'attaque, mais de simples combustibles. Qu'importent cependant les intentions des incendiaires au vu du résultat ? César laissa la ville conquise entre les mains de la sœur du roi déchu, la belle et ingénieuse Cléopâtre. Une fraction des pertes de la bibliothèque fut peut-être rapidement compensée – quelques années plus tard, Marc Antoine, énamouré, aurait offert à Cléopâtre rien de moins que deux cent mille livres volés à Pergame. (Des colonnes de la bibliothèque de Pergame sont encore visibles au milieu des ruines impressionnantes de ce qui fut une grande cité sur la côte méditerranéenne de la Turquie.) Des livres volés à une bibliothèque pour atterrir dans une autre ne compensent pourtant pas la destruction d'une collection qui avait été laborieusement et intelligemment rassemblée. Il ne fait aucun doute que le personnel de la bibliothèque travailla d'arrache-pied pour réparer les dégâts, et l'institution, avec ses savants et ses énormes ressources, demeura prestigieuse. Mais il était évident que Mars était l'ennemi des livres.

20. C'est seulement en 407 que les évêques de l'empire eurent légalement le droit de fermer ou de faire démolir des temples : voir Christopher Haas, *Alexandria in Late Antiquity : Topography and Social Conflict, op. cit.*, p. 160.

21. Rufin, cité *ibid.*, p. 161-162.

22. *Greek Anthology*, Cambridge (Mass.), Harvard University Press, 1917, p. 172.

23. Synésios de Cyrène, *Correspondance*, trad. Denis Roques, Les Belles Lettres, t. III, 2000, p. 305. L'attitude d'Hypatie suscitait apparemment un profond respect non seulement des savants, mais aussi de la grande masse de ses concitoyens. Un jeune homme originaire de

Damas, étudiant la philosophie à Alexandrie deux générations plus tard, avait encore vent des histoires racontant l'admiration suscitée par Hypatie : « La cité entière l'aimait naturellement et la tenait en très haute estime, tandis que les pouvoirs en place lui présentaient leur respect en premier » (Damascius, *The Philosophical History*, Athènes, Apamea Cultural Association, 1999, p. 131). Voir aussi l'éloge d'Hypatie du poète Palladas :

> Hypatie, ô grande dame, adepte du savoir
> D'en haut, en ces moments où ta voix grave et claire
> Nous démontre les cieux et leur divin mouvoir
> Briller au fond des nuits l'autre Vierge, stellaire.
>
> (Trad. Marguerite Yourcenar, dans *La Couronne et la Lyre*, Gallimard, 1979, p 424.)

24. Socrate de Constantinople, *Histoire ecclésiastique*, VII, trad. Pierre Périchon et Pierre Maraval, Cerf, 2007, p 59.

25. Voir la *Chronique de Jean, évêque de Nikiou*, trad. Hermann Zotenberg, Paris, Imprimerie nationale, 1883, p. 344 : « Il y avait à Alexandrie une femme païenne, philosophe, nommée Hypatie, qui, constamment occupée de magie, d'astrologie et de musique, séduisait beaucoup de gens par les artifices de Satan. Le préfet de la province l'honorait particulièrement, car elle l'avait séduit par son art magique. »

26. Plus de deux cents ans plus tard, quand les Arabes conquirent Alexandrie, ils trouvèrent des livres sur les étagères, mais c'étaient pour la plupart des œuvres de théologie chrétienne, non pas de philosophie, de mathématiques ni d'astronomie païennes. Lorsqu'on demanda au calife Omar ce qu'il fallait en faire, il aurait formulé cette réponse terrible : « Si leur contenu est en accord avec le livre d'Allah, on pourra s'en passer, car dans ce cas, le livre d'Allah suffit largement. Si leur contenu n'est pas en accord avec le livre d'Allah, il n'y a aucune raison de les conserver. Allez, donc, et détruisez-les » (cité dans *The Library of Alexandria : Centre of Learning in the Ancient World*, dir. Roy MacLeod, Londres, I.B. Tauris, 2004, p. 10). Si l'on en croit cette histoire, les rouleaux de papyrus, les parchemins et les codex furent distribués aux bains publics et brûlés dans les chaudières qui chauffaient l'eau. Ce stock de carburant aurait, dit-on, duré six mois. Voir Luciano Canfora, *La Véritable Histoire de la bibliothèque d'Alexandrie*, trad. Jean-Paul Manganaro et Danielle Dubroca,

Desjonquères, 1988, et Lionel Casson, *Libraries in the Ancient World*, *op. cit.* Sur Hypatie, voir Maria Dzielska, *Hypatie d'Alexandrie*, trad. Marion Koeltz, Des Femmes-Antoinette Fouque, 2010.

27. Ammien Marcellin, *Histoire*, trad. Édouard Galletier, Les Belles Lettres, 1968, t. I, p. 77.

28. « Lettre à Eustoquie », *Lettres de saint Jérôme*, trad. dom Guillaume Russel, Paris, Louis Roulland, 1704, t. 1, p. 247.

29. « Lorsque j'étais encore jeune et que je vivais dans le fond du désert et dans une étroite solitude, je ne pouvais supporter les ardeurs de la concupiscence dont je me sentais embrasé. Malgré tous les soins que je prenais d'amortir par des jeûnes presque continuels ces feux que la nature corrompue allumait dans mon corps, mille pensées criminelles ne laissaient pas de les entretenir dans mon cœur. Pour écarter donc de mon imagination ces fâcheuses idées, je me mis sous la discipline d'un solitaire juif qui avait embrassé le christianisme : et après avoir goûté avec tant de plaisir les vives et brillantes expressions de Quintilien, la profonde et rapide éloquence de Cicéron, les tours délicats et naturels de Pline, le style grave et majestueux de Fronton, je m'assujettis à apprendre l'alphabet de la langue hébraïque, et à étudier des mots que l'on ne saurait prononcer qu'en parlant de la gorge et comme en sifflant » (« Lettre au moine rustique », *ibid.*, p. 146-147). Dans la même lettre, saint Jérôme conseille au moine : « Occupez-vous aussi à faire des filets pour pêcher ou à transcrire des livres, afin que vous puissiez tout à la fois et nourrir le corps par le travail des mains, et rassasier l'âme par de bonnes lectures » (p. 146). Comme nous l'avons vu, la copie de manuscrits dans les communautés monastiques se révéla cruciale pour la survie de Lucrèce et d'autres textes païens.

30. « Lettre à Eustoquie », *ibid.*, p. 247.

31. *Ibid.*, p. 248.

32. « Le beau spectacle de voir un homme distingué par sa naissance, par ses richesses et par son éloquence éviter de paraître sur les places publiques en la compagnie des grands de ce monde, se mêler à la foule, s'attacher aux pauvres et à des hommes grossiers » (« Jérôme au Sénateur Pammaque », dans *Œuvres de saint Jérôme*, trad. Louis-Aimé Martin, Paris, Auguste Desrez, 1838, p. 557).

33. *Lettres de saint Jérôme, op. cit.*, p. 246.

34. Saint Grégoire le Grand, *Les Dialogues*, trad. abbé Henry, Tours, A. Mame & Cie, 1851, p. 91-92.

35. Tout le monde n'était pas d'avis qu'on puisse concilier Platon et Aristote avec le christianisme. Voir Tertullien, *Traité de la prescription contre les hérétiques*, chap. VII, trad. Eugène-Antoine de Genoude, Paris, Louis Vivès, 1852, p. 348 :

« La philosophie, qui entreprend de sonder témérairement la nature de la divinité et de ses décrets, a fourni matière à cette sagesse profane : c'est elle, en un mot, qui a inspiré toutes les hérésies […]. Mais qu'y a-t-il de commun entre Athènes et Jérusalem, l'académie et l'Église, les hérétiques et les chrétiens ? Notre secte vient du portique de Salomon qui nous a enseigné à chercher Dieu avec un cœur simple et droit. À quoi pensaient ceux qui prétendaient nous composer un christianisme stoïcien, platonicien et dialecticien ? Nous n'avons pas besoin de curiosité après Jésus-Christ, ni de recherches après l'Évangile. Quand nous croyons, nous ne voulons plus rien croire au-delà ; nous croyons même qu'il n'y a plus rien à croire. »

À l'inverse, comme nous le verrons, des tentatives furent faites au XVe siècle et plus tard pour concilier le christianisme avec une version corrigée de l'épicurisme.

36. Minucius Félix, *Octavius*, trad. F. Record, Bloud & Cie, 1911, p. 42.

37. *Ibid.*, p. 64-65. Voir, dans la même veine, ce qu'écrit Tertullien : « Mais, si je me tourne vers vos livres qui vous forment à la sagesse et à vos devoirs d'hommes libres, que de choses ridicules j'y trouve ! Vos dieux en sont venus aux mains entre eux à cause des Troyens et des Achéens et se sont battus comme des couples de gladiateurs » (Tertullien, *L'Apologétique*, chap. XIV, 2, trad. Jean-Pierre Waltzing, Bloud et Gay, 1914, p. 51-52).

38. Tertullien, « De la résurrection de la chair », dans *Œuvres*, trad. Eugène-Antoine de Genoude, Paris, Louis Vivès, 1852, t. I, p. 535.

39. *Ibid.*, p. 435.

40. Tertullien, *L'Apologétique*, chap. XVIII, 4, *op. cit.*, p. 59.

41. Voir James Campbell, « The Angry God : Epicureans, Lactantius, and Warfare », dans *Epicurus : His Continuing Influence and Contemporary Relevance*, *op. cit.* Campbell fait observer que l'évolution du christianisme vers un Dieu de colère ne s'est produite qu'au IVe siècle, quand il affermit sa domination et son pouvoir dans le

monde romain. Auparavant, le christianisme était plus proche de l'attitude épicurienne. « De fait, Tertullien, Clément d'Alexandrie et Athénagoras d'Athènes trouvaient tant à admirer dans l'épicurisme que Richard Jungkuntz a énoncé cette mise en garde : "Toute généralisation concernant une antipathie patristique à l'épicurisme devrait s'accompagner d'une argumentation solide." La pratique épicurienne des vertus sociales, l'accent mis sur le pardon et l'entraide, et la méfiance vis-à-vis des valeurs terrestres étaient si proches de certaines attitudes chrétiennes que Witt observait qu'il "eût été singulièrement facile pour un épicurien de devenir un chrétien" » (p. 47). Et pour un chrétien de devenir un épicurien.

42. Puis il ajoutait : « Même si, dans leur sagesse, les dieux ont déjà détruit leurs œuvres, de sorte que la plupart de leurs livres ne sont plus disponibles » (cité dans Luciano Floridi, *Sextus Empicurus : The Transmission and Recovery of Phyrrhonism*, New York, Oxford University Press, 2002, p. 13). En plus des épicuriens, Julien voulait exclure les pyrrhoniens, c'est-à-dire les adeptes de la philosophie sceptique.

43. *Stricto sensu*, le terme ne signifiait pas « athée ». Un *apikoros*, expliquait Moïse Maïmonide, était quelqu'un qui refusait la révélation et soutenait que Dieu n'avait pas connaissance des affaires humaines et ne s'y intéressait pas.

44. Tertullien, *L'Apologétique*, chap. XLV, 7, *op. cit.*, p. 112.

45. Lactance, *De la colère de Dieu*, dans Jean-Alexandre C. Buchon, *Choix des monuments primitifs de l'Église chrétienne avec notices littéraires*, chap. VIII, Paris, A. Desrez, 1837.

46. Lactance, *Institutions divines*, III, *ibid.*, chap. XVII.

47. Saint Grégoire le Grand, *Les Dialogues, op. cit.*, p. 98.

48. La flagellation était un châtiment courant dans l'Antiquité, et pas seulement à Rome : « Si le coupable mérite d'être battu, le juge le fera étendre par terre et frapper en sa présence d'un nombre de coups proportionné à la gravité de sa faute », lit-on dans le Deutéronome (25 : 2). Pour une histoire de la flagellation, voir Nicklaus Largier, *In Praise of the Whip : A Cultural History of Arousal*, New York, Zone Books, 2007. Et pour l'original : *Lob der Peitsche : Eine Kulturgeschichte der Erregung*, Munich, Beck, 2001.

49. Les châtiments publics n'ont évidemment pas pris fin avec le paganisme et disparu dans l'Antiquité. Le rhéteur et poète Jean Moli-

net, au XVe siècle, raconte que les citoyens de Mons avaient acheté fort cher un bandit pour profiter du plaisir de le voir écartelé, et que le peuple « fut plus joyeulx que si un nouveau corps saint estoit ressuscité » (cité dans Jean Delumeau, *Le Péché et la Peur. La culpabilisation en Occident [XIIIe-XVIIIe siècles]*, Fayard, 1983, p. 121). Delumeau cite aussi le chroniqueur suisse Felix Platter, qui se souvient d'une scène qu'on l'a emmené voir, enfant : « Un criminel, pour avoir violé une femme de soixante-dix ans, fut écorché vif avec des pinces brûlantes. J'ai vu de mes yeux l'épaisse fumée produite par la chair vive soumise à ces pinces brûlantes ; il fut exécuté par maître Nicolas, bourreau de Berne, venu tout exprès pour la circonstance. Le condamné était un homme fort et vigoureux : sur le pont du Rhin, tout proche de là, on lui arracha un sein ; ensuite il fut conduit à l'échafaud. Il était extrêmement faible et le sang coulait abondamment de ses mains. Il ne pouvait se tenir debout ; il tombait continuellement. Il fut enfin décapité ; on lui enfonça un pieu à travers le corps, puis le cadavre fut jeté dans une fosse. J'ai été moi-même témoin de son supplice, mon père me tenant la main. »

50. Au nombre de ces exceptions figurait saint Antoine qui, d'après son hagiographe, « possédait un haut degré d'*apatheia* – une parfaite maîtrise de soi, un détachement total à l'égard de la passion [...]. Le Christ, qui était libre de toute faiblesse émotive et sans défaut, était son modèle » (Athanase [attrib.], *Life of Anthony*, section 67, cité par Peter Brown, « Ascetism : Pagan and Christian », dans *Cambridge Ancient History : Late Empire [A.D. 337-425]*, dir. Averil Cameron et Peter Garnsey, Cambridge, Cambridge University Press, 2008, 13 : 616).

51. Voir Peter Brown, *The Rise of Western Christendom : Triumph and Diversity (A.D. 200-1000)*, Oxford, Blackwell, 1996, p. 221 ; Robert A. Markus, *The End of the Ancient Christianity*, Cambridge, Cambridge University Press, 1990 ; Marilyn Dunn, *The Emergence of Monasticism : From the Desert Fathers to the Early Middle Ages*, Oxford, Oxford University Press, 2000.

52. Rien n'est jamais vraiment une innovation. La recherche volontaire de la douleur pour imiter les souffrances d'une divinité existait déjà dans le culte d'Isis, d'Attis et d'autres.

53. Cité, avec de nombreux exemples, dans Nicklaus Largier, *In Praise of the Whip : A Cultural History of Arousal*, *op. cit.*, p. 90 et 188.

54. *Ibid.*, p. 36. Les histoires suivantes sont aussi empruntées à Nicklaus Largier.

Chapitre V – NAISSANCE ET RENAISSANCE

1. Ernst Walser, *Poggius Florentinus : Leben und Werke, op. cit.*
2. Iris Origo, *Le Marchand de Prato*, trad. Jane Fillion, Albin Michel, 1959, p. 201.
3. Lauro Martines, *The Social World of the Florentine Humanists (1390-1460), op. cit.*, p. 22.
4. « Vers la fin du XIVᵉ siècle, on trouve rarement en Toscane une famille un peu opulente ne possédant pas au moins un esclave : les femmes les apportaient en dot ; les médecins les recevaient de leurs patients en guise d'honoraires [...] et l'on en trouvait même au service des prêtres » (Iris Origo, *Le Marchand de Prato, op. cit.*, p. 95-96).
5. *Ibid.*, p. 10-11.
6. La belle laine était achetée à Majorque, en Catalogne, en Provence et dans les Cotswolds (la laine anglaise étant la plus chère et sa qualité la meilleure), et traversait les frontières, les marchands acquittant diverses taxes douanières au passage. La teinture et les finitions nécessitaient des importations supplémentaires : alun de la mer Noire (pour fabriquer le mordant servant à fixer la teinture), noix de galle (pour fabriquer la meilleure encre noir pourpre), pastel de Lombardie (pour la teinture bleue et comme base pour d'autres couleurs), garance des Pays-Bas (pour le rouge vif ou, combiné avec le pastel, pour obtenir du rouge foncé ou du pourpre). Et encore ne s'agissait-il là que des importations courantes. Les vêtements coûteux qu'arborent fièrement les aristocrates sur les portraits de l'époque montrent des teintes plus rares : du rouge écarlate, obtenu à l'aide de coquille de murex en provenance de la Méditerranée orientale, du rouge carmin connu sous le nom de *grana* et obtenu grâce à des cochenilles, du vermillon rouge orangé, issu d'une substance cristalline trouvée sur les rives de la mer Rouge, ou encore du rouge carmin, ou kermès, d'un prix extravagant et donc fort prisé, fabriqué en réduisant en poudre un insecte originaire d'Orient, le kermès.

7. Martin Davis, « Humanism in Script and Print », art. cité, p. 48. D'après Pétrarque, on avait plus l'impression de regarder un tableau que de lire un livre.

8. Les chrétiens étaient vivement incités à réprimer leurs élans de curiosité et à refuser ses fruits empoisonnés. Bien que dans la poésie de Dante la détermination d'Ulysse à naviguer par-delà les colonnes d'Hercule soit parée d'une magnifique dignité, il est évident, dans *L'Enfer*, que cette détermination est l'expression d'une âme déchue, condamnée à demeurer pour l'éternité dans le huitième cercle de l'enfer.

9. Voir en particulier Charles Trinkaus, *« In Our Image and Likeness » : Humanity and Divinity in Italian Humanist Thought*, Chicago, University of Chicago Press, 1970, 2 vol.

10. *Aurum, argentum, gemme, purpurea vestis, marmorea domus, cultus ager, pietæ tabulæ, phaleratus sonipes, cæteraque id genus mutam habent et superficiariam voluptatem : libri medullitus delectant, colloquuntur, consulunt, et viva quadam nobis atque arguta familiaritate iunguntur* (« Lettre à Giovanni Anchiseo », dans *Lettres familières*, III, 18, trad. André Longpré, Les Belles Lettres, 2002, p. 314).

11. « J'ai eu de multiples activités, mais je me suis principalement consacré à la connaissance de l'Antiquité : cette époque qui est la nôtre m'a toujours déplu. Et si l'amour pour les miens ne me tirait pas dans une autre direction, je dirais que j'ai toujours rêvé d'être l'enfant d'un autre siècle, que j'ai toujours voulu oublier celui-ci, en pénétrant, par la seule force de mon esprit, dans d'autres temps » (Pétrarque, *Lettre à la postérité*, trad. Denis Montebello, Cognac, Le Temps qu'il fait, 1996, p. 19).

12. Le *doctor utriusque juris* (DUJ), le diplôme de droit civil et canon, était obtenu au terme de dix ans d'études.

13. Cité dans Ronald G. Witt, *« In the Footsteps of the Ancients »…*, *op. cit.*, p. 263.

14. Pétrarque, *Rerum familiarium libri*, XXII, 2, dans *Familiari*, IV, 106. Cité par Ronald G. Witt, *« In the Footsteps of the Ancients »…*, *op. cit.*, p. 62. La lettre date probablement de 1359.

15. Cité dans Lauro Martines, *The Social World of the Florentine Humanists (1390-1460)*, *op. cit.*, p. 25.

16. Pour Pétrarque, certaines valeurs transcendaient le seul style : « À quoi sert de t'être plongé complètement aux sources de Cicéron,

de n'avoir négligé aucun des écrits des Grecs et des Romains ? À te rendre capable de parler avec élégance, avec grâce, avec douceur, avec emphase, certes, mais tu ne pourras t'exprimer avec profondeur, avec sérieux, avec sagesse ni, ce qui a le plus d'importance, avec constance » (*Lettres familières*, I, 9, *op. cit.*, p. 98).

17. Salutati était plus complexe que ne le laisse supposer ce bref compte rendu : au début des années 1380, sur les instances d'un ami, il rédigea une importante défense de la vie monastique, et il était prêt, alors même qu'il faisait l'éloge de l'engagement actif, de reconnaître la supériorité, du moins de principe, de la retraite contemplative.

18. Voir Salutati à Gaspare Squaro de' Broaspini à Vérone, 17 novembre 1377 : « Dans cette noble cité, la fleur de la Toscane et le miroir de l'Italie, l'égale de la très glorieuse Rome, dont elle descend et dont elle suit les ombres antiques dans la lutte pour le salut et la liberté pour tous, ici, à Florence, j'ai entrepris une tâche exigeante, mais dont je suis extrêmement satisfait » (voir Eugenio Garin, *La Cultura Filosofica del Rinascimento Italiano : Ricerche e Documenti*, Florence, Sansoni, 1979, en particulier p. 3-27).

19. Ronald G. Witt, « *In the Footsteps of the Ancients* »..., *op. cit.*, p. 308.

20. John A. Symonds, *The Revival of Learning*, *op. cit.*, p. 80-81.

21. « Imaginez seulement, écrivit Niccoli aux autorités fiscales à la fin de sa vie, le genre de taxe que mes pauvres biens peuvent supporter, compte tenu de mes dettes et de toutes les dépenses pressantes que je soutiens. C'est la raison pour laquelle, implorant votre humanité et votre clémence, je prie qu'il vous plaise de me traiter de telle sorte que les impôts actuels ne me forcent pas, dans mon grand âge, à mourir loin de mon lieu de naissance, où j'ai dépensé tout ce que j'avais » (cité dans Lauro Martines, *The Social World of the Florentine Humanists [1390-1460]*, *op. cit.*, p. 116).

22. Leon Battista Alberti, *Family in Renaissance Florence* (*Libri della Famiglia*), trad. anglaise Renée Neu Watkins, Columbia, University of South Carolina Press, 1969, p. 2-98. On prétend parfois que cette vision du mariage comme un compagnonnage avait été introduite par le protestantisme, mais il existe de nombreuses preuves d'une existence antérieure.

23. Iris Origo, *Le Marchand de Prato*, *op. cit.*, p. 168.

24. Fiorentino Vespasiano Da Bisticci, *The Vespasiano Memoirs : Lives of the Illustrious Men of the XVth Century,* trad. anglaise William George and Emily Waters, Londres, G. Routledge & Sons, 1926, p. 402. Et pour l'original : *Vite di uomini illustri del secolo XV,* Firenze, Barbera, Bianchi e comp., 1859.

25. « Un jour, alors que Niccolò sortait de chez lui, il vit un garçon qui portait autour du cou une calcédoine dans laquelle était gravé un portrait de la main de Polyclète. Une œuvre remarquable. Il s'enquit du nom du père du garçon et, l'ayant appris, envoya quelqu'un lui demander s'il accepterait de lui vendre la pierre ; le père y consentit volontiers, comme s'il ne savait pas ce que c'était et n'y était pas attaché. Niccolò lui fit porter cinq florins en échange, et le bonhomme estima qu'il en avait retiré le double de sa valeur » (*ibid.*, p. 399). Dans ce cas, au moins, la dépense se révéla un très bon investissement. « Du temps du pape Eugène vivait à Florence un certain Maestro Luigi le Patriarche, qui s'intéressait beaucoup à ce genre d'objet, et il demanda à Niccolò la permission de voir la calcédoine. Ce dernier la lui fit parvenir, et elle lui plut tant qu'il la garda, et envoya à Niccolò deux cents ducats d'or. Il insista tellement que Niccolò, n'étant pas un homme riche, la lui céda. Après la mort de ce patriarche, la pierre passa au pape Paul, puis à Laurent de Médicis » (*ibid.*, p. 399). Pour suivre le remarquable parcours d'un camée à travers le temps, voir Luca Giuliani, *Ein Geschenk für den Kaiser : Das Geheimnis des grossen Kameo*, Munich, Beck, 2010.

26. En vérité, Niccoli n'avait pas les moyens de ses ambitions : à sa mort, il était couvert de dettes. Mais cette dette fut annulée par son ami, Côme de Médicis, en échange du droit de disposer de la collection. La moitié des manuscrits allèrent à la nouvelle bibliothèque San Marco, où ils furent conservés dans le merveilleux bâtiment conçu par Michelozzo ; l'autre moitié constitua le principal fonds de la grande bibliothèque Laurentienne de la ville. Même si on lui doit sa création, l'idée d'une bibliothèque publique n'était pas propre à Niccoli. Salutati l'avait aussi appelée de ses vœux. Voir Berthold L. Ullman et Philip A. Stadter, *The Public Library of Renaissance Florence : Niccolò Niccoli, Cosimo de' Medici, and the Library of San Marco*, Padoue, Antenore, 1972, p. 6.

27. Cino Rinuccini, *Invettiva contro a cierti calunniatori di Dante e di messer Francesco Petrarcha and di messer Giovanni Boccacio*, cité

dans Ronald G. Witt, « *In the Footsteps of the Ancients* »..., *op. cit.*, p. 270. Voir Ronald G. Witt, « Cino Rinuccini's *Responsiva alla Invetirra di Messer Antonio Lusco* », *Renaissance Quarterly*, vol. 23, n° 2 (1970), p. 133-149.

28. Leonardo Bruni, *Dialogus I*, cité dans Lauro Martines, *The Social World of the Florentine Humanists (1390-1460)*, *op. cit.*, p. 235.

29. *Ibid.*

30. Lauro Martines, *The Social World of the Florentine Humanists (1390-1460)*, *op. cit.*, p. 241.

31. Fiorentino Vespasiano Da Bisticci, *The Vespasiano Memoirs*..., *op. cit.*, p. 353.

32. Lauro Martines, *The Social World of the Florentine Humanists (1390-1460)*, *op. cit.*, p. 265.

Chapitre VI – L'OFFICINE DE MENSONGES

1. Voir une lettre du Pogge à Niccoli, le 12 février 1421 : « Car je ne suis pas l'un de ces hommes parfaits, qui ressentent l'obligation d'abandonner père et mère, de vendre tous leurs biens pour distribuer l'argent aux pauvres ; cette force, seuls quelques-uns l'ont eue il y a très longtemps, à une autre époque » (*Two Renaissance Book Hunters : The Letters of Poggius Bracciolini to Nicolaus de Niccolis*, *op. cit.*, p. 49).

2. William Shepherd, *Vie de Poggio Bracciolini*, *op. cit.*, p. 185.

3. *Two Renaissance Book Hunters : The Letters of Poggius Bracciolini to Nicolaus de Niccolis*, *op. cit.*, p. 58.

4. Peter Partner, *The Pope's Men : The Papal Civil Service in the Renaissance*, *op. cit.*, p. 115.

5. Cité dans Christopher Celenza, *Renaissance Humanism and the Papal Curia : Lapo da Castiglionchio the Younger's « De curiæ commodis »*, Ann Arbor, University of Michigan Press, 1999, p. 111 et 127.

6. *Ibid.*, p. 155.

7. *Ibid.*, p. 205.

8. *Ibid.*, p. 25-26.

9. *Ibid.*, p. 177.

10. Le Pogge Florentin, *Facéties*, trad. Étienne Wolff, Anatolia, 1994, p. 233. Le manuscrit des *Facetiæ* n'est paru qu'en 1457, deux

ans avant la mort du Pogge, mais les histoires circulaient entre les clercs et secrétaires bien des années plus tôt. Voir Lionello Sozzi, « Le "Facezie" e la loro fortuna Europea », dans *Poggio Bracciolini (1380-1980) : Nel VI centenario della nascità*, Florence, Sansoni, 1982, p. 235-259.

11. Le Pogge Florentin, *Facéties*, XVI, *op. cit.*, p. 55.

12. *Ibid.*, L, p. 77.

13. *Ibid.*, CLXI, p. 156. Et pour les histoires précédentes : V, p. 46 ; XLV, p. 74 ; CXXIII, p. 128 ; CXXXIII, p. 136.

14. Jesús Martínez de Bujanda, *Index des livres interdits*, Sherbrooke, Québec, Centre d'études de la Renaissance, 2 vol. ; Genève, Droz, Montréal, Médiaspaul, 1984-2002, II, Rome, p. 33.

15. Le Pogge Florentin, *Facéties*, XXIII, *op. cit.*, p. 60.

16. *Ibid.*, CXIII, p. 121.

17. *Ibid.*, CLXXXVII, p. 175.

18. John Monfasani, *George of Trebizond : A Biography and a Study of His Rhetoric and Logic*, Leyde, Brill, 1976, p. 110.

19. John A. Symonds, *The Revival of Learning, op. cit.*, 1960, p. 176. « Au XVe siècle, l'étude intellectuelle est une activité dévorante » (p. 177).

20. *Aspira ad virtutem recta, non hac tortuosa ac fallaci via ; fac, ut mens conveniat verbis, opera sint ostentationi similia ; enitere ut spiritus paupertas vestium paupertatem excedat, tunc fugies simulatoris crimen ; tunc tibi et reliquis proderis vera virtute. Sed dum te quantunvis hominem humilem et abiectum videro Curiam frequentantem, non solum hypocritam, sed pessimum hypocritam iudicabo* (Poggio Bracciolini, *Contra hypocritas*, XVII, p. 97, dans *Opera omnia*, Turin, Erasmo, 1964-1969, 4 vol.).

21. *Two Renaissance Book Hunters : The Letters of Poggius Bracciolini to Nicolaus de Niccolis, op. cit.*, p. 156 et 158.

22. *Ibid.*, p. 54.

23. *Ibid.*, p. 75.

24. *Ibid.*, p. 66.

25. *Ibid.*, p. 68.

26. *Ibid.*, p. 22 et 24.

27. *Ibid.*, p. 146.

28. *Ibid.*

29. *Ibid.*, p. 148.

30. *Ibid.*, p. 164.

31. *Ibid.*, p. 166.

32. *Ibid.*, p. 173.

33. *Ibid.*, p. 150.

34. On ignore la date exacte à laquelle le Pogge fut nommé secrétaire apostolique de Jean XXIII. En 1411, il est répertorié comme clerc et familier du pape *(familiaris)*. Mais une bulle papale du 1er juin 1412 est signée par le Pogge en tant que *secretarius* (comme dans une bulle postérieure, datant du concile de Constance). À cette période, il se qualifie lui-même *Poggio Secretarius apostolicus*. Voir Ernst Walser, *Poggius Florentinus : Leben und Werke, op. cit.*, p. 25, note 4.

Chapitre VII – LA FOSSE À RENARDS

1. Pendant une bonne partie du XIVe siècle, les papes avaient résidé en Avignon ; ce n'est qu'en 1377 que le Français Grégoire XI, apparemment inspiré par les paroles exaltées de sainte Catherine de Sienne, réinstalla la cour papale à Rome. À la mort de Grégoire, l'année suivante, des foules de Romains, craignant qu'un nouveau pape français ne soit inévitablement attiré par les plaisirs civilisés et la sécurité d'Avignon, firent le siège du conclave des cardinaux en exigeant l'élection d'un Italien. Le Napolitain Bartolomeo Prignano fut dûment élu et prit le nom d'Urbain VI. Cinq mois plus tard, les cardinaux français, affirmant qu'ils avaient été contraints par une foule grondante et que l'élection était dès lors invalide, tinrent un nouveau conclave durant lequel fut élu Robert de Genève, qui s'installa en Avignon et prit le nom de Clément VII. Il y avait donc deux papes rivaux.

La faction française avait choisi un homme dur pour une époque dure : Robert de Genève s'était distingué l'année précédente quand, légat papal chargé d'une compagnie de soldats bretons, il avait promis l'amnistie générale aux citoyens rebelles de Césène s'ils acceptaient de lui ouvrir leurs portes. Une fois celles-ci ouvertes, il ordonna le massacre. « Tuez-les tous », l'entendit-on crier. De son côté, Urbain VI leva des fonds pour engager des mercenaires, se plongea dans les arcanes complexes de la politique italienne, faite d'alliances et de trahisons, favorisa l'enrichissement de sa famille, échappa de peu aux différents pièges qu'on lui tendit, fit torturer et exécuter ses ennemis, et ne cessa de fuir Rome et d'y revenir. Urbain qualifiait son rival d'antipape ; Robert appelait Urbain l'Antéchrist. Tous les détails sordides n'intéressent pas directement notre sujet : quand le Pogge entra en scène, Robert de Genève et Urbain VI étaient morts tous les deux et avaient été remplacés par d'autres prétendants au Saint-Siège tout aussi problématiques.

2. Voir l'observation mélancolique du Pogge dans *De varietate fortunæ* : « Examinez les autres collines de la Cité : partout vous apercevrez des espaces vides, coupés par des ruines et des jardins » (cité dans Edward Gibbon, *Histoire de la décadence et de la chute de l'Empire romain*, t. XIII, trad. François Guizot, Paris, Ledentu, 1828, p. 302-303).

3. *Ibid.*, p. 202-203.

4. *Ibid.* Ce passage, chez Gibbon, est le point culminant de son vaste *magnum opus*, l'expression résumée du désastre qu'a subi Rome.

5. Eustace J. Kits, *In the Days of the Councils : A Sketch of the Life and Times of Baldassare Cossa*, *op. cit.*, p. 152.

6. *Ibid.*, p. 163-164.

7. Ulrich Richental, *Chronik des Konstanzer Konzils (1414-1418)* [« Richental's Chronicle of the Council of Constance »], dans *The Council of Constance : The Unification of the Church*, dir. John H. Mundy et Kennerly M. Woody, trad. anglaise Louise Ropes Loomis, New York, Columbia University Press, 1961, p. 84-199.

8. Voir, par exemple, Remigio Sabbadini, *Le Scoperte dei codici latini e greci ne' secoli XIV e XV*, Florence, Sansoni, 1905, t. I, p. 76-77.

9. « Richental's Chronicle of the Council of Constance », *op. cit.*, p. 190.

10. « Certains prétendirent qu'un grand nombre de personnes avaient été exécutées pour vol, meurtre et autres crimes, mais ce n'est pas la vérité. Je ne sache pas, d'après nos magistrats de Constance, qu'il y ait eu plus de vingt-deux mises à mort pour ces motifs » (*ibid.*, p. 157).

11. *Ibid.*, p. 91.

12. *Ibid.*, p. 100.

13. Cité par Gordon Leff, *Heresy, Philosophy and Religion in the Medieval West*, Aldershot (Royaume-Uni) et Burlington (Vermont), Ashgate, 2002, p. 122.

14. Eustace J. Kits, *In the Days of the Councils : A Sketch of the Life and Times of Baldassare Cossa, op. cit.*, p. 335.

15. « Richental's Chronicle of the Council of Constance », *op. cit.*, p. 114.

16. *Ibid.*, p. 116.

17. C'est là le récit de Richental. Un autre observateur contemporain, Guillaume Fillastre, donne une version différente des événements : « Le pape, comprenant la situation, quitta la ville par le fleuve durant la nuit du mercredi au jeudi, après minuit, le 21 mars, avec une escorte fournie par Frédéric, duc d'Autriche » (dans *The Council of Constance : The Unification of the Church, op. cit.*, p. 222).

18. Guillaume Fillastre, dans *The Council of Constance : The Unification of the Church, op. cit.*, p. 236.

19. Ezra H. Gillett, *The Life and Times of John Huss*, Boston, Gould & Lincoln, 1863, t. I, p. 508.

20. Eustace J. Kits, *In the Days of the Councils : A Sketch of the Life and Times of Baldassare Cossa, op. cit.*, p. 199-200.

21. La longue lettre du Pogge à propos de Jérôme et la réponse inquiète de Bruni sont citées dans William Shepherd, *Vie de Poggio Bracciolini, op. cit.*, p. 70-83.

22. « Richental's Chronicle of the Council of Constance », *op. cit.*, p. 135. Le Pogge, qui affirma avoir « assisté à son supplice » et « recueilli toutes les particularités de son procès » écrit à Bruni que « Mutius lui-même ne vit pas brûler sa main avec plus de constance que celui-ci tout son corps, et Socrate ne fut pas plus impassible en buvant la ciguë que Jérôme devant le bûcher » (William Shepherd, *Vie de Poggio Bracciolini, op. cit.*, p. 81).

23. « Description des bains de Bade par Pogge Florentin », dans Henri Mercier, *Les Amusements des bains de Bade, suivi de la lettre du Pogge sur le même sujet*, Lausanne, L'Âge d'homme, 1989, p. 95-96. Toutes les citations des passages suivants sont empruntées à cet ouvrage (p. 96-101).

24. Leighton D. Reynolds, *Texts and Transmission : A Survey of the Latin Classics*, Oxford, Clarendon Press, 1983, p. 158. Il s'agissait d'un commentaire du grammairien romain du IVᵉ siècle Donatus.

25. La transcription des discours de Cicéron faite par le Pogge a été retrouvée à la Bibliothèque vaticane [Vatican. lat. 11458 (X)] par A. Campana en 1948, avec la mention suivante : *Has septem M. Tullii*

orationes, que antea culpa temporum apud Italos deperdite erant, Poggius Florentinus, perquisitis plurimis Gallie Germanieque summo cum studio ac diligentia bibliothecis, cum latenetes comperisset in squalore et sordibus, in lucem solus extulit ac in pristinam dignitatem decoremque restituens Latinis musis dicavit (p. 91).

26. Dans la suite de sa description du vieux manuscrit, le Pogge se plaît à rêver que l'*Institution oratoire* de Quintilien ait aidé à sauver la République romaine. Si bien qu'il imagine un Quintilien « emprisonné » qui s'indigne : « Lui qui a un jour préservé la sécurité de toute la population par son influence et son éloquence ne trouve pas un seul défenseur pour le prendre en pitié, se soucier de son bien-être et empêcher qu'il subisse une condamnation injuste » (lettre à Niccoli, 15 décembre 1425, dans *Two Renaissance Book Hunters : The Letters of Poggius Bracciolini to Nicolaus de Niccolis, op. cit.*, p. 105. On peut peut-être voir dans ces mots le reflet de la mauvaise conscience du Pogge, témoin de la condamnation et de l'exécution de Jérôme. À moins que le sauvetage du manuscrit ne remplace le sauvetage d'un homme : sauver un texte classique des griffes des moines était une libération que le Pogge ne pouvait pas offrir à l'éloquent Jérôme.

27. *Ibid.*, lettre IV, p. 194.

28. *Ibid.*, lettre IV, p. 197.

Chapitre VIII – DE LA NATURE

1. Le rôle clé joué par Lucrèce dans le développement de la philosophie et de la science naturelle modernes a été analysé avec subtilité par Catherine Wilson, *Epicurism at the Origins of Modernity*, Oxford, Clarendon Press, 2008. Voir aussi Walter R. Johnson, *Lucretius and the Modern World*, Londres, Duckworth, 2000 ; Dane R. Gordon et David B. Suits, *Epicurus : His Continuing Influence and Contemporary Relevance*, Rochester (NY), RIT Cary Graphic Arts Press, 2003 ; et Stuart Gillespie et Donald Mackenzie, « Lucretius and the Moderns », dans *The Cambridge Companion to Lucretius*, dir. Stuart Gillespie et Philip Hardie, Cambridge, Cambridge University Press, 2007, p. 306-324.

2. George Santayana, *Three Philosophical Poets : Lucretius, Dante and Goethe*, Cambridge (Mass.), Harvard University Press, 1947, p. 23.

3. C'est l'un des nombreux passages où le talent stylistique de Lucrèce perd inévitablement à la traduction. Lorsqu'il décrit les combinaisons innombrables, il joue sur les mots et les allitérations : *sed quia multa modis multis mutata per omne.*

4. Dans *Logique du sens* (Minuit, 1969), Gilles Deleuze explore la relation entre ce mouvement minimal et indéterminé des atomes et la physique moderne.

5. Voir II, v. 251-257 :

> Enfin, si tout mouvement s'enchaîne toujours,
> si toujours d'un ancien un autre naît en ordre fixe
> et si par leur déclinaison les atomes ne prennent [*declinando* [...] *primordia motus*]
> l'initiative d'un mouvement qui brise les lois du destin
> et empêche les causes de se succéder à l'infini,
> libre par toute la terre, d'où vient aux êtres vivants,
> d'où vient, dis-je, cette volonté arrachée aux destins
> qui nous permet d'aller où nous conduit notre plaisir.

6. Le fait de se forcer à avancer et de se forcer à rester immobile n'est possible que parce que tout n'est pas strictement déterminé, c'est-à-dire grâce aux libres mouvements, subtils et imprévisibles, de la matière. Ce qui empêche l'esprit de se faire écraser par la nécessité interne, « c'est l'effet de la légère déviation des atomes [*clinamen principiorum*] / en un lieu, en un temps que rien ne détermine » (II, v. 293-294).

7. De même qu'il n'y a pas de grâce divine dans cette histoire chaotique du développement, il n'y a pas de forme parfaite ou finale. Même les créatures qui prolifèrent sont affligées de défauts, preuve que leur forme n'est pas le fruit d'une sublime intelligence supérieure, mais bien celui du hasard. Lucrèce a formulé ce que les mâles de l'espèce humaine pourraient appeler le principe de la prostate.

8. Voir II, v. 353-360 :

> Devant les temples magnifiques, au pied des autels
> où fume l'encens, souvent un taurillon tombe immolé,
> exhalant de sa poitrine un flot sanglant et chaud.
> Cependant la mère désolée parcourt le bocage,
> cherche à reconnaître au sol l'empreinte des sabots,
> scrute tous les endroits où d'aventure elle pourrait
> retrouver son petit, soudain s'immobilise
> à l'orée du bois touffu qu'elle emplit de ses plaintes

> et sans cesse revient visiter l'étable,
> le cœur transpercé du regret de son petit.

Ce passage, bien sûr, fait plus qu'exprimer l'idée qu'une vache est capable de reconnaître son veau : il souligne le caractère destructeur et meurtrier de la religion, cette fois du point de vue de l'animal victime. Le culte sacrificiel, cruel et superflu, contraste avec quelque chose d'intensément naturel, pas seulement la capacité de la mère à reconnaître sa progéniture, mais l'amour profond que révèle cette reconnaissance. Les animaux ne sont pas des machines matérielles – ils ne sont pas simplement programmés, dirait-on aujourd'hui, pour s'occuper de leurs petits –, ils éprouvent des émotions. Et un membre d'une espèce ne peut se substituer à un autre, comme si les créatures individuelles étaient interchangeables.

9. Voir V, v. 1218-1221 :

> Et quel homme par la crainte des dieux n'a le cœur
> serré, tous les membres contractés de frayeur
> quand la terre tremble et brûle d'un coup de foudre terrifiant
> et que des grondements parcourent le vaste ciel ?

10. Dans un petit livre élégant, Hans Blumenberg montre qu'à force de ressasser et de commenter ce passage au fil des siècles, le spectateur a eu tendance à perdre sa position éloignée : nous sommes *sur* le navire. Voir Hans Blumenberg, *Naufrage avec spectateur. Paradigme d'une métaphore de l'existence*, trad. Laurent Cassagnau, L'Arche, 1994.

11. Alexander N. Jeffares, *W. B. Yeats : Man and Poet*, Londres, Routledge & Kegan Paul, 1962 (2de éd.), p. 267, cité dans David Hopkins, « The English Voices of Lucretius from Lucy Hutchinson to John Mason Good », dans *The Cambridge Companion to Lucretius*, *op. cit.*, p. 266.

12. Voir IV, v. 1097-1104 :

> Vois l'homme que la soif en son rêve dévore :
> pour éteindre ce feu, aucune eau n'est donnée,
> mais il recourt à des images, s'acharne en vain,
> mourant de soif au fond du torrent où il boit.
> Tels les amants, jouets des images de Vénus :
> leurs yeux ne pouvant se rassasier d'admirer,
> leurs mains rien arracher aux membres délicats,
> ils errent incertains sur le corps tout entier.

Chapitre IX – LE RETOUR

1. Lettre à Francesco Barbaro, dans *Two Renaissance Book Hunters :
The Letters of Poggius Bracciolini to Nicolaus de Niccolis, op. cit.*,
annexe : lettre VIII, p. 213.

2. L'histoire du texte de Lucrèce a occupé les érudits pendant de
nombreuses générations et fait l'objet de la plus célèbre reconstruction
philologique, celle du grand spécialiste de littérature classique allemand Karl Lachmann (1793-1851). Les spécialistes de critique textuelle nomment cette copie perdue, faite pour le Pogge, le *Poggianus*.
D.J. Butterfield, de l'université de Cambridge, m'a beaucoup aidé à
saisir la complexité des questions textuelles, et je lui en suis reconnaissant.

3. *Two Renaissance Book Hunters : The Letters of Poggius Bracciolini
to Nicolaus de Niccolis, op. cit.*, p. 38 et 46.

4. *Ibid.*, p. 46.

5. *Ibid.*, p. 48.

6. *Ibid.*, p. 74.

7. *Ibid.*, p. 65.

8. *Ibid.*, p. 89.

9. *Ibid.*, p. 92.

10. Pour cette citation et les suivantes : *ibid.*, p. 110, 154 et 160.

11. Les copies faites par Niccoli d'un grand nombre de textes
anciens ont survécu et se trouvent dans la collection du couvent Saint-
Marc, à laquelle il légua sa bibliothèque. Parmi elles, outre celle de
Lucrèce, figurent des œuvres de Plaute, Cicéron, Valerius Flaccus,
Celsus, Aulu-Gelle, Tertullien, Plutarque et Chrysostome. D'autres,
dont la copie d'Asconius mentionnée par le Pogge, sont perdues. Voir
Berthold L. Ullman et Philip A. Stadter, *The Public Library of Renais-
sance Florence. Niccolò Niccoli, Cosimo de' Medici and the Library of
San Marco, op. cit.*, p. 88.

12. *Two Renaissance Book Hunters : The Letters of Poggius Bracciolini
to Nicolaus de Niccolis, op. cit.*, p. 147, 166-167.

13. Comme le note Lauro Martines, au XIIIe siècle, le pouvoir et
la richesse étaient passés de la vieille noblesse féodale à la classe des marchands, à des familles comme les Albizzi, les Médicis, les Rucellai et les
Strozzi. Mais s'il n'était plus très riche, le père de la mariée demeurait
assez prospère. « En 1427, Gino, le père de Vaggia possédait une grande

demeure avec une cour et un atelier, deux maisons de campagne, quatre fermes, plusieurs parcelles de terrain, et du bétail. Le reste de sa fortune incluait la prodigieuse somme de 858 florins, ainsi que des bons du Trésor pour une valeur de 118 florins. Son capital total brut s'élevait à 2 424 florins. Ses emprunts se montaient à 500 florins, et une fois déduits les retenues locatives et les frais de subsistance, le capital imposable de Gino se réduisait à 336 florins. Par conséquent, de la part du Pogge, il ne s'agissait pas, nouant cette union, de former une alliance avec une famille riche. Cependant, Vaggia lui apporta une dot dont la valeur, 600 florins, correspondait à celle qui était donnée d'ordinaire par les familles politiques de rang intermédiaire ou par les vieilles familles distinguées (quelque peu appauvries) dont le principal atout social était leur lignage » (Lauro Martines, *The Social World of the Florentine Humanists (1390-1460)*, *op. cit.*, p. 211-212).

14. William Shepherd, *Vie de Poggio Bracciolini*, *op. cit.*, p. 331.

15. Cité dans Charles Trinkaus, « *In Our Image and Likeness* » : *Humanity and Divinity in Italian Humanist Thought*, *op. cit.*, t. I, p. 268.

Chapitre X – DÉVIATIONS

1. Cité par Alison Brown, *The Return of Lucretius to Renaissance Florence*, Cambridge (Mass.), Harvard University Press, 2010, p. 49. Voir Girolamo Savonarola, *Prediche sopra Amos e Zacaria*, n° 3, 19 février 1496, éd. Paolo Ghiglieri, Rome, A. Belardetti, 1971, t. I, p. 79-81. Voir aussi Peter Godman, *From Poliziano to Machiavelli : Florentine Humanism in the High Renaissance*, Princeton, Princeton University Press, 1998, p. 140, et Jill Kraye, « The Revival of Hellenistic Philosophies », dans *The Cambridge Companion to Renaissance Philosophy*, dir. James Hankins, Cambridge, Cambridge University Press, 2007, en particulier p. 102-106.

2. Sur le manuscrit de Lucrèce copié par Machiavel, voir Alison Brown, *The Return of Lucretius to Renaissance Florence*, *op. cit.*, p. 68-87, et annexe, p. 113-122.

3. Voir James Hankins, « Ficino's Theology and the Critique of Lucretius », à paraître dans les actes du colloque *Platonic Theology :*

Ancient, Medieval and Renaissance, qui a eu lieu à la villa I Tatti et à l'Istituto Nazionale di Studi sul Rinascimento, Florence, 26-27 avril 2007

4. Sur la controverse, voir Salvatore I. Camporeale, « Poggio Bracciolini contro Lorenzo Valla. Le "Orationes in L. Vallam" », dans *Poggio Bracciolini (1380-1980) : Nel VI centenario della nascità, op. cit.*, p. 137-161. Sur toute la question de l'orthodoxie chez Valla (et aussi chez Ficin), voir le très éclairant ouvrage de Christopher S. Celenza, *The Lost Italian Renaissance : Humanists, Historians, and Latin's Legacy*, Baltimore, Johns Hopkins University Press, 2006, p. 80-114.

5. *Nunc sane video, cur in quodam tuo opusculo, in quo Epicureorum causam quantam datur tutaris, vinum tantopere laudasti. [...] Bacchum compotatoresque adeo profuse laudans, ut epicureolum quendam ebrietatis assertorem te esse profitearis. [...] Quid contra virginitatem insurgis, quod numquam fecit Epicurus? Tu prostitutas et prostibula laudas, quod ne gentiles quidem unquam fecerunt. Non verbis oris tui sacrilegi labes, sed igne est expurganda, quem spero te non evasurum* (cité dans dom Cameron Allen, « The Rehabilitation of Epicurus and His Theory of Pleasure in the Early Renaissance », *Studies in Philology*, vol. 41, n° 1 [1944], p. 1-15).

6. Valla cite directement Lucrèce, mais seulement des passages qu'il aurait pu trouver chez Lactance ou dans d'autres textes chrétiens.

7. Dans la première version de *De voluptate*, les trois personnages étaient Leonardo Bruni, Antonio Beccadelli et Niccolò Niccoli. Dans une version ultérieure, ce furent Cantone Sacco, Maffeo Vegio, et le moine Antonio Da Rho. (N.d.T.) Maffeo Vegio, poète contemporain de Valla et « porte-parole » de l'épicurisme dans le dialogue, fait remarquer qu'il n'est même pas un véritable épicurien, mais qu'il accepte de jouer le rôle du défenseur du plaisir afin de réfuter les arguments des stoïciens selon lesquels la vertu serait le souverain bien, qui, selon lui, représentent une menace bien plus sérieuse pour l'orthodoxie chrétienne.

8. Lorenzo Valla, *Sur le plaisir*, trad. Laure Chauvel, La Versanne, Encre marine, 2004. Le texte de Valla déploie plusieurs stratégies, outre le désaveu dialogique, pour protéger son auteur de l'accusation d'épicurisme. Valla a donc de solides arguments à opposer au Pogge. Les idées épicuriennes qui occupent le deuxième livre de *Sur le plaisir* et une grande partie du premier sont soigneusement encadrées par

d'authentiques doctrines chrétiennes, dont le narrateur et les autres interlocuteurs s'accordent à dire qu'elles ont remporté la partie.

9. *Ibid.*, p. 165.

10. *Ibid.*, p. 168-169.

11. *Ibid.*, p. 169.

12. *Ibid.*, p. 235.

13. Voir Stephen Greenblatt, « Invisible Bullets : Renaissance Authority and Its Subversion », *Glyph*, n° 8 (1981), p. 40-61.

14. Voir Michele Marullo, *Inni Naturali*, Florence, Casa Editrice le Lettere, 1995 ; sur Bruno et l'épicurisme, voir, entre autres ouvrages, Hans Blumenberg, *La Légitimité des temps modernes, op. cit.*

15. « L'anima è sol [...] in un pan bianco caldo un pinocchiato », cité dans Alison Brown, *The Return of Lucretius to Renaissance Florence, op. cit.*, p. 11.

16. Érasme, *Les Colloques*, trad. Victor Develay, Paris, Librairie des bibliophiles, 1876, t. III, p. 295. Sur la critique de Marulle faite par Érasme, voir *Opus Epistolarum des. Erasmi Roterodami*, éd. Percy S. Allen, Oxford, Oxford University Press, 1906-1958 (12 vol.), t. II, p. 187 ; t. V, p. 519, dans *Collected Woks of Erasmus*, Toronto, University of Toronto Press, 1974-, t. III, p. 225, t. X, p. 344. *Contemporaries of Erasmus : A Biographical Register of the Renaissance and Reformation*, dir. Peter G. Bietenholz et Thomas B. Deutscher, Toronto, University of Toronto Press, 2003, t. II, p. 398-399.

17. Thomas More, *L'Utopie*, trad. Marie Delcourt, GF-Flammarion, 1987, p. 86.

18. Amerigo Vespucci, *Quattuor navigationes*, cité dans Thomas More, *Utopia*, éd. George M. Logan et Robert M. Adams, Cambridge et New York, Cambridge University Press, 2002, p. 68.

19. Thomas More, *L'Utopie, op. cit.*, p. 161.

20. *Ibid.*, p. 172.

21. De manière brillante et tout à fait volontaire, More joue avec les facteurs complexes (dont le hasard) qui ont fait que certains textes antiques ont péri alors que d'autres ont survécu. « En partant pour la quatrième expédition, j'avais embarqué, en guise de pacotille, un honnête bagage de livres, décidé à ne revenir que le plus tard possible. C'est ainsi qu'ils me doivent la plupart des traités de Platon, quelques-uns d'Aristote, l'ouvrage de Théophraste sur les plantes, malheureusement mutilé en plusieurs endroits. Un singe au cours du voyage avait

découvert le livre dont nous avions pris trop peu de soin ; en jouant et en folâtrant, il en avait arraché et déchiré quelques pages » (*ibid.*, p. 187).

22. À l'heure où j'écris cet essai, aux États-Unis, un jeune Afro-Américain sur neuf, âgé de vingt à trente-cinq ans, est en prison, et les écarts de richesse n'ont jamais été aussi grands dans le pays.

23. *Ibid.*, p. 217.

24. *Ibid.*

25. Traduction de la TOB.

26. Traduction d'Yves Bonnefoy, Club français du livre, 1957.

27. Giordano Bruno, *L'Expulsion de la bête triomphante*, trad. Bertrand Levergeois, Michel de Maule, 1992, p. 83-84.

28. Walter L. Wakefield, « Some Unorthodox Popular Ideas of the Thirteenth Century », *Medievalia et Humanistica*, n.s. 4 (1973), p. 28.

29. John Edwards, « Religious Faith and Doubt in Late Medieval Spain : Soria circa 1450-1500 », *Past and Present*, n° 120 (1988), p. 8.

30. Giordano Bruno, « Le Souper des cendres », dans *Œuvres complètes II*, trad. Yves Hersant, Les Belles Lettres, 1994, p. 50.

31. Jacopo Corbinelli, le secrétaire florentin de la reine mère Catherine de Médicis, cité dans Ingrid D. Rowland, *Giordano Bruno : Philosopher/Heretic*, New York et Farrar, Straus & Giroux, 2008, p. 193.

32. Giordano Bruno, *Le Souper des cendres, op. cit.*, p. 40.

33. Dans *De l'infini, de l'univers et des mondes, Œuvres complètes IV*, trad. Jean-Pierre Cavaillé, Les Belles Lettres, 1995, citant *De la nature*, II, v. 1067-1076.

34. Voir *Thomas Harriot : Renaissance Scientist*, dir. John W. Shirley, Oxford, Clarendon Press, 1974, et John W. Shirley, *Thomas Harriot : A Biography*, Oxford, Clarendon Press, 1983 ; Jean Jacquot, « Thomas Harriot's Reputation for Impiety », *Notes and Records of the Royal Society of London*, vol. 9, n° 2 (1951-1952), p. 164-187.

35. Giordano Bruno, *Le Souper des cendres, op. cit.*, p. 48.

Chapitre XI – POSTÉRITÉ

1. Une célèbre exception fut l'enquête inquisitoriale menée contre Paolo Véronèse pour sa représentation de la Cène en 1573, dont

l'intense matérialité – le bouillonnement de la vie, la nourriture sur la table, les chiens qui attendent les reste, etc. – lui valut des accusations d'impiété et d'hérésie. Véronèse rebaptisa son œuvre *Le Repas chez Lévi* pour avoir la paix.

2. William Shakespeare, *Roméo et Juliette*, acte I, scène 4, v. 55-59, *op. cit.*, p. 247.

3. *Ibid.*, acte V, scène III, v. 108-110, p. 435.

4. Jonson inscrivit son nom sur la page de titre et, malgré la taille réduite du volume (11 cm sur 6), fit de nombreuses marques et commentaires dans les marges, preuves d'une lecture attentive et active. Il semble avoir été particulièrement frappé par un passage du livre II, dans lequel Lucrèce nie que les dieux s'intéressent le moins du monde au comportement des mortels. En bas de la page, il nota une traduction anglaise des deux vers suivants, décrivant ainsi la « nature absolue des dieux » :

> forte de ses ressources, sans nul besoin de nous,
> elle est insensible aux faveurs, inaccessible à la colère.

En latin :

> *Nam privata dolore omni, priuata periclis,*
> *ipsa suis pollens opibus, nihil indiga nostri.*
> (Lucrèce, *De la nature*, II, v. 649-650, *op. cit.*, p. 150-151.)

5. Michel de Montaigne, *Essais*, III, 13, PUF, 1999, p. 1102.

6. *Ibid.*, III, 2, p. 804-805.

7. *Ibid.*, II, 1, p. 333.

8. *Ibid.*, p. 333. Et pour la citation de Lucrèce :

> Ils [les hommes] ne vivraient pas comme on les voit très souvent vivre,
> ignorant ce qu'ils veulent et réclamant toujours
> un autre lieu, comme pour y déposer leur fardeau.
> (*De la nature*, III, v. 1057-1059, *op. cit.*, p. 239-240.)

9. Michel de Montaigne, *Essais*, III, 13, *op. cit.*, p. 1067.

10. *Ibid.*, II, 9, p. 435.

11. *Ibid.*, II, 12, p. 532.

12. *Ibid.*, II, 11, p. 246.

13. *Ibid.*, II, 15, p. 613. Et pour la citation de Lucrèce : *De la nature*, IV, v. 1076-1077, *op. cit.*, p. 303.

14. Michel de Montaigne, *Essais*, III, 4, *op. cit.*, p. 835, et pour la citation de Lucrèce, *De la nature*, I, v. 1066, *op. cit.*, p. 301.

NOTES

15. Michel de Montaigne, *Essais*, III, 5, *op. cit.*, p. 872. Et pour la citation de Lucrèce :

> [...] maître des combats féroces,
> Mars vient souvent se réfugier sur ton sein,
> vaincu par la blessure éternelle de l'amour.
> [Il y pose sa belle nuque, puis levant les yeux,]
> avide, s'enivre à ta vue, Déesse,
> et ployé contre toi suspend son souffle à tes lèvres.
> Lorsqu'il reposera, enlacé à ton corps sacré,
> Fonds-toi en son étreinte et tendrement exhale
> [pour les Romains, Grande Vénus, tes prières de paix].
> *(De la nature*, I, v. 32-40, *op. cit.*, p. 55.)

16. Michel de Montaigne, *Essais*, I, 20, *op. cit.*, p. 89, et pour Lucrèce : *De la nature*, III, v. 900-901, *op. cit.*, p. 231.

17. Michel de Montaigne, *Essais*, I, 20, *op. cit.*, p. 92, et pour Lucrèce :

> [...] Les mortels vivent d'échanges mutuels [...]
> et tels des coureurs se passent le flambeau de la vie.
> *(De la nature*, II, v. 76 et 79, *op. cit.*, p. 119.)

18. Michael A. Screech, *Montaigne's Annotated Copy of Lucretius : A Transcription and Study of the Manuscript, Notes and Pen-Marks*, Genève, Droz, 1998.

19. *Ut sunt diuersi atomorum motus non incredibile est sic conuenisse olim atomos aut conuenturas ut alius nascatur Montanus* (*ibid.*, p. 11).

20. Trevor Dadson, « Las bibliotecas de la nobleza : Dos inventarios y un librero, años de 1625 », dans *Mecenazgo y Humanidades en tiempos de Lastanosa. Homenaje a la memoria de Domingo Ynduráin*, dir. Aurora Egido et José Enrique Laplana, Saragosse, Institución Fernando el Católico, 2008, p. 270. Je dois aux recherches du professeur Dadson dans les inventaires des bibliothèques espagnoles toutes les mentions de Lucrèce dans l'Espagne post-tridentine.

21. Pietro Redondi, *Galilée hérétique*, trad. Monique Aymard, Gallimard, 1985, p. 377. D'après l'*Exercitatio de formis subsantialibus et de qualitatibus physicis* (anonyme).

22. Pietro Redondi, *Galilée hérétique*, *op. cit.*, p 147.

23. *Ibid.*, p. 289.

24. L'argument principal de Redondi – à savoir que les attaques contre l'héliocentrisme de Galilée masquaient une attaque contre son atomisme – a été critiqué par de nombreux historiens des sciences.

Mais il n'y a aucune raison de penser que l'Église ait été motivée par l'un ou l'autre, et pas par les deux.

25. *Ibid.*, p. 371.

26. *At Lucretius animorum immortalitatem oppugnat, deorum providentiam negat, religiones omneis tollit, summum bonum in voluptate ponit. Sed hæc Epicuri, quem sequitur Lucretis, non Lucetii culpa est. Poema quidem ipsum propter sententias a religione nostras aliénas, nihilominus poema est, tantumne ? Immo vero poema venustum, poema præclarum, poema amnibus ingenii luminibus distinctum, inignitum, atque illustratum. Hasce autem Epicuri rationes insanas, ac furiosas, ut & illas absurdas de atomorum concursione fortuita, de mundis innumerabilibus, & ceteras, neque difficile nobis est refutare, neque vero necesse est : quippe cum ab ipsa veritatis voce vel tacentibus omnibus facillime refellantur,* Paris, 1563, f. ā3.

27. *Lucy Hutchinson's Translation of Lucretius : « De rerum natura »,* dir. Hugh de Quehen, Ann Harbor, University of Michigan Press, 1996, p. 139.

28. Au contraire, avec un regard en coin à John Evelyn, Hutchinson remarquait qu'un « esprit masculin », ne présentant au public qu'un seul livre du difficile poème, « avait cru bon d'imprimer sa tête dans une couronne de lauriers ».

29. *Lucy Hutchinson's translation...*, *op. cit.*, p. 24-25.

30. *Ibid.*, p. 23.

31. *Ibid.*, p. 26.

32. *Ibid.*

33. *Ibid.*, p. 24.

34. Francis Bacon, *Novum organum*, trad. Alfred Lorquet, Paris, Hachette, 1857, p. 75.

35. L'expression philosophique la plus puissante de cette position se trouve dans les travaux du prêtre, astronome et mathématicien français Pierre Gassendi.

36. Isaac Newton, *Optique*, trad. Jean-Paul Marat, Christian Bourgois, 1989, p. 343-344.

37. À William Short, le 31 octobre 1819 : « Je considère que les doctrines authentiques d'Épicure (pas celles qu'on lui impute) contiennent tout ce qu'il y a de rationnel dans la philosophie morale que nous ont laissée la Grèce et Rome » (cité dans Charles A. Miller, *Jefferson and Nature : An Interpretation*, Baltimore et Londres, Johns

Hopkins University Press, 1988, p. 24). John Quincy Adams, « Dinner with President Jefferson », dans *Memoirs of John Quincy Adams, Comprising Portions of His Diary from 1795 to 1848*, éd. Charles Francis Adams, Philadelphie, 1874 : « M. Jefferson dit que de tous les systèmes de philosophie antiques, la philosophie épicurienne était celle qui, d'après lui, s'approchait le plus de la vérité. Il regrettait que les travaux de Gassendi s'y rapportant n'eussent pas été traduits. C'était la seule analyse juste qui existait. Je mentionnai Lucrèce. Il me répondit que ce n'en était qu'une partie – la philosophie *naturelle*. Mais on ne trouvait la philosophie *morale* que chez Gassendi » (3 novembre 1807).

38. Charles A. Miller, Miller, *Jefferson and Nature : An Interpretation, op. cit.*, p. 24.

INDEX

REMERCIEMENTS

Le philosophe antique dont l'œuvre a donné naissance à l'histoire que je viens de retracer pensait que le plaisir était le but suprême de la vie, et la compagnie de ses amis lui procurait un plaisir particulier. Il est donc opportun que je témoigne de ma gratitude au riche réseau d'amis et de collègues qui m'ont aidé et soutenu dans la rédaction de ce livre. Pendant une année au Wissenschaftskolleg de Berlin, j'ai passé de longues heures agréables à parler de Lucrèce avec feu Bernard Williams, dont la merveilleuse intelligence illuminait tout ce qu'elle touchait. Quelques années plus tard, dans ce même institut, j'ai participé à un groupe de lecture sur Lucrèce qui m'a donné l'élan décisif dont j'avais besoin. Sous la direction de deux généreux philosophes, Christoph Horn et Christof Rapp, le groupe, parmi lequel figuraient Horst Bredekamp, Susan James, Reinhard Meyer-Kalkus, Quentin Skinner et Ramie Targoff, plus quelques participants occasionnels, s'est plongé avec rigueur et vigueur dans le poème.

Une deuxième institution remarquable, l'école américaine de Rome, m'a fourni le cadre idéal pour la rédaction d'une grande partie de l'ouvrage : à ma connaissance, nul autre lieu n'offre la précieuse possibilité de travailler dans la quiétude tout en goûtant au plaisir épicurien. Je suis très reconnaissant à la directrice de l'école, Carmela Vircillo Franklin, et à son personnel compétent, ainsi qu'aux pensionnaires et invités. Mon agent, Jill Kneerim, et mon éditrice Alane Salierno Mason, se sont montrées des lectrices attentives, généreuses et efficaces. Parmi tous ceux qui m'ont offert leur aide et leurs conseils, je tiens à remercier Albert Ascoli, Homi Bhabba, Alison Brown, Gene Brucker, Joseph Connors, Brian Cummings, Trevor Dadson, James Dee, Kenneth Gouwens, Jeffrey Hamburger, James Hankins, Philip Hardie, Bernard Jussen, Joseph Koerner, Thomas Laqueur, George Logan, David Norbrook, William O'Connell, Robert Pinsky, Oliver Primavesi, Steven Shapin, Marcello Simonetta, James Simpson, Pippa Skotnes, Nick Wilding et David Wootton.

Mes étudiants et mes collègues de Harvard ont été une source constante de stimulation et de défi intellectuels, et les prodigieuses ressources de la bibliothèque de cette université n'ont jamais cessé de me stupéfier. Je remercie spécialement Christine Barrett, Rebecca Cook, Shawon Kinew, Ada Palmer et Benjamin Woodring pour leur aide dans mes recherches.

Ma plus profonde gratitude, pour ses sages conseils et pour le plaisir inextinguible que je lui dois, va à mon épouse, Ramie Targoff.

CRÉDITS DES ILLUSTRATIONS

TABLE

« Ô PÈRE, Ô DÉCOUVREUR DE L'UNIVERS,
TU NOUS PRODIGUES TES PRÉCEPTES PATERNELS
ET DANS TES LIVRES, Ô PRINCE,
PAREILS À DES ABEILLES DANS LES VALLONS EN FLEURS,
NOUS BUTINONS TES PAROLES D'OR, TOUTES D'OR. »

Toutes les citations de *De la nature* sont extraites
de la traduction de José Kany-Turpin
(édition GF Flammarion, 1993)
couronnée par le prix Nelly Sachs,
décerné à Arles par les Assises de la Traduction.

Mise en page par Meta-systems
59100 Roubaix

Cet ouvrage a été achevé d'imprimer en mars 2013
sur les presses de Normandie Roto Impression s.a.s.
61250 Lonrai
N° d'édition : L.01EHBN000553.N001
N° d'impression : 131139
Dépôt Légal : avril 2013

Imprimé en France